Sabine Kornbichler

Wie aus dem NICHTS

Kriminalroman

PIPER
München Berlin Zürich

Mehr über unsere Autoren und Bücher:
www.piper.de
Aktuelle Neuigkeiten finden Sie auch auf Facebook, Twitter und YouTube.

Von Sabine Kornbichler liegen im Piper Verlag vor:
Das Verstummen der Krähe
Die Stimme des Vergessens
Gefährliche Täuschung
Klaras Haus
Im Angesicht der Schuld
Das böse Kind
Wie aus dem Nichts

Originalausgabe
November 2016
© Piper Verlag GmbH, München/Berlin 2016
Umschlaggestaltung: Büro Süd
Umschlagabbildung: CSA Plastock/Getty Images
Satz: Kösel Media GmbH, Krugzell
Gesetzt aus der Bembo
Druck und Bindung: CPI books GmbH, Leck
Printed in Germany   ISBN 978-3-492-30873-1

1 Aus der Küche wehten vertraute Geräusche zu mir ins Bad. Alex machte Frühstück und summte auf seine unverwechselbare Art eine Melodie. Ich hätte nicht sagen können, ob es sich dabei um einen Song von Rihanna oder um einen von Adele handelte. Da er kaum jemals einen Ton traf, ließ sich keine der Melodien bis zu ihrem Ursprung zurückverfolgen – was keine Rolle spielte, denn das, was er völlig unbeschwert zum Besten gab, übte einen ganz eigenen Reiz aus.

In diesem Moment drehte er in der Küche das Radio laut. Der Moderator von *Antenne Bayern* verkündete gerade wortreich, dass Freitag, der dreizehnte für ihn schon immer ein Glückstag gewesen sei. Die Zuhörer sollten sich bloß nicht vom Aberglauben verunsichern lassen, sondern den Tag einfach genießen. Wenn am Freitag, dem dreizehnten November das Thermometer auf fünfzehn Grad steigen würde, könne doch gar nichts mehr schiefgehen.

»Hast du gehört?«, rief Alex Richtung Bad. »Fünfzehn Grad!«

Ich ließ die Zahnbürste sinken. »Ja, hab ich. Klingt gut!«

»Wie wär's dann heute Abend mit den Isarauen?« Seine Stimme kam näher.

»Willst du nicht erst einmal abwarten, wie das Gespräch mit Biggi verläuft?«, fragte ich ihn vom Waschbecken aus, als er im Türrahmen auftauchte. »Vielleicht braucht sie dich später noch. Es wird bestimmt nicht leicht für sie.«

Alex, der in gestreiften Boxershorts und einem weißen T-Shirt mit V-Ausschnitt steckte, kam ein paar Schritte näher und lehnte sich gegen die senfgelben Badezimmer-fliesen. Mit der rechten Hand kämmte er seine dunkelblon-den Haare zurück und brachte damit seine Geheimrats-ecken zum Vorschein. »Mach dir keine Sorgen um sie. Biggi kann einiges wegstecken. Da seid ihr beide euch ähnlich. Im Gegensatz zu dir hat sie allerdings nicht dieses Mutter-Teresa-Gen. Ich glaube, sie würde keinen Gedanken an dich verschwenden.« Er betrachtete mich auf eine Weise, die meinen Puls beschleunigte. »In dein großes Herz habe ich mich als Allererstes verliebt.«

Mit einem Lächeln wandte ich mich um, legte die Zahn-bürste aufs Becken und spülte mir schnell den Mund aus. Dann ließ ich den Blick über sein Gesicht wandern, das zur Hälfte unter einem Dreitagebart verschwand und mir in-zwischen sehr vertraut war. Ich hätte es mit geschlossenen Augen zeichnen können – die leicht schräg stehenden dun-kelblauen Augen, die hohen Wangenknochen, die gerade Nase und das Grübchen am Kinn. »Und als Zweites? In was hast du dich da verliebt?«

»In deinen Mut.« Er grinste. »Weißt du noch, wie du an dem ersten Abend im *Rüen Thai* zu dem sturzbetrunkenen, pöbelnden Typ an den Tisch gegangen bist, ihm in aller Seelenruhe die Hand auf den Arm gelegt und gesagt hast *Scht, es sind Damen anwesend!*? Er hat dich angesehen, als wärst du geradewegs vom Himmel gefallen.«

»Ein wenig hast du mich auch so angesehen«, erinnerte ich mich und spürte wieder das elektrisierende Kribbeln unserer ersten Begegnung.

Alex schien es ähnlich zu gehen. Etwas Funkelndes stahl sich in seine Augen. »Wie viel Zeit haben wir noch?«

Gegen das Waschbecken gelehnt schüttelte ich den Kopf und seufzte. »Keine, ich muss gleich los.«

Um neun Uhr und keine Minute später begann mein

Dienst. Auf Pünktlichkeit, das hatte Doktor Robert Eich-berger in unserem ersten Gespräch betont, legte er aller-größten Wert. Sollte ich damit nicht zurechtkommen, wür-den wir uns schnell wieder trennen müssen. Das würden wir ohnehin, aber davon ahnte er nichts. Sobald ich die Informationen hatte, die für Alex so wichtig waren, würde ich kündigen und zu meiner eigentlichen Arbeit zurück-kehren.

Alex kam auf mich zu, entfernte mit dem Daumen einen Rest Zahnpasta aus meinem Mundwinkel und strich mir eine meiner verwuschelten Locken aus dem Gesicht. Dann legte er seine Arme um meine Taille und zog mich an sich. »Wir könnten uns beeilen«, flüsterte er mir ins Ohr, um mich gleich darauf zu küssen.

Ich erwiderte seinen Kuss und ließ mich sekundenlang davon wegtragen. Am liebsten hätte ich seine Hand genom-men und ihn mit mir unter die Dusche gezogen. Aber dann würde sich die Zeit auflösen.

»Er kündigt mir, wenn ich zu spät komme«, prophezeite ich, als seine Lippen seitlich an meinem Hals hinunterwan-derten und seine Hände unter mein Nacht-Shirt glitten. »*Du* willst doch unbedingt, dass ich für ihn arbeite.«

»Im Augenblick will ich nur dich«, raunte er.

Mit den Fingerspitzen strich ich über seine Hüften und seinen Rücken hinauf. »Dann rufe ich ihn an und …«

Alex hielt inne und sah mich mit einem schiefen Lächeln an. »Bloß nicht! Ich bin ja froh, dass er dich eingestellt hat.« Er warf einen Blick auf meine Uhr, die auf dem Waschtisch lag und Viertel nach acht anzeigte. Dann ließ er mich mit einem bedauernden Lächeln los und stellte sich in den Tür-rahmen. »Welchen Eindruck hast du von ihm?«

Ich musste lachen, weil sich seine Frage für mich inzwi-schen wie ein Dauerscherz anhörte. Seit ich vor zehn Tagen bei Robert Eichberger als Haushälterin angefangen hatte, fragte Alex mich das täglich, und jedes Mal bekam er von mir die gleiche Antwort, nur jeweils in etwas andere Worte verpackt: »Der Mann ist ein seltsamer Kauz. Er redet kaum mit mir und macht den Eindruck eines zutiefst traurigen Menschen. Ich kenne niemanden, der so zurückgezogen lebt. Und so anspruchslos ist.«

»Was ist an einer Jahrhundertwendevilla in Nymphenburg anspruchslos?«

»Das ist es ja. All das scheint ihm kaum etwas zu bedeuten. Es berührt ihn nicht. Als ich ihm etwas von seinem wunderschönen Haus vorschwärmte, hat er mich verständnislos angesehen. So als wäre ihm das gar nicht bewusst.«

»Lass dich nicht von ihm einwickeln, Dana. Das könnte auch eine Masche sein.«

»Wieso sollte er denn mir gegenüber eine Masche abziehen?«

»Du kennst ihn nicht.«

»Du doch auch nicht, sonst müsste ich ihn ja schließlich nicht für dich ausspionieren.« Ich zog mein Nacht-Shirt über den Kopf und ließ es auf den Boden fallen. »Ich kann mir beim besten Willen nicht vorstellen, dass er an diesen Machenschaften beteiligt sein soll. Wozu auch, wenn ihm Geld nichts bedeutet?«

»Was Geld den Menschen wirklich bedeutet, zeigt sich nicht unbedingt auf den ersten Blick. Deshalb hör auf mich und sei vorsichtig. Und lass dich vor allem nicht von ihm anmachen.«

»Ich bitte dich – der Mann ist siebzig!«, feixte ich.

Als er lachte, war es, als tauche die Sonne ihn in gleißendes Licht und als verändere sich die Atmosphäre im Raum. »Ich glaube nicht, dass er schon jemals eine so attraktive Haushälterin hatte.«

»Er steht nicht auf sportliche Dunkelhaarige mit braunen Augen und Stupsnase.«

»Woher willst du das wissen?«

»Weil überall in seinem Haus Fotos einer blonden Schönheit mit sehr weiblichen Rundungen stehen. Sie war seine Frau und ist wohl schon vor Jahren gestorben, wenn ich ihn richtig verstanden habe.«

»Hat er eigentlich Kinder? Ich habe nichts darüber herausfinden können.«

Ich schüttelte den Kopf. »Ich glaube nicht. Jedenfalls stehen nirgends Fotos, die darauf schließen lassen.« Ich schickte ihm einen Kuss durch die Luft, stieg in die Dusche und stellte das Wasser an. »Bin gleich fertig.«

Zehn Minuten später ließ ich meine kurzen Locken an der Luft trocknen, tuschte die Wimpern und schlüpfte in Jeans, T-Shirt und Kapuzenpulli. Im Flur zog ich meine Chucks an, schob mein Handy in die Hosentasche und ging in die Küche, wo Alex mir gerade frisch gepressten Orangensaft und ein Butterbrötchen auf den Tisch stellte. Ohne Frühstück war ich nur ein halber Mensch, während Alex auf diese Mahlzeit regelmäßig verzichtete.

Alex zog sich ein hellblaues Sweatshirt über und setzte sich in den Fensterrahmen, von wo aus er mir dabei zusah, wie ich hungrig aß und mein Gesicht den Sonnenstrahlen zuwandte, die durch das geöffnete Fenster fielen und mit dem morgendlichen Verkehrslärm in die Küche drangen. Er warf mir einen verliebten Blick zu. Ich erwiderte ihn und lächelte.

»Woran denkst du gerade?«, fragte er.

»An die Schmetterlinge in meinem Bauch.«

»Sonntag sind es schon zwei Monate, dass wir zusammen sind«, sagte er in einem Ton, als staune er darüber.

»Sonntag habe ich Geburtstag.«

»Ich weiß, und ich habe auch schon eine Überraschung für dich.«

»Was ist es? Sag schon!« Gespannt beugte ich mich vor.

Mit Daumen und Zeigefinger fuhr er seine Lippen entlang, als verschließe er sie.

»Dann rate ich eben! Mhm …« Ich tat, als müsse ich angestrengt nachdenken. »Du lässt mich einen Blick in dein Arbeitszimmer werfen?«

Alex hielt diesen Raum stets verschlossen. In seiner freien Zeit wollte er nichts von all den dunklen Abgründen wissen, die er als Journalist Tag für Tag durchleuchtete, um sie schließlich aufzudecken. Normalerweise hätte ich eine verschlossene Tür seltsam gefunden, aber in seinem Fall stieß sie auf mein stillschweigendes Einvernehmen. Auch ich war immer froh, wenn meine Bürotür hinter mir ins Schloss fiel und ich all das, was sich dahinter abspielte, für kurze Zeit vergessen konnte.

»Kennst du nicht das Märchen vom Ritter Blaubart?« Alex machte ein übertrieben ernstes Gesicht und senkte seine Stimme. »Wenn du diese Tür öffnest, erwartet dich die schrecklichste Strafe für deine Neugier.« Er grinste. »Du weißt doch, was mit neugierigen, ungehorsamen Frauen passiert.« Wieder senkte er seine Stimme. »Ich müsste dir das Haupt vom Rumpfe trennen.«

»Ich finde schon noch heraus, was du mir schenkst«, erwiderte ich grinsend.

»Wetten, dass nicht?«

»Fährst du vielleicht mit mir in den Downhill Bike Park in Leogang?«

»Um Gottes willen, nein! Ich bin doch nicht lebensmüde.«

»Wenn man es kann, ist es gar nicht so gefährlich«, verteidigte ich diese Sportart, die mir ein Ventil bot, wenn ich eines brauchte. »Okay, lass mich raten. Wenn es das nicht ist, dann vielleicht eine Glückskatze?« Die wünschte ich mir schon lange.

Er kam zu mir, zog mich vom Stuhl hoch und blies mir eine Locke aus der Stirn. Im Radio sang Andreas Bourani, und Alex summte die Melodie mit. *Ein Hoch auf uns, auf dieses Leben ... auf das, was vor uns liegt ... auf den Moment, der bleibt ...*

Mein Herz klopfte aufgeregt. Ich hätte etwas darum gegeben, diesen Moment festhalten zu können, Robert Eichberger zu vergessen und alle Fünfe gerade sein zu lassen.

»Du musst los«, flüsterte Alex und fuhr mit seinen Fingerspitzen über meine Oberarme. »Es ist schon Viertel vor neun.« Von einer Sekunde auf die andere wirkte er bedrückt, und ich wusste auch warum.

»Das Treffen mit Biggi wird bestimmt nicht so schlimm, wie du es dir vorstellst. Sie spürt vielleicht längst, dass etwas zwischen euch nicht mehr stimmt.«

Seit über einem Jahr hatte er mit ihr eine Beziehung, und um zehn Uhr war er hier mit ihr verabredet, um ihr heute endlich zu sagen, dass es aus war.

Mir hatte er gleich an unserem ersten Abend von Biggi erzählt. Er war offen gewesen und hatte nichts verschwiegen. Nicht einmal die intensiven Gefühle, die ihn immer noch mit ihr verbanden. Diese Gefühle, die dann mit denen für mich in einen Wettstreit getreten waren. Eigentlich hatte ich ihm noch am selben Abend sagen wollen, dass es keinen Sinn mit uns beiden hatte, aber ich hatte es nicht geschafft. Alex war auf eine Art liebevoll und faszinierend, der ich mich nicht entziehen konnte. Er war zärtlich und unkonventionell, und er weckte mich morgens mit Fragen, die mich lächeln ließen. *Welche Farbe hat Sehnsucht? Wie fühlt sich eine Wolke an?*

»Einfach wird es ganz bestimmt nicht«, sagte er in meine Gedanken hinein und schloss das Fenster.

»Du weißt, du musst das nicht tun«, sagte ich leise. »Wir können auch noch eine Weile so weitermachen.«

»So wie das all deine Klienten tun? Das will ich nicht.«

Meistens prallten Anfeindungen und spitze Bemerkungen, die meine Arbeit betrafen, an dem Panzer ab, den ich mir dafür über die Jahre hinweg zugelegt hatte. Bei Alex zeigte er jedoch keine Wirkung. Seine Bemerkungen taten mir weh – vielleicht weil sie auf fruchtbaren Boden fielen. Alex hatte von Anfang an keinen Hehl daraus gemacht, wie wenig er von meiner Alibi-Agentur hielt und dass er sich wünschte, ich würde mit etwas Ehrenwerterem mein Geld verdienen. Menschen durch Lügen einen Freiraum zu verschaffen – wofür auch immer sie ihn benötigten – zählte in seinen Augen nicht dazu. Im Gegensatz zu mir hatte er aber auch nie die Erfahrung gemacht, dass ein Alibi ein Leben hätte retten können. Außerdem war Alex nicht nur beruflich ein Verfechter der Wahrheit, weshalb ihm die Situation mit Biggi auch schwer zu schaffen machte.

»Ich hätte es ihr längst sagen müssen«, fuhr er fort. »Es ist nur fair … euch beiden gegenüber.« Er drehte sich zu mir um.

»Willst du es dir nicht trotzdem noch einmal überlegen? Sie kommt von einem Langstreckenflug und ist ganz bestimmt übermüdet. Sie wird sich freuen, dich zu sehen, und du …«

Alex wollte gerade zu einer Antwort ansetzen, als es an der Tür klingelte. Er lief in den Flur, rief dann laut »Moment noch, ich bin gleich da!« und kam gleich darauf zurück. Flüsternd erklärte er mir, dass Biggi vor der Tür stünde. Ich solle mich auf der Empore im Wohnzimmer verstecken und mucksmäuschenstill sein.

»Aber ich muss doch los«, insistierte ich ebenso leise. »Kannst du sie nicht überreden, mit dir um die Ecke ins Café zu gehen?«

»Gute Idee. Aber versteck dich trotzdem so lange auf der Empore. Nur zur Sicherheit. Und komm erst wieder herunter, wenn die Luft rein ist, versprochen?«

»Gut, versprochen.«

Auf Zehenspitzen lief er ins Bad und kam mit meiner Zahnbürste und dem Nacht-Shirt zurück. Hektisch drückte er mir beides in die Hand und schob mich Richtung Wohnzimmer, als es bereits zum zweiten Mal klingelte.

»Bin schon unterwegs!«, rief er und vergewisserte sich mit einem schnellen Blick, dass ich auch wirklich die Leiter zur Empore hinaufstieg. Dann schickte er mir einen Kuss hinterher, bevor er die Tür anlehnte und über das knarrende Parkett durch den Flur eilte, um Biggi zu öffnen.

2 Auf der zum Wohnzimmer hin offenen Empore war es stickig. Möglichst geräuschlos versuchte ich, das kleine Fenster zu öffnen, gab aber gleich wieder auf, da es klemmte. Mit Zahnbürste und Shirt in der Hand wollte ich mich gerade setzen, als mir meine Tasche einfiel, die auf einem Stuhl im Wohnzimmer schräg unter mir lag. Einige Sekunden lang überlegte ich, schnell hinunterzusteigen und sie zu holen, aber die gedämpften Stimmen aus dem Flur belehrten mich eines Besseren. Selbst wenn Biggi in den nächsten Minuten erfuhr, dass es mich gab, musste sie mich nicht gleich sehen.

Alex und ich hatten im Vorfeld ein paar Mal darüber diskutiert, was die bestmögliche Art und Weise war, sich zu trennen. Alex hatte vor, alles offen zuzugeben, weil die Wahrheit für ihn oberste Priorität hatte und weil er überzeugt war, dass sie sich immer ihren Weg bahnen würde, genauso wie Wasser. Warum also etwas abstreiten, das ohnehin irgendwann ans Licht kam? Ich war der Meinung, dass es Biggi weniger verletzen würde, wenn er die Trennung auf zu viel Arbeit schob und zu wenig Zeit für die Beziehung. Und auf seine Überzeugung, dass daran in absehbarer Zeit kaum etwas zu ändern war. Ich hielt nichts von der Wahrheit um jeden Preis. Manchmal reichte auch die halbe Wahrheit. Die andere Hälfte in eine Lüge zu hüllen konnte viel Leid ersparen. Alex fand, das sei Wischiwaschi und letztlich feige. Wir hatten uns um diesen Punkt gestritten. Schließlich hatte ich gesagt, ich würde nicht wissen wollen, dass da eine andere sei, wenn er sich eines Tages von mir trennte.

Von mir würde er sich nie trennen, hatte er entgegnet und die Hand zum Schwur erhoben: »Bis dass der Tod uns scheidet.« »Beschrei es nicht!«, hatte ich gesagt. »Immerhin war der Tod in unseren Familien schon ein paar Mal zu Gast. Allem Anschein nach fühlt er sich in unserer Nähe wohl.« Da hatte er gelacht und die Arme um mich geschlungen. Das sei Aberglaube, nichts weiter.

Ich sah auf die Uhr und wurde allmählich nervös. Allem Anschein nach hielten die beiden sich immer noch im Flur auf. Vielleicht war Biggi müde von dem Flug und wollte nicht gleich wieder aufbrechen, überlegte ich. Was würde Alex in dem Fall tun? Das Wohnzimmer würde er meiden, ebenso Schlafzimmer und Arbeitszimmer. Die Küche kam ebenfalls nicht infrage. Dort standen immer noch mein angebissenes Brötchen und mein halb ausgetrunkener Saft. Beides würde Alex unnötig in Erklärungsnot bringen. Warum hatte sie ausgerechnet heute früher kommen müssen? Ein paar Minuten später und ich wäre längst fort gewesen.

Einen Moment lang lauschte ich dem leisen Gemurmel im Flur, konnte aber nicht einmal Bruchstücke davon verstehen. Ich setzte mich in den zerschlissenen Ledersessel, in dem Alex so gerne las, und ließ den Blick über die zahllosen Bücher schweifen, die in Regalen standen und stapelweise am Geländer lehnten. Alex las so ziemlich alles, was er in die Finger bekam. Darin ähnelte er Niki, meiner Freundin und Mitarbeiterin. Sie fraß sich durch so ziemlich jedes Genre, konnte sich so viele Bücher allerdings meist nicht leisten und lieh sie deshalb stapelweise in der Bibliothek aus. Manchmal stahl sie sie aber auch in Buchhandlungen und brachte sie, wenn sie sie ausgelesen hatte, wieder zurück – sorgsam versehen mit den Preisetiketten. Ich musste plötzlich lächeln. Von meinem Onkel hätte sie sich nicht erwischen lassen dürfen. Fritz hatte jahrzehntelang eine kleine

Buchhandlung geführt, wo ich mich zum Glück jederzeit frei hatte bedienen dürfen – vorausgesetzt, ich griff nach etwas Altersgerechtem. Als ich mit zwölf Stephen King lesen wollte, hatte er alles versucht, um es mir auszureden. Also hatte ich den Schutzumschlag meiner Hanni-und-Nanni-Ausgabe darum geschlungen und gebannt gelesen, wie Menschen in Extremsituationen reagierten, wie sie überlebten und wie es ihnen gelang, nicht daran zu zerbrechen, wenn es keinen Ausweg zu geben schien. Diese Fragen hatten mich damals aus gutem Grund sehr beschäftigt.

Der Glockenschlag der St.-Rupert-Kirche am Gollierplatz riss mich aus meinen Gedanken. Die Glocke schlug neunmal und mahnte an Robert Eichberger, der mich in diesem Moment bei sich zu Hause erwartete. Er würde sich wohl noch etwas gedulden müssen.

Ich lehnte mich zurück, schloss für einen Moment die Augen und lauschte dem Vogelgezwitscher, das durch das geschlossene Fenster drang.

Als ich gerade versuchte, die einzelnen Vogelstimmen zu erkennen, klingelte es erneut. Vermutlich war es der ständig gehetzte Paketbote, der es sich zur Gewohnheit gemacht hatte, bei allen Bewohnern gleichzeitig zu läuten, nur um so schnell wie möglich eingelassen zu werden. Aber er war es nicht. Ich meinte, Alex so etwas sagen zu hören wie »coole Maske«, woraufhin der Mann an der Tür anfing, von »Spenden« und »Wildtieren« zu sprechen.

Inzwischen kannte ich Alex gut genug, um zu wissen, dass er den Typ nicht abweisen würde. Genauso wenig wie er an einem Bettler vorbeigehen konnte, ohne ihm etwas zu geben. Auch das war etwas, das uns verband.

Kurz darauf hörte ich die Tür ins Schloss fallen, und dann folgten mehrere Geräusche gleichzeitig. Es klang, als würde etwas Schweres zu Boden fallen, und mit ihm mehrere

Gegenstände. Ich horchte genauer hin und vermutete, dass Alex gegen das Regal im Flur gestoßen war, als ich einen unterdrückten Schrei von Biggi vernahm. Wieder fielen Dinge auf den Boden. Irgendetwas rollte über die Holzdielen. Ich schlich schnell zu dem Geländer der Empore, vor dem sich ein Buchstapel neben den anderen reihte, um besser hören zu können, was dort unten vor sich ging.

Es hörte sich verdächtig danach an, als würde Biggi Alex gerade heftig attackieren. Ich hatte seine Worte noch im Ohr, als er sagte, Biggi könne einiges wegstecken und sei hart im Nehmen. Blieb zu hoffen, dass sie nicht auch hart im Austeilen war.

Zwar hatte ich Alex versprochen, erst wieder hinunterzuklettern, wenn die Luft rein war, aber als er mir dieses Versprechen abgenommen hatte, war er von einem zivilisierten Trennungsgespräch ausgegangen. Davon konnte inzwischen nicht mehr die Rede sein. Allem Anschein nach hatte Biggi nicht vor, das Feld kampflos zu räumen. Alex hatte sich getäuscht. Er war überzeugt gewesen, Biggi sei viel zu stolz, um ihm eine Szene zu machen. Sie würde ihn anhören und dann kommentarlos gehen. Aber Menschen handelten eben nicht nur aus Stolz.

Dann war es plötzlich ruhig, aber die Stille nach diesem Sturm der Gefühle währte nur kurz. Ihr folgten Schritte auf dem Parkett. Irgendetwas, das wie Glas klang, knirschte unter Sohlen. Ich tippte auf Turnschuhe, denn sie quietschten auf dem Boden. Also konnte es nicht Alex sein, der in seiner Wohnung nur barfuß herumlief.

Erst jetzt wurde mir bewusst, dass keiner von beiden auch nur ein Wort gesagt hatte. Bis auf Biggis unterdrückten Schrei hatte es keinen einzigen Laut gegeben, seit die Wohnungstür wieder ins Schloss gefallen war. Hatte sie ihn geschubst, sodass er gegen das Regal gefallen war? Aber warum wehrte er sich nicht? War er verletzt? Die Schritte näherten sich der Wohnzimmertür. Vorsichtshalber ging ich in die Hocke und versteckte mich hinter den Büchertürmen. Durch einen der Zwischenräume sah ich Sekunden später jemanden im Türrahmen auftauchen. Fast hätte ich vor Schreck nach Luft geschnappt. Ich presste mir die Hand vor den Mund und starrte auf einen Mann, der eine Fuchsmaske trug. Der Spendensammler?

Sein Anblick wirbelte alles durcheinander. Mit einem Mal schien nichts mehr zu passen, so als spiele mein Gehirn verrückt. Ich beobachtete, wie der Mann stehen blieb und sich suchend umsah. Schnell duckte ich mich noch tiefer. Wo waren Alex und Biggi? Warum hörte ich nichts von ihnen? Nicht einmal den kleinsten Laut? Eine undefinierbare Angst ließ mein Herz hämmern. Ich hielt den Atem an.

Millimeterweise hob ich den Kopf und lugte vorsichtig durch die Ritzen zwischen den Büchern und dem Geländer. Der Fuchsmann, der mit dem Rücken zu mir stand und ein in Packpapier eingewickeltes Päckchen in der Hand hielt, sah sich noch immer suchend um. Plötzlich setzte er sich in Bewegung und blieb neben dem Stuhl stehen, auf dem meine Tasche lag.

Es traf mich wie ein Blitz: Biggi war von einem Langstreckenflug gekommen. Ihren Koffer hatte sie ganz bestimmt im Auto gelassen, aber ihre Tasche würde sie mitgebracht haben. Und jetzt lag da eine zweite. Ich betete, dass der Mann nicht zu den Menschen gehörte, die intuitiv spürten, wenn sich ein anderer mit ihnen im Raum befand oder wenn sie beobachtet wurden.

Aber er schien mich nicht zu bemerken. In aller Seelenruhe legte er das Päckchen neben meine Tasche auf den Sessel und begann, in meinen Sachen zu wühlen. Während ich gebannt jeder seiner Bewegungen folgte, steigerte sich meine Sorge um Alex und Biggi. Was war los mit ihnen? Warum hörte ich nichts? Lagen sie gefesselt und geknebelt in der Küche? Erst neulich war so etwas einem älteren Ehepaar widerfahren. Einbrecher hatten sie an einen Heizkörper gekettet. Sie hatten sich nicht bemerkbar machen können und waren erst neunzehn Stunden später von ihrer Haushaltshilfe gefunden worden. Allerdings waren sie von mehreren Tätern überfallen worden. Hier gab es nur einen. Wie hatte er Alex und Biggi allein überwältigen können? Und wieso gaben sie nicht einmal den kleinsten Mucks von sich?!

Inzwischen hielt der Mann meine Geldbörse in der Hand. Er würde nicht viel Freude daran haben, dachte ich mit einem Anflug von Galgenhumor, denn es befanden sich gerade mal zwanzig Euro darin. Ich hatte vorgehabt, auf dem Weg zur Arbeit am Geldautomaten vorbeizufahren. Als er meinen Personalausweis aus einem der Fächer zog und ihn zu studieren begann, sah ich mich nach etwas um, das ich als Waffe würde benutzen können. Hier oben gab es jedoch nur Bücher.

Als ich noch darüber nachdachte, wie schnell ich sein musste, um ihn möglichst effektiv damit zu bombardieren, steckte er den Ausweis zurück in meine Geldbörse, ließ sie zurück in die Tasche fallen und das Päckchen folgen. Weit davon entfernt zu begreifen, was da vor sich ging, sah ich ihm dabei zu. Ich fühlte mich wie jemand, der versuchte, Teile zu einem Ganzen zusammenzufügen, die einfach nicht zueinanderpassen wollten.

Da ich mich immer noch geduckt in der Hocke hielt, begannen meine Beine schmerzhaft zu kribbeln. Ich wagte jedoch selbst dann nicht, mich zu rühren, als er kurz aus meinem engen Blickfeld verschwunden war. Erst als er polternd mehrere Gegenstände zu Boden fallen ließ, traute ich mich, meine Position zu verlagern und durch einen anderen Spalt zwischen den Buchtürmen zu linsen.

Der Fuchsmann war gerade dabei, Alex' Laptop, sein iPhone und mehrere Stapel mit Zeitschriften vom Couchtisch zu fegen, ohne auch nur einen Blick darauf zu verschwenden. Als Nächstes zog er die kleinen Schubladen des alten Apothekerschranks heraus und ließ sie achtlos fallen.

Wenn ihm dort unten das Material ausging, um noch mehr Chaos anzurichten, würde er dann die Leiter zur Empore hochsteigen?

So leise wie möglich zog ich mich hinter den großen Lesesessel zurück und war dankbar für den alten Perserteppich, der jedes Geräusch meiner Schritte schluckte. Alex hatte ihn längst entsorgen wollen, doch ich hatte ihm etwas von »Retrochic« erzählt, ohne zu ahnen, dass dieser Trend mich vielleicht eines Tages vor Unheil bewahren würde.

Als ich den Fuchsmann jetzt die Leiter erklimmen hörte, versuchte ich, mich so klein wie möglich zu machen. Mein Herz hämmerte in meiner Brust. Wieder hörte ich mehrere Gegenstände fallen, dieses Mal waren es Bücher. Ich rechnete damit, jeden Moment seine Stimme zu hören, einen bellenden Befehl, der mir auftrug, hinter dem Sessel hervorzukommen.

Stattdessen war das Knarren der Leitersprossen zu hören. Das Parkett im Wohnzimmer und im Flur verriet mir, dass er sich auf dem Rückzug befand. Kurz darauf hörte ich die Wohnungstür ins Schloss fallen. Ich ließ ein paar Sekunden verstreichen, um sicherzugehen, dass er nicht noch einmal zurückkam. Dann sprang ich auf und hechtete Richtung Leiter. Ich konnte an nichts anderes denken als an Alex. Ich musste mich vergewissern, dass es ihm gut ging. Dass es beiden gut ging. Ich rutschte an einer der Sprossen ab, landete unsanft auf dem Boden und hastete über das mit allen möglichen Gegenständen übersäte Parkett. Fünf Sekunden später stand ich im Flur und wäre beinahe über Alex gestürzt.

Sein ehemals hellblaues Sweatshirt war blutdurchtränkt. Sein Kopf schien in Blut und Scherben zu baden. In der Mitte seiner Stirn war ein Loch. Seine Augen waren halb geschlossen. Sekundenlang kam es mir vor, als hielte mich ihr Anblick wie in einem Schraubstock gefangen. Dann löste ich mich, beugte mich hinunter und tastete gegen jede Chance mit zitternden Fingern an seinem Hals und den Handgelenken nach einem Puls.

Im ersten Moment meinte ich, noch etwas zu spüren, dann begriff ich, dass mein Herz so heftig schlug, dass ich es bis in die Fingerspitzen fühlte. So tief wie möglich grub ich zwei Finger in seine Haut, immer wieder, als könne ich damit seinen Puls aus der Deckung locken. Es war eine ebenso verzweifelte wie sinnlose Suche, aber etwas in mir wollte ihn nicht gehen lassen, nicht so. Dabei war er längst gegangen. In mir fühlte sich plötzlich alles wie taub an.

Dann entdeckte ich Biggi. Sie lag im vorderen Teil des Schlafzimmers. Bis dorthin hatte sie fliehen können. Im Gegensatz zu Alex war sie im Fallen auf dem Bauch gelandet. Ich stand langsam auf und ging auf sie zu. Ihr kurzes rosa Wollkleid war verrutscht. Das viele Blut hatte ein bizarres Muster darauf gemalt. Mein Blick glitt zu ihrem Kopf. Eines der für sie bestimmten Geschosse hatte sie in die Schläfe getroffen. Die anderen hatten den Rücken durchdrungen. Auch bei ihr suchte ich vergebens nach einem Lebenszeichen.

Mit blutverschmierten Fingern tastete ich nach meinem Handy. Als ich es zu fassen bekam, entglitt es mir und landete in Biggis Blut. Ich wischte es an meiner Jeans ab und wählte den Notruf. Die Polizei müsse kommen, stammelte ich mit einer roboterhaften Stimme ins Telefon. Es gebe zwei Tote, sie seien erschossen worden.

Es kostete mich eine ungeheure Anstrengung, mich zu konzentrieren und die erforderlichen Angaben zu machen. Ob er die Verbindung halten solle, fragte der Beamte am anderen Ende der Leitung.

»Nein«, flüsterte ich, als könnten Alex und Biggi noch durch irgendein Geräusch gestört werden. »Nein, ich schaffe das.«

Bevor er auflegte, instruierte er mich, keinesfalls am Tatort etwas zu verändern. Am besten solle ich mich in ein anderes Zimmer zurückziehen, bis die Kollegen vor Ort wären.

In ein anderes Zimmer zurückziehen, hallten seine Worte in meinen Ohren. Sie umwehten mich, konnten jedoch nichts ausrichten gegen den überwältigenden Geruch von Blut – wie süßes Eisen. Er spülte Erinnerungen an die Oberfläche – Bilder voller Schmerz und Angst – und katapultierte mich an einen anderen Ort. Einen anderen Tatort. Mitten hinein in eine Szene, die sich für immer in mein Gedächtnis gebrannt hatte. Und aus der mir in all den Jahren kein einziges Detail abhandengekommen war.

3 Im Bad hatte ich mich übergeben. So lange, bis ich nur noch gewürgt und mein Magen nichts mehr hergegeben hatte. Dann hatte ich die Wasserspülung gedrückt und mich neben die Toilette auf den Boden sinken lassen. Dort fanden mich die beiden Polizeibeamten, die als Erste eintrafen. Ihre Stimmen drangen wie durch Watte zu mir. Sie wollten wissen, ob ich verletzt sei und woher das Blut an meinen Händen und meiner Kleidung stamme. Ich erklärte es ihnen.

In diesem Moment hörte ich eine andere Stimme. Sie gehörte einer Kripokommissarin, die sich als Corinna Altenburg vorstellte. Sie fasste mich behutsam am Arm und bat mich, mit ihr zu kommen. Umsichtig dirigierte sie mich durch den Flur über Blutlachen hinweg und flankierte mich dabei so, dass mir der Blick auf Alex versperrt war. An der Wohnungstür sprach sie kurz mit einem der schwer bepackten Beamten in weißen Overalls, die gerade eingetroffen waren und nach einem Platz suchten, um ihre Koffer abzustellen.

»Sind Sie Frau Rosin?«, fragte sie, nachdem sie mich im Wohnzimmer sanft in die eine Ecke von Alex' Sofa gedrückt, sich dann in ausreichendem Abstand neben mich gesetzt und schließlich ein Notizheft samt Stift gezückt hatte. »Haben Sie den Notruf gewählt?«

Jemand reichte mir ein Glas Wasser. Ich nahm es, ohne aufzusehen, trank jedoch nicht. Auch der kleinste Schluck hätte meiner Übelkeit weiter Vorschub geleistet. Langsam hob ich den Blick und verankerte ihn in dieser Frau, die mich aufmerksam beobachtete. Sie anzusehen half mir, die anderen Bilder zurückzudrängen. Ich konzentrierte mich auf sie, als gebe es nichts Wichtigeres in diesen Sekunden.

Corinna Altenburg hatte die Fünfzig wohl bereits vor einigen Jahren überschritten. Sie war schlank, wirkte aber gleichzeitig robust und saß sehr aufrecht da. Einige Strähnen ihrer hennarot gefärbten Haare hatten sich aus der Spange gelöst. Sie schob sie hinters Ohr, während sie mich weiter aus wachen grauen Augen ansah. An irgendjemanden erinnerte sie mich, aber mir fiel nicht ein, an wen. Ich wusste nur, es war eine gute Erinnerung.

»Sind Sie Frau Rosin?«, wiederholte sie ihre Frage.

Ich nickte und schlang die Arme um meinen Körper, weil mir eiskalt war.

»Das hier ist mein Kollege Leo Parsinger.« Sie deutete auf den Mann, der mir das Wasser gebracht hatte.

Er konnte höchstens Mitte dreißig sein, hatte braune Haare mit widerspenstigen Wirbeln, graublaue Augen, einen sonnengebräunten Teint, und er trug einen Ehering. Seine Stimme war tief und rau. Er wählte seine Worte mit Bedacht und ließ sich Zeit, als er mich fragte, ob ich mich in der Lage fühle, ihnen ein paar Fragen zu beantworten. Er schien ganz selbstverständlich von einem Ja auszugehen, denn er ließ sich auf einem Sessel mir gegenüber nieder. Auf dem Weg dorthin hatte er akribisch darauf geachtet, wohin er trat.

Meine blutverschmierten Hände zitterten. Ich wollte nur weg, fort von diesem Ort, den Alex nie wieder mit Leben füllen würde. Ich wusste, was mit solchen Orten geschah. Sie nisteten sich in mein Gehirn ein und waren nicht mehr daraus zu vertreiben. »Können wir das nicht auf morgen verschieben?«, bat ich mit einer Stimme, die ich fast nicht wiedererkannte.

»Das würden wir gerne.« Corinna Altenburg beugte sich

ein paar Zentimeter in meine Richtung. »Aber die Erfahrung zeigt, dass es besser ist, möglichst wenig Zeit zwischen Ereignis und Befragung verstreichen zu lassen.«

»Glauben Sie allen Ernstes, ich würde mich morgen nicht mehr an das hier erinnern?«

»Vertrauen Sie mir, Frau Rosin, dieses erste Erinnern ist wirklich entscheidend. Jetzt ist alles noch ganz frisch, und Sie befinden sich direkt am Tatort. Je öfter Sie Ihre Erinnerungen erzählen, und das dann auch noch in einer anderen Umgebung und einer anderen Stimmung, desto eher werden sie verfälscht. Wir alle neigen dazu, bei längerem Nachdenken Erinnerungslücken durch etwas Plausibles aufzufüllen. Das hat niemand unter Kontrolle, es geschieht einfach.« Sie sah sich um. »Im Flur und in der übrigen Wohnung ist bereits die Spurensicherung am Werk, wie Sie gesehen haben. An uns ist es, die Informationsspuren zu sichern. Und das so schnell wie möglich. Wollen wir es einfach mal darauf ankommen lassen und schauen, wie weit wir kommen? Was meinen Sie?«

Ich stellte das Glas Wasser auf dem Tisch ab und nickte verhalten.

Sie nahm mein Nicken auf, verstärkte es und öffnete ihr Notizheft. »Gut. Aber bevor wir anfangen, bitte ich Sie, uns kurz Ihr Handy zur Prüfung zu überlassen.«

»Mein Handy?«, vergewisserte ich mich irritiert. »Warum?«

»Noch können wir nicht einschätzen, was hier geschehen ist. Sie haben sich am Tatort aufgehalten, und wir wollen nichts versäumen, was sich später nicht nachholen ließe.«

Ich zog das Handy aus der Hosentasche und reichte es ihr.

Sie rief einen der Beamten von der Kriminaltechnik zu sich und gab es an ihn weiter. »So, dann schlage ich vor, wir beginnen damit, dass Sie uns etwas über sich erzählen.«

25

»Über mich? Was denn?«

»Ihren Namen, Ihr Alter und Ihren Beruf.«

»Ich heiße Dana Rosin, bin dreiunddreißig Jahre alt und betreibe eine Alibi-Agentur.«

»Das heißt, Sie liefern Menschen Alibis für Seitensprünge?«, hakte sie in neutralem Tonfall nach und zeigte nichts anderes als ein professionelles Interesse.

»Nicht nur für Seitensprünge«, erklärte ich, »auch wenn sie längere Zeit krank sind oder arbeitslos oder wenn ihr Umfeld nichts von ihrer Homosexualität wissen darf, wenn eine Schönheits-OP nicht ans Licht kommen soll oder wenn sich jemand nur mal ein freies Wochenende wünscht oder Weihnachten ausnahmsweise nicht bei den Eltern oder Schwiegereltern verbringen möchte.«

»Aha«, sagte Corinna Altenburg, als vermerke sie meine Antwort im Geiste. »In welcher Beziehung stehen Sie zu den beiden Toten?«

»Alex Wagatha ist mein Freund. Wir sind noch nicht so lange zusammen, erst seit zwei Monaten. Die Frau ist seine Freundin.« Sekundenlang stockte ich. »Alex wollte sich heute von ihr trennen.«

Die Beamtin machte sich Notizen und sah dann gleich wieder auf. »Kannten Sie sich?«

Ich schüttelte den Kopf. »Ich habe sie heute zum ersten Mal gesehen. Als sie bereits tot war. Sie heißt Biggi, ist neunundzwanzig Jahre alt und arbeitet im Wirtschaftsressort der Süddeutschen Zeitung.«

»Wissen Sie vielleicht ihren Nachnamen und wo sie gewohnt hat?«

»Nein.« Ich hatte so wenig wie möglich über Biggi wissen wollen, um ihr kein Gesicht zu geben. »Aber sie hat doch bestimmt einen Ausweis in ihrer Tasche.«

»Wir haben bisher keine Tasche gefunden, lediglich einen

Schlüsselbund, der neben ihrer Hand lag. Sie hatte allem Anschein nach auch keinen Mantel bei sich.« Sie hielt kurz inne. »Was können Sie mir über Ihren Freund erzählen?«

Ich sah mich suchend um. »Mir ist so kalt. Können Sie mir bitte die Decke dort geben?«

Sie zog eine zusammengefaltete Wolldecke unter zwei Kissen hervor und legte sie mir um die Schultern.

»Danke.« Ich schluckte. »Was hatten Sie gefragt?«

»Was Sie uns über Ihren Freund erzählen können.«

»Alex ist … Er war zweiunddreißig Jahre alt und hat für verschiedene Medien als Enthüllungsjournalist gearbeitet.« Als die Vergangenheitsform drohte, mir den Boden unter den Füßen wegzuziehen, riss ich mich mit aller Kraft zusammen. »Er lebte erst seit zwei Jahren in München. Aufgewachsen ist er in Landshut, und studiert hat er in Köln.«

»Wo lebt seine Familie? Wissen Sie das?«

»Seine Eltern sind bei einem Verkehrsunfall ums Leben gekommen, als er zwei Jahre alt war. Seine beiden älteren Geschwister saßen damals mit im Auto. Sie sind kurz hintereinander im Krankenhaus gestorben. Alex wurde dann von einem Landshuter Ehepaar adoptiert, das selbst keine Kinder hatte. Als er neunzehn war, sind seine Adoptiveltern beim Skilaufen in einer Lawine tödlich verunglückt. Seitdem hat er sich alleine durchgeschlagen.«

Wieder schrieb Corinna Altenburg etwas in ihr Notizheft. »Seit wann war er mit Biggi befreundet?«

»Die beiden waren etwas über ein Jahr zusammen.«

»Wusste sie von Ihnen?«

»Ich glaube nicht.«

»Wusste sie, dass es heute zu diesem Trennungsgespräch kommen sollte?«

»Alex hat ihr vorher nichts davon gesagt. Die beiden

waren um zehn Uhr hier verabredet. Biggi ist …« Ich versuchte, mich zu erinnern. »Ich glaube, sie ist irgendwo aus Fernost gekommen, weil sie dort beruflich zu tun hatte. Vermutlich ist ihr Flugzeug früher gelandet als geplant. Deshalb war sie schon vor neun hier.« Ich spürte den Blick von Leo Parsinger auf mir ruhen und sah zu ihm.

»Hat es zwischen Ihnen und Alex Wagatha Streit wegen dieser Doppelbeziehung gegeben?«, fragte er.

»Nein.«

»Ist das nicht ungewöhnlich?«

»Ich wusste, worauf ich mich einlasse. Alex hat mir Biggi nicht verschwiegen.«

»Aber ihr hat er ganz offensichtlich Sie verschwiegen. Ist es denkbar, dass sie es herausgefunden hat und dann ihn und Sie überraschen und sozusagen in flagranti ertappen wollte?«

»Vielleicht hat sie gespürt, dass zwischen Alex und ihr irgendetwas nicht mehr stimmte. Aber hätte sie gewusst, dass ich hier bin, hätte sie doch bestimmt sofort nach mir gesucht. Die beiden sind jedoch im Flur geblieben, bis es zum zweiten Mal klingelte.«

»Die Frage mag Ihnen seltsam erscheinen«, fuhr er fort, »aber ich möchte mir gerne ein möglichst umfassendes Bild machen. Was, glauben Sie, hat die Beziehung zwischen den beiden ausgemacht?«

Ich sah auf meine blutverschmierten Finger und versuchte, meinen Eindruck in Worte zu fassen. »Biggi muss sehr gut in ihrem Job gewesen sein. Das hat Alex imponiert. Er hat sie als hochintelligent beschrieben, als schnell im Kopf, als so ein Multitalent. Er sagte, ihn fasziniere der intellektuelle Austausch mit ihr.«

»In meinen Ohren klingt das nicht gerade nach einer tiefen emotionalen Verbindung, sondern eher, als sei sie kopfgesteuert gewesen.«

»Das schließt Gefühle doch nicht aus«, wandte ich ein. »Und es würde eine Beziehung auch nicht weniger wertvoll machen. Entscheidend ist doch, ob ein Paar einen gemeinsamen Nenner findet. Und den hatten die beiden. Über alle Bewunderung hinaus hatte ich immer den Eindruck, dass Alex sehr an Biggi hing.«

Corinna Altenburg sah von ihren Notizen auf und legte den Stift ans Kinn. »Was hat ihn an Ihnen fasziniert?«

»Mein großes Herz«, wiederholte ich mit heiserer Stimme Alex' Worte. »Und mein Mut.«

Für einen flüchtigen Moment erhellte ein Lächeln ihre Miene, bevor sie zu ihrer nächsten Frage ansetzte. »Waren Sie eifersüchtig auf Biggi?«

»Dazu hatte ich keinen Grund. Alex wollte sich von ihr trennen.«

»Ich stelle es mir schwierig vor, sich von solch einer hochintelligenten Konkurrenz nicht erdrücken zu lassen.«

»In diesen Kategorien habe ich gar nicht an Biggi gedacht. Eigentlich habe ich fast gar nicht an sie gedacht, sondern Gedanken an sie eher verdrängt. Ich wollte so wenig wie möglich von ihr wissen. Es ist kein schönes Gefühl, der Trennungsgrund zu sein und eine andere Frau ins Unglück zu stürzen. Außerdem war es mir gar nicht so eilig mit dieser Trennung. Ich hätte viel lieber erst einmal herausgefunden, ob Alex und ich wirklich zusammenpassen.«

»Hatten Sie da Zweifel?«

»Ich war in Alex verliebt, aber ich bin alt genug, um zu wissen, dass das auf Dauer nicht reicht. Wir kannten uns ja noch nicht so lange. Doch Alex wollte klare Verhältnisse schaffen. Er wollte, dass wir uns öfter sehen können – ohne ein schlechtes Gewissen haben zu müssen.«

»Was für ein Mann war Alex Wagatha?«, fragte Leo Parsinger.

Seine Frage hatte die Kraft, einen Staudamm zu öffnen. Ich spürte die Tränen hinter meinen Augen und drängte sie mit aller Macht zurück. Ich würde noch genug Zeit haben, um zu weinen.

»Alex war sehr liebevoll … übersprühend … unkonventionell, hilfsbereit, voller Ideen. Er war engagiert und hatte einen ausgeprägten Gerechtigkeitssinn. Deshalb hat er sich wohl auch auf Enthüllungen von Missständen spezialisiert.« Ich runzelte die Stirn. »Vielleicht waren sie es, die ihn manchmal in sich gekehrt haben sein lassen. In solchen Momenten war er nicht ansprechbar und wollte nur in Ruhe gelassen werden.«

»Sie sagen *vielleicht*. Hat er solche Momente später nicht erklärt?«

»Ich habe ihn nicht dazu gedrängt. Ich habe doch nicht geahnt, dass ich ihn irgendwann nicht mehr danach würde fragen können.« Ich verhakte meine Finger ineinander. »Alex hatte in seinem Leben schon so viel durchgemacht. Er hat zweimal seine Familie verloren und war früh auf sich selbst gestellt.« Ich hatte seine Worte noch im Ohr: *Ich hatte nicht das Glück, einen Onkel zu haben wie du, jemanden, der wie ein Fels in der Brandung ist.*

»Wie hat das zusammengepasst?«, fragte Leo Parsinger. »Alex Wagatha, der sich, wie Sie sagen, der Enthüllung von Missständen und damit ja letztlich der Wahrheit verschrieben hat, und Sie, deren Geschäft die Lüge ist?«

Da war sie wieder – die Unterscheidung zwischen Gut und Böse, die ich nur allzu gut kannte. Die so klar und eindeutig bestimmte, auf welcher Seite des moralischen Grats ich stand. Anfangs hatte ich mich noch gerechtfertigt, doch irgendwann hatte ich beschlossen, es nicht mehr zu tun – nicht mehr zu erklären, warum ich mich vor sechs Jahren für diesen Weg entschieden hatte, der sich mit der Zeit als ein ziemlich steiniger herausgestellt hatte, da Steine auch gerne mal aufgehoben wurden, um sie zu werfen.

Ich holte tief Luft, bevor ich antwortete. »Alex war sich bewusst, auf wen er sich da einließ. Ich will gar nicht verhehlen, dass es ihm lieber gewesen wäre, ich hätte meine Agentur geschlossen und mich für etwas in seinen Augen Seriöseres entschieden. Aber Alex war selbst ein Überzeugungstäter. Vielleicht hat er auch geglaubt, mich irgendwann davon abbringen zu können.«

Ein Kollege in weißem Schutzanzug trat zu Leo Parsinger und flüsterte ihm etwas ins Ohr. Der überlegte kurz und nickte dann, bevor er sich wieder mir zuwandte. »Sie sagten, Ihr Freund sei Enthüllungsjournalist gewesen. Unter welchem Namen ist er seiner Arbeit nachgegangen?«

»Seinen Auftraggebern gegenüber hat er seinen wahren Namen benutzt – Alex Wagatha. Für Recherchen hat er auf Tarnnamen zurückgegriffen.«

»Unter welchem Namen haben Sie ihn kennengelernt?«

»Unter seinem wirklichen natürlich. Mir gegenüber brauchte er schließlich keinen Tarnnamen.«

»Aha.« Er runzelte kurz die Brauen. »Woran hat er aktuell gearbeitet?«

Ich hob die Schultern und ließ sie langsam wieder sinken. »An einer Geschichte, bei der es um illegalen Organhandel ging. Alex vermutete, dass ein medizinisches Labor hier in München darin verwickelt ist. Angeblich sollen dort Blutproben von Patienten heimlichen Tests – genauer gesagt Typisierungen – unterzogen werden, um auf diese Weise Organspender zu finden und die Informationen dann an Organhändler weiterzuverkaufen. Glauben Sie, er musste deshalb sterben?«

»Das wissen wir noch nicht«, antwortete Leo Parsinger. »Was machen die Organhändler mit den Typisierungen?«

»Alex vermutete, sie würden sich die potenziellen Spender schnappen und sie dann irgendwo ausweiden.«

»Wie weit war er mit seinen Recherchen?«

»Noch nicht sehr weit. Er hatte bisher nur eine ganz vage Information, und sie hätte sich durchaus noch als Finte erweisen können. Alex meinte, es sei schon hin und wieder vorgekommen, dass jemand auf diese Weise versuche, einen Konkurrenten aus dem Feld zu schlagen. Deshalb sei er mit derartigen Vermutungen und Gerüchten sehr vorsichtig. Der Ruf eines unbescholtenen Menschen sei schließlich schnell ruiniert.«

»Wer soll denn dieser unbescholtene Mensch sein? Und wie heißt das Labor?«

Gerade als ich antworten wollte, dass der Drahtzieher des Ganzen vermutlich der Eigentümer des Labors sei, der siebzigjährige Arzt Robert Eichberger, zögerte ich plötzlich und nahm nun doch einen Schluck Wasser.

»Ich … Ich weiß nicht genau«, sagte ich schließlich, um Zeit zu gewinnen. Mir war klar, dass ich der Polizei alles über Alex' Recherchen offenlegen musste, falls er deswegen umgebracht worden war. Gleichzeitig musste ich versuchen, meine Rolle dabei irgendwie weitestgehend zu verschweigen.

»Dann versuchen Sie sich bitte daran zu erinnern.«

Alex hatte mich angefleht, mich um den Job zu bewerben, als Robert Eichberger eine neue Haushaltshilfe gesucht hatte. Ich würde ihm damit einen unschätzbaren Dienst erweisen. Mir würde er vertrauen – mir und meiner Intuition. Ich solle einfach Augen und Ohren offen halten, die Besucher notieren, seine Gespräche mithören und Alex dann darüber berichten. Ob das denn nicht gefährlich für mich werden könne, hatte ich wissen wollen. Wenn dieser Robert Eichberger tatsächlich der Drahtzieher sei, würde er doch ganz sicher keine Skrupel haben, mich aus dem Weg zu räumen, sollte er in mir eine Gefahr sehen. »Keine Sorge!«, hatte Alex mich beruhigt. »Wir machen deine Tarnung hieb- und stichfest, und dein wirklicher Name wird nirgends auftauchen – weder in deiner Bewerbung noch in meinen Unterlagen. Ich habe schließlich Erfahrung damit. Und nicht nur ich.« Ich sei eine kompetente Lügnerin und würde mich schon allein deshalb bewähren. Außerdem würde ich doch ständig Zeugnisse, Diplome und Referenzen für meine Klienten fälschen. »Aber doch nicht, um sich damit tatsächlich irgendwo zu bewerben, sondern nur für den privaten Gebrauch«, hatte ich ihm entgegengehalten. »Um damit zum Beispiel einem enttäuschten Vater imponieren zu können oder der Ehefrau zu beweisen, dass man in der knappen Freizeit ein zeitaufwendiges Studium betrieb.« Nichts davon würde je nach außen dringen. Was er hingegen von mir erwarte, falle in den Bereich der Urkundenfälschung, denn ich würde es einem potenziellen Arbeitgeber vorlegen. »Der womöglich kriminell ist«, hatte Alex gesagt und mich bekniet, über meinen Schatten zu springen. Nur dieses eine Mal.

Also war ich mit leisem Bauchgrummeln gesprungen und hatte mich bei dem Laborarzt unter dem Namen Elisa Tenzer beworben. Danach war es erschreckend einfach gewesen. Ich hatte vermutet, dass ich für diese Arbeit auf Herz und Nieren geprüft werden würde, aber Robert Eichberger hatte nicht mehr als eine halbe Stunde gebraucht, um Vertrauen zu mir zu fassen. »Und dieser Mann soll die kriminelle Energie besitzen, illegal Typisierungen vorzunehmen und Menschen erbarmungslos ans Messer zu liefern?«, hatte ich Alex gefragt. Er habe schon alles erlebt, hatte seine Antwort gelautet. Ich solle mich nicht von diesem ersten Eindruck täuschen lassen. Vermeintliche Harmlosigkeit sei eine hervorragende Tarnung. Vermutlich gehöre der Mann zu der Art von Verbrechern, die, weil sie über lange Zeit hinweg unentdeckt blieben, irgendwann überzeugt waren, unantastbar zu sein. Solche Menschen überschätzten sich leicht. Und sie überschätzten ihre Menschenkenntnis. Und dann würden sie Fehler machen.

»Frau Rosin? Wie heißt der Mann?«, fragte Leo Parsinger.

Ich kehrte mit meinen Gedanken in Alex' Wohnzimmer und zu den beiden Beamten vor mir zurück. Es ging ihnen nur um den Namen. Mit ein wenig Glück konnte meine Rolle bei den Recherchen im Dunkeln bleiben. Sie würde sie bei ihren Ermittlungen ohnehin nicht weiterbringen. Aber die Existenz meiner Agentur konnte es gefährden, wenn die Urkundenfälschung ans Licht kam.

»Ich glaube, der Mann heißt Eichberger.«

Leo Parsinger zog die Stirn in Falten. »Sind Sie sicher?«

»Ja. Robert Eichberger.«

»Was hat Ihr Freund Ihnen über diesen Mann erzählt?«

»Das, was ich Ihnen gerade gesagt habe.«

»Mehr nicht? Hat er ihn nicht vielleicht noch in einem anderen Zusammenhang erwähnt?«

»Nein«, antwortete ich irritiert. »Worauf läuft denn Ihre Frage hinaus? Kennen Sie ihn?«

»Wir werden dem nachgehen«, drückte er sich um eine Antwort herum.

»Aber bitte: Es hat sich lediglich um einen vagen Verdacht gehandelt. Alex hatte noch keine Beweise.«

»Hatte Herr Wagatha irgendwo Notizen oder sonstige Unterlagen zu seinen Recherchen?«

»Informationen zu Alex' aktuellen Recherchen finden Sie ganz bestimmt in seinem Arbeitszimmer. Ich durfte den Raum nie betreten, niemand durfte ihn betreten. Alex hat ihn immer abgeschlossen.«

»Hatten Sie den Eindruck, dass er Ihnen nicht traut?«, fragte Corinna Altenburg. »Oder war er generell so vorsichtig?«

»Ich hätte gar kein Problem damit gehabt, wenn es so gewesen wäre, dass er mir noch nicht völlig vertraut. Ich sehe mir Menschen auch erst eine ganze Weile an, bevor ich ihnen vertraue, aber das war nicht der Grund. Alex sagte, dieses Zimmer abzuschließen sei sein Weg, um all das Schlimme, das Dunkle einzuschließen und es nicht zu sehr in sein Privatleben sickern zu lassen.«

Die Beamtin notierte ein paar Worte und klopfte dann mit dem Stift aufs Papier. »Hat sich Ihr Freund bedroht gefühlt?«

»Nein, ich glaube nicht. Zumindest nicht stärker als sonst. Er sagte mir einmal, er nutze effektive Verschleierungstaktiken, um sich zu schützen. Tarnnamen, Verkleidungen, so etwas in der Art. Und die Medien, denen er seine Geschichten verkaufe, würden seine Tarnnamen schützen. Ihm könne man nicht so schnell auf die Spur kommen. Deshalb habe er auch keine Angst.«

»Hätte er es Ihnen gesagt, wenn er Angst gehabt hätte?«

»Das wünsche ich mir.«

Einen Moment lang war es still im Raum, nur aus dem Flur waren Geräusche und Stimmen zu hören.

»Hat er vielleicht in letzter Zeit seltsame Anrufe bekommen? Oder hat er sich beobachtet gefühlt?«

»Nein, nicht dass ich wüsste.«

»Was ist mit seinen Freunden? Kennen Sie die?«, wechselte Leo Parsinger überraschend das Thema.

»Er wollte sie mir und mich ihnen erst vorstellen, wenn er sich von Biggi getrennt hat … aus Respekt vor ihr. Das mochte ich an ihm, dass er so rücksichtsvoll war.« Ich suchte den Boden nach Alex' Handy und Computer ab. Als ich beides unter ein paar Zeitschriften entdeckte, zeigte ich darauf. »Auf seinem Laptop und dem iPhone werden Sie sicher deren Nummern und Adressen finden.«

Corinna Altenburg stand auf, zog Einmalhandschuhe über und hob die Geräte auf, um sie auf den Couchtisch zu legen. Dann rief sie jemanden von der Spurensicherung, der sie eintütete und mitnahm.

»Ich würde jetzt gerne zu den Ereignissen von vorhin kommen«, sagte sie, nachdem sie sich wieder gesetzt hatte. »Können Sie mir bitte so genau wie möglich schildern, was geschehen ist?«

4 *Was ist geschehen?*, insistierte eine andere Stimme. Ein Echo aus der Vergangenheit. Warum hatte ich ausgerechnet sie noch in Erinnerung? Nach fünfundzwanzig Jahren nur diese Stimme? Nicht die meiner Mutter oder meiner Schwester, wie ich es mir ersehnte. Und auch nicht die meines Vaters, wofür ich dankbar war. Nur die Stimme der Kripobeamtin, die dieses Familiendrama einzuordnen versuchte. Die nach Gründen fahndete, als könne es jemals einen triftigen Grund dafür geben, Leben auszulöschen. Und die noch dazu glaubte, ein achtjähriges, zutiefst verstörtes Mädchen könne es ihr erklären.

»Frau Rosin?«, beförderte Corinna Altenburg mich in die Gegenwart zurück. »Können Sie mir beschreiben, was geschehen ist?«

Ich heftete meinen Blick an ihre rechte Hand, die immer noch in einem Handschuh steckte und den Stift hielt. Bereit, alles zu Papier zu bringen, jede Einzelheit, die helfen könnte, den Täter zu identifizieren. Noch vor ein paar Minuten hatte ich es nicht für möglich gehalten, das Unfassbare in Worte zu kleiden. Am liebsten hätte ich es für immer in eine Gruft eingeschlossen, aber das ließen die Beamten nicht zu.

Ich hob den Kopf, sah in Richtung Flur und lauschte den geschäftigen Geräuschen. Ob die Leichen gerade abtransportiert wurden? Oder lagen sie immer noch dort? Und stiegen die Beamten in den weißen Overalls über sie hinweg – genauestens darauf achtend, dass sie keine Spuren verwischten? Für sie würde all das hier Alltag sein, Alex und

Biggi nichts anderes als ein weiterer Fall. Routine. Vielleicht würden sie sich schon bald nicht mehr an die beiden Opfer erinnern können. Ich konnte es ihnen nicht einmal zum Vorwurf machen. Ich wusste selbst, wie wichtig es war, Distanz zu wahren, sich emotional nicht verstricken zu lassen. Einige von ihnen hatten sicher Partner, von denen der eine oder andere im Alter von Alex oder Biggi war. Vielleicht auch Kinder. Das mussten sie ausblenden, um ihre Arbeit machen zu können.

Ich nahm das blaue Sofakissen neben mir und umschlang es wie einen Schutzpanzer. Schwerfällig und mit einiger Verzögerung ließ ich mich auf die Frage der Beamtin ein und schilderte ihr den Ablauf, wie ich ihn mitbekommen hatte. Corinna Altenburg unterbrach mich kein einziges Mal, aber wenn ich eine Sequenz zu Ende erzählt hatte, forderte sie mich auf, noch einmal genau zwischen dem zu unterscheiden, was ich tatsächlich gesehen hatte, und dem, was ich mir unter den Geräuschen vorgestellt hatte.

Dann folgten die Uhrzeiten. Ich gab mir Mühe, sie möglichst genau zu rekonstruieren, und endete mit der überraschenden Feststellung, dass ich um kurz vor neun Uhr morgens jedem die Tür geöffnet hätte, völlig unbedarft, ohne mit etwas Bösem zu rechnen. Als sei der Anbruch des Tages ein Schutz und nur der Abend und die Nacht dazu angetan, Leben auszulöschen. Natürlich war es irrational.

»Morde geschehen zu jeder Uhrzeit«, sagte Leo Parsinger. Am Morgen seien die meisten Leute schon fort zur Arbeit, viele Schichtarbeiter würden bereits schlafen. All das klang nach geradezu idealen Voraussetzungen.

»Und Sie haben ganz sicher keine Schüsse gehört?«, ging es weiter.

»Nein.«

»War der mutmaßliche Täter alleine oder könnte sich

noch eine zweite Person außerhalb Ihres Sichtfeldes befunden haben?«

»Ich habe nur die Schritte von einer Person gehört.«

»Wie klangen diese Schritte?«, hakte Corinna Altenburg nach.

»Wie ein leises Quietschen. Der Mann trug Turnschuhe.«

»Können Sie ihn beschreiben?«

Ich schloss die Augen und versuchte, mir jedes Detail des Fuchsmannes ins Gedächtnis zu rufen. »Er trug Jeans … und ein weißes T-Shirt. Mit rundem Halsausschnitt. Darüber einen anthrazitfarbenen Wollpullover mit V-Ausschnitt. Der Pullover war so eng, dass darunter seine Muskelpakete zu sehen waren. Die Ärmel … Er hatte sie über die Unterarme zurückgeschoben. Seine Arme waren stark behaart. Er trug Handschuhe aus schwarzem Latex. Und eine Rolex Daytona am rechten Handgelenk. Am linken hatte er so ein Fitnessarmband. Es war schwarz.«

»Wie können Sie sich bei der Uhr so sicher sein?«

»Einer meiner Klienten besitzt eine und ist so stolz darauf, dass er sie mir bei jeder Gelegenheit unter die Nase hält.«

»Und Sie konnten die Uhr von der Empore aus genau erkennen? Ebenso wie das Fitnessarmband?«

»Ja, ich glaube schon.«

»Könnte es sich bei dem Täter um Ihren Klienten handeln?«

»Nein, mein Klient ist schmächtig und hat so gut wie kein Haar mehr auf dem Kopf. Ausgeschlossen.«

»Gut. In welche Preiskategorie würden Sie die Kleidung des Täters einordnen?«

»Sie sah eher teuer aus.«

»Was ist mit der Haarfarbe des Mannes?«

»Sie war undefinierbar, so eine Mischung aus Hellbraun und Dunkelblond, aber nichts so richtig.«

»Und sein Gesicht?«

»Das konnte ich nicht sehen. Er hat die Fuchsmaske nicht abgenommen.«

»Wie sah diese Maske aus? Handelte es sich um eine Halbmaske oder hat sie das gesamte Gesicht bedeckt?«

»Von vorne hat sie Gesicht und Kopf völlig bedeckt.«

Leo Parsinger reichte mir sein Smartphone und bat mich, durch die aufgerufene Auswahl von Fuchsmasken zu scrollen. Ich fand ziemlich schnell, wonach ich suchte. Es war eine Hartplastikmaske für Erwachsene. Ich deutete darauf und gab ihm das Gerät zurück.

»Was ist mit seiner Stimme?« Corinna Altenburg beobachtete mich aufmerksam.

»Ich habe gerade so eben verstanden, was er an der Haustür gesagt hat – etwas über Spenden und Wildtiere –, aber ich würde die Stimme nicht wiedererkennen. Sie war ja mehrfach gedämpft, einmal durch die Maske und dann durch die angelehnte Zimmertür.«

»Was ist mit seinem Gangbild?«

»Seinem was?«

»Wie hat er sich beim Gehen bewegt?«

»Ganz normal.«

»Wie groß war er schätzungsweise?«

»Von der Empore aus die Größe eines Menschen zu schätzen ist nicht so einfach«, antwortete ich zögernd. »Ich vermute mal, dass er ungefähr eins achtzig groß ist.« Ich sah fragend zwischen den beiden hin und her. »Gibt es denn nicht irgendwo auf der Straße Kameras, die ihn möglicherweise erfasst haben?«

Das ließen sie gerade überprüfen, bekam ich zur Antwort.

»Was fällt Ihnen noch zu ihm ein, Frau Rosin?«, fragte Leo Parsinger.

Mir war immer noch übel, und die Kälte schien mich von

innen aufzufressen. Mein Körper fühlte sich an, als sei alles aus dem Lot geraten, als habe sich ein grundsätzlicher Fehler ins System geschlichen. Ich zog mir die Decke enger um die Schultern.

»Was mir noch zu ihm einfällt?«, nahm ich die Frage stockend auf und schluckte gegen die Übelkeit an. »Es kam mir in dem Moment nicht eigenartig vor, aber … Ich frage mich inzwischen, warum sich der Mann meinen Ausweis so genau angesehen hat. Biggi hatte ja offenbar keine Tasche dabei, und der Täter hat schon allein deswegen davon ausgehen müssen, dass meine Tasche der Toten gehörte. Wollte er also einfach wissen, wen er da nebenbei noch umgebracht hat oder … wollte er sich vergewissern, dass er die Richtige erschossen hat?« Plötzlich kam mir ein erschreckender Gedanke: Was, wenn Robert Eichberger den Täter damit beauftragt hatte, Alex und mich zu töten, weil er uns auf die Schliche gekommen war? Wusste er längst, wer ich war? Je länger ich darüber nachdachte, desto mehr fragte ich mich, ob der Fuchsmann es womöglich wirklich auf mich abgesehen hatte. »Warum sonst hätte er meinen Ausweis überprüfen sollen?« Könnte es sein, dass er mich einfach mit Biggi verwechselt hatte? Ich hatte ihr Gesicht vorhin zwar nur im Profil gesehen, aber obwohl wir auf den ersten Blick völlig unterschiedliche Typen waren – sie eher feminin und ich sportlich –, hatte ich den Eindruck, dass wir uns trotzdem ähnlich sahen. Auch altersmäßig lagen wir nur vier Jahre auseinander, und wir hatten beide dunkle Haare und braune Augen.

Die Polizisten sahen mich skeptisch an – verständlicherweise. Immerhin wussten sie nichts von meiner Beteiligung an den Recherchen. Die Frage war trotzdem, ob Robert Eichberger davon hätte wissen können. Davon und dass Alex und ich ein Paar waren und ich ausgerechnet heute bei ihm übernachtet hatte.

In meinem Kopf drehte sich alles. Es ergab einfach keinen Sinn. Zudem war ich bislang in seinem Haus auf nichts gestoßen, das ihm zum Verhängnis werden könnte. Es gab nicht den kleinsten Hinweis auf kriminelle Machenschaften. Soweit ich es beurteilen konnte, führte Robert Eichberger ein völlig zurückgezogenes, unaufgeregtes, fast schon langweiliges Leben. Wie jemand, der sich von der Welt abgewandt hatte. Seine Tage bestanden aus einer gleichförmigen Routine. Er verbrachte sie zwischen seinem Arbeitszimmer, wo er, wie er mir eröffnet hatte, die nötigste Korrespondenz erledigte, und seiner Bibliothek, in der er stundenlang klassische Musik hörte und las. Unterbrochen wurde das Ganze nur durch regelmäßige Spaziergänge mit seinem altersschwachen Labrador Kasper. Darüber hinaus gab es lediglich eine alte Freundin, die ihn einmal in der Woche besuchte.

»Ich weiß: Es ist ein abstruser Gedanke. Absolut nichts in meinem Leben fordert zu so einer monströsen Tat heraus. Und trotzdem lässt mich die Frage nicht los, wo das Motiv dafür liegt.«

»Wo das Motiv liegt, müssen wir in der Tat erst einmal herausfinden.« Leo Parsinger rieb sich das Kinn. »Und auf wen es sich bezieht? Ich würde sagen, da gibt es verschiedene Möglichkeiten. Jeder von Ihnen dreien kommt dafür infrage. Selbstverständlich aber auch Kombinationen – aus Ihnen und Alex Wagatha oder aus Ihrem Freund und Biggi. Dabei dürfen wir auch die Wahl des Tatortes als Hinweis nicht außer Acht lassen. Doch kommen wir erst einmal direkt zu Ihnen: Gibt es in Ihrem Leben jemanden, der glauben könnte, einen Grund zu haben, Sie zu töten?«

In diesem Moment hatte ich die Worte meines Onkels im Ohr, die Worte, mit denen ich aufgewachsen war. *Es gibt keinen Grund und kein Recht, jemanden zu töten, Dana. Nie-*

mand darf das, unter keinen Umständen, und wer es dennoch tut,
begeht ein schweres Verbrechen. Ein unverzeihliches Unrecht.

»Frau Rosin? Haben Sie meine Frage verstanden?«

»Ja, das habe ich – Entschuldigung.« Mein Blick irrte durch den Raum. »Was könnte denn Ihrer Meinung nach als Grund reichen, einen Menschen zu töten? Glauben Sie tatsächlich, es könne da eine Art Verhältnismäßigkeit geben?«

»Manche Menschen verirren sich so sehr, dass sie glauben, die gebe es.«

»So jemanden gibt es in meinem Leben nicht.« Nicht mehr. Ich befeuchtete die Lippen. »Mir fällt absolut nichts ein, das einen Doppelmord auch nur annähernd rechtfertigen könnte. Einem anderen Menschen das Leben zu nehmen, sprengt jede Dimension.«

Leo Parsinger nickte, als bringe dieser Gedanke etwas in ihm zum Klingen. »Sehen Sie mal für einen Augenblick von der Schwere der Tat ab und fragen sich, ob Sie in irgendeiner Weise für jemanden gefährlich geworden sind. Oder ob es sein könnte, dass sich jemand an Ihnen rächen will. Vielleicht jemand, der sich durch Ihre Arbeit betrogen und hinters Licht geführt fühlt.«

»Weil ich Menschen auf der Suche nach einem Freiraum Alibis verschaffe?«

»Weil mit diesen Alibis Menschen um die Wahrheit betrogen werden.«

»Manche Menschen müssen um die Wahrheit betrogen werden, damit sie für andere nicht zu einer Gefahr werden. Oder damit ihr Leben nicht in Scherben zerfällt.« Ich spürte, wie sich eine alte Wut in mir sammelte »Manchmal gibt es tatsächlich Wichtigeres als die Wahrheit. Zum Beispiel die Überzeugung, dass ich einen anderen nicht unnötig verletzen muss. Da geht es nicht darum, ob eine Lüge richtig oder falsch ist, sondern darum, was sie einem anderen erspart. Ein kluger Mann hat einmal gesagt: *Um anständig miteinander leben zu können, brauchen wir keinen moralischen Perfektionismus, sondern Diskretion, ein Taktgefühl auch im Hinblick auf die Wahrheit.*« Ich wischte mir den kalten Schweiß aus dem Gesicht. »Wahrheit ist zweifellos von unschätzbarem Wert, auch für mich, aber sie konkurriert mit anderen unschätzbaren Werten: nämlich mit Rücksichtnahme, Mitgefühl und Güte. Und sie sollte den jeweiligen Umständen angepasst werden.« Ich versuchte, tief durchzuatmen, aber die beiden Toten im der Wohnung lasteten zu schwer auf meinem Brustkorb. »Verstehen Sie mich bitte nicht falsch: Ich will damit nicht behaupten, dass meine Klienten nichts anderes im Sinn haben, als sich bei konkurrierenden moralischen Werten für den geringstmöglichen Schaden zu entscheiden – obwohl es tatsächlich auch solche Menschen gibt. Zugegebenermaßen sind sie an vielen Tagen in der Minderheit. An solchen Tagen nehme ich mir dann aber auch die Freiheit heraus, jemanden abzuweisen. Im Großen und Ganzen versuche ich jedoch, nicht zu werten. Ich erwarte keine Rechtfertigungen von meinen Klienten. Ich gebe sie nur selbst«, schloss ich, als ich gewahr wurde, dass ich mich vor den beiden Beamten verteidigte. »Und falls es Sie beruhigt: Ich komme damit nicht ungeschoren davon. Ich zahle einen hohen Preis dafür, dass ich genau diese Arbeit mache. Es gibt nicht sehr viele Menschen, die es schön finden, mit mir befreundet zu sein, und die mich nicht ständig an den Pranger stellen und moralische Statements von mir erwarten.«

»Warum machen Sie diesen Job dann überhaupt?«, fragte Leo Parsinger rundheraus. Es hatte ganz den Anschein, als treibe ihn dabei ein persönliches Interesse an.

»Und Sie?«, umschiffte ich eine Antwort. »Warum machen Sie Ihren? Weil Sie sich gegen das Böse starkmachen wollen? Und weil die Grenze zwischen dem Guten und dem Bösen immer ganz klar zu ziehen ist? Wenn Sie das so sehen können, beneide ich Sie.« Sekundenlang sah ich ihn stumm an. »Um aber auf Ihre ursprüngliche Frage zurückzukommen: Ja, es gibt jemanden, der sich durch meine Arbeit betrogen und hinters Licht geführt fühlt. Die Frau heißt Karen Döring. Ihr Mann ist Stammkunde meiner Agentur. Er muss unachtsam gewesen sein, denn sie ist seinen Eskapaden auf die Schliche gekommen. In den vergangenen beiden Wochen hat sie mir zweimal aufgelauert, mich beschimpft und mir wenig ergiebige Diskussionen aufgezwungen. Ich verstehe, dass die Frau durch die Betrügereien ihres Mannes tief verletzt ist, ihren Groll projiziert sie allerdings auf mich und die Frauen, mit denen er sie hintergeht. Und sie verlangt, dass ich meine *verwerfliche* Agentur schließe.«

Ich hatte versucht, ihr klarzumachen, dass es keinen Seitensprung weniger geben würde, wenn ich meine Arbeit niederlegte. Dass nicht ein Alibi das Grundproblem darstelle, sondern meistens eine mangelnde Kommunikation in der Partnerschaft, wobei ich diesen Punkt vorsichtig formuliert hatte, um sie nicht zu brüskieren. Und ich hatte ihr erklärt, dass es bei meiner Arbeit längst nicht nur um Seitensprünge gehe. Doch ich war bei ihr auf taube Ohren gestoßen.

»Erst vorgestern hat sie mich vor der Agentur abgefangen und mir voller Genugtuung verkündet, dass auch ich von meinem Freund betrogen würde. Alex habe eine andere und sie könne mir das anhand von Fotos beweisen.« Wie hätte sie auch ahnen können, dass ich von Biggi wusste.

»Und haben Sie die Fotos gesehen?«

»Nein, aber es waren ja sicherlich Alex und Biggi darauf.«

»Womit hat sie Ihnen gedroht für den Fall, dass Sie Ihre Agentur nicht schließen?«

»Sie will Klienten verfolgen und enttarnen, aber das halte ich für eine leere Drohung. Karen Döring ist mit Sicherheit ein schwieriger Charakter und ziemlich hysterisch, aber ich kann mir beim besten Willen nicht vorstellen, dass sie einen Mord in Auftrag gibt und darüber hinaus noch meinen Freund und dessen angebliche Affäre umbringen lässt. Insofern gibt es zwar jemanden, der mit meiner Arbeit ein Problem hat, aber niemanden, den ich deswegen verdächtige, für das hier verantwortlich zu sein.«

Corinna Altenburg hatte alles mitgeschrieben. Sie hob den Kopf und sah mich lange an. »Das kann man sich in den seltensten Fällen vorstellen, Frau Rosin. Wir werden der Sache nachgehen. Sollte Ihnen Frau Döring in nächster Zeit über den Weg laufen, wäre es ratsam, kein Wort über das hier zu verlieren.« Sie wies mit dem Kopf Richtung Flur. »Wir werden, wenn wir sie befragen, die Seitensprung-Geschichte in den Fokus rücken und nicht den Doppelmord. Auch die Tatsache, dass Sie sich am Tatort befunden haben, werden wir bei allen Befragungen nach außen hin zurückhalten. Das geschieht zu Ihrem Schutz. Und ich rate Ihnen, genauso zu verfahren. Fällt Ihnen sonst noch jemand ein, der es auf Sie abgesehen haben könnte?«

Wieder dachte ich kurz an Robert Eichberger, meinen Interimsarbeitgeber. Schlagartig wurde mir bewusst, dass ich vor Stunden bei ihm hätte erscheinen müssen. Er hatte jedoch nicht einmal versucht, mich auf meinem Handy zu erreichen. Ging er vielleicht doch davon aus, dass ich tot war? Gestorben durch die Waffe eines von ihm gedungenen Mörders? Aber in dem Fall hätte er erst recht anrufen müssen. Schon alleine, um bei den polizeilichen Ermittlungen später nicht verdächtig, sondern wie der besorgte Arbeitgeber zu wirken.

»Woran denken Sie gerade?«, fragte Leo Parsinger, der mich keine Sekunde aus den Augen ließ.

Ich nahm mir Zeit, um meine Lüge zu formulieren. »Ich habe über die Frage von Frau Altenburg nachgedacht, bin aber zu keinem Schluss gekommen. Mir fällt beim besten Willen niemand ein, der es auf mich abgesehen haben könnte.« Ich warf einen kurzen Blick in Richtung Flur und musste an das bizarre Muster aus Blut auf Biggis Kleid denken. Mich fröstelte. »Und sollte ich tatsächlich mit den Schüssen gemeint gewesen sein, verstehe ich nicht, warum der Mörder bei Alex geklingelt hat und nicht an meiner Wohnungstür. Das ergibt keinen Sinn.«

»Da der Tatort vermutlich nicht zufällig gewählt ist, deutet zumindest er auf Alex Wagatha als eigentliches Ziel hin. In dem Fall hätte der Täter entweder nicht damit gerechnet, noch jemanden in der Wohnung anzutreffen, oder er hätte es billigend in Kauf genommen. Möglicherweise hat er es auch gewusst, weil er die Wohnung zuvor beobachtet hat. Als er dann der zweiten Person gegenüberstand, hat er sich vergewissern wollen, um wen es sich bei ihr handelt. Das würde die Sache mit Ihrem Personalausweis erklären. Wenn wir uns also zunächst auf Alex Wagatha konzentrieren … Fällt Ihnen jemand ein, der Ihrem Freund hätte schaden wollen?«

Das liege doch auf der Hand, gab ich zur Antwort: Jeder, dessen Machenschaften Alex enthüllt habe oder habe enthüllen wollen – wie beispielsweise die Hintermänner des Organhandels. Im Gegensatz zu mir sei er einer Arbeit nachgegangen, in der es wirklich um etwas gegangen sei.

»Welche Machenschaften sind das denn in der Vergangenheit abgesehen von dieser Organhandelsgeschichte noch gewesen?«

»Lebensmittelskandale, Geldwäsche, Betrügereien im Kunsthandel.«

»Können Sie einen konkreten Fall nennen?«

»Nein.« Das könne ich nicht, da Alex in der wenigen gemeinsamen Zeit nicht über seine Arbeit habe sprechen wollen. Genauso wenig wie ich über meine. Das war ein stilles Einverständnis zwischen uns gewesen. Es hatte mich zwar interessiert, mal einen seiner Artikel zu lesen, aber ich hatte es immer auf später verschoben. Auf ein Später, das mir als so gewiss erschienen war. Jetzt lagen da draußen zwei blutüberströmte Leichen, und die gesamte Wohnung war ein einziges Chaos, das von Menschen katalogisiert wurde, für die Alex und Biggi nur ein weiteres Aktenzeichen bedeuteten.

»Wie hat Alex Wagatha seine letzten Tage verbracht?«, wollte Leo Parsinger weiter wissen, auch wie die Stimmung am Morgen gewesen sei und ob es womöglich Streit gegeben habe?

»Es gab keinen Streit, die Stimmung war gut. Alex war nur in letzter Zeit hin und wieder etwas grüblerisch und schlecht gelaunt. In solchen Momenten hat er gewirkt, als trage er etwas mit sich herum. Er hat mir nicht sagen wollen, was los war, aber ich bin mir sicher, dass es mit der bevorstehenden Trennung von Biggi zu tun hatte.« Ich überlegte. »Aber sagen Sie … Könnten die Morde nicht auch eine Zufallstat gewesen sein? Von jemandem, der einen Raubüberfall geplant hat, der dann irgendwie eskaliert ist? Ich weiß ja eigentlich gar nicht, was im Flur wirklich geschehen ist.«

»Da Sie keine Schüsse gehört haben«, erklärte Leo Parsinger, »muss der Täter einen Schalldämpfer benutzt haben. Das passt nicht zu einem normalen Raubüberfall.«

»Und wozu passt ein Schalldämpfer?«

»Eigentlich auch nicht zu dem, was hier womöglich vorliegt, nämlich eine Beziehungstat. Zumindest wäre es ungewöhnlich. Aber es könnte auch ein Manöver sein, um genau davon abzulenken, denn solche Taten lassen sich in der Regel aufklären. Schwierig wird es, wenn zwischen Täter und Opfer keine Beziehung bestanden hat.« Er sah sich im Zimmer um. »Konnten Sie sehen, ob der Täter irgendetwas mitgenommen hat?«

»Hier aus dem Wohnzimmer hat er nichts eingesteckt. Jedenfalls nicht, solange ich ihn beobachtet habe. Als ich befürchtete, er würde auf die Empore steigen, habe ich mich versteckt.« Für Sekunden schloss ich die Augen und erinnerte mich an die endlos scheinenden wenigen Minuten, in denen der Fuchsmann hier Chaos angerichtet hatte. »Eigentlich hat es überhaupt nicht so ausgesehen, als würde er wirklich nach etwas suchen. Ich hatte viel eher den Eindruck, dass er einfach nur Chaos stiften wollte. Nichts von dem, was er auf den Boden geschleudert hat, hat er sich angesehen.« Ich zögerte kurz. »Wenn es bei alldem um Alex ging, dann doch sicher um seine Arbeit. In dem Fall wären doch aber sein iPhone und sein Laptop interessant gewesen. Dafür hat er sich aber überhaupt nicht interessiert. Genauso wenig wie für Alex' Arbeitszimmer.« Eine andere Erinnerung schob sich plötzlich vor mein inneres Auge. »Er hat nichts mitgenommen ...« Ich sah zu meiner Tasche. »Aber er hat etwas dagelassen. In meiner Tasche.« Als ich aufstehen wollte, um sie zu holen, bedeutete Corinna Altenburg mir, sitzen zu bleiben. Sie würde das übernehmen.

Sie stellte die Tasche zwischen uns aufs Sofa und forderte mich auf, ihr den Gegenstand zu beschreiben. Es sei ein in Packpapier gewickeltes Päckchen, sagte ich, woraufhin sie einen Kollegen von der Spurensicherung rief, der es herausnahm und in einem Beutel sicherte.

Dass jemand, nachdem er zwei Menschen umgebracht und sich meinen Personalausweis angesehen hatte, etwas in meiner Tasche hinterlassen hatte, fand ich im Nachhinein ebenso verstörend wie beängstigend – und ich hatte nicht die geringste Ahnung, was dieses Päckchen enthielt.

»Könnten Sie nicht kurz nachsehen, was sich darin befindet?«, bat ich sie.

»Es muss erst auf Fingerspuren und DNA untersucht werden.«

»Natürlich.« Ich sah zwischen beiden hin und her. »Darf ich dann gehen?«

Leo Parsinger sah mich in einer Weise an, als versuche er, mich zu durchleuchten. »Ich würde gerne noch einmal auf den Tathergang zu sprechen kommen. Sie sagten, Sie hätten aus dem Flur ausschließlich Geräusche gehört, die Taten selbst aber nicht beobachten können. An was haben Sie in dem Moment gedacht?«

»An etwas Schlimmes.«

»Wie kommen Sie darauf?«, hakte er skeptisch nach. »Es sind doch gar keine Schüsse zu hören gewesen. Nur das Geräusch, als ob etwas zu Boden gefallen sei, und der unterdrückte Schrei von Biggi. Der männliche Besucher hätte zu dem Zeitpunkt doch längst gegangen sein können und der unterdrückte Schrei eine Reaktion auf das Trennungsgespräch.«

»Das hatte ich zunächst auch angenommen«, antwortete ich, »aber als der Mann den Raum betrat, hat er diese Annahme gründlich über den Haufen geworfen.«

»Welche Assoziation hat das bei Ihnen ausgelöst?«

»Ich habe angenommen, es handle sich um einen Überfall und der Mann habe Alex und Biggi außer Gefecht gesetzt, um etwas zu stehlen.«

»Was dachten Sie, ist mit den beiden geschehen?«

»Was für eine Rolle spielt es, was ich gedacht habe?« Ich nagelte ihn mit meinem Blick an die Wand.

»Beantworten Sie bitte meine Frage.«

Unwillkürlich zog ich die Schultern hoch. »Ich dachte, der Mann hätte die beiden gefesselt und geknebelt, so wie das neulich diesem älteren Ehepaar widerfahren ist, das in seiner Küche an die Heizung gekettet wurde. Gleichzeitig habe ich mich gewundert, warum ich überhaupt nichts von ihnen hörte. Kann ich jetzt bitte gehen?« Ich rutschte vor auf die Kante des Sofas.

»Die Ereignisse müssen Sie zutiefst erschüttert haben, Frau Rosin«, wandte sich Corinna Altenburg in einem beruhigenden Tonfall an mich. »Wir können Ihnen psychologische Unterstützung vermitteln, wenn Sie das möchten.«

»Ich komme zurecht«, wehrte ich ab. »Danke.«

»Sind Sie sicher?«

Ich nickte, ließ die Decke von meinen Schultern gleiten und stand auf.

»Ein paar Minuten lang müssen Sie sich bitte noch gedulden«, hielt sie mich zurück. »Es muss noch eine Untersuchung gemacht werden. Haben Sie sich die Hände gewaschen, bevor die ersten Kollegen hier eingetroffen sind?«

Als Antwort hielt ich ihr meine blutverschmierten Hände hin und drehte sie vor ihren Augen.

»Ihre Hände müssen auf Schmauchspuren untersucht werden. Ebenso Ihre Oberbekleidung.«

»*Meine* Hände?«, fragte ich entgeistert. »Sie halten es allen Ernstes für möglich, dass ich das getan habe?«

»Wie schon eingangs gesagt: Unsere Aufgabe ist es, auf Nummer sicher zu gehen und nichts zu versäumen, was später nicht nachzuholen ist. Sie waren einer der letzten Kontakte von Alex Wagatha und haben sich während der Tat am Tatort aufgehalten. Es gibt zwei Tote – Ihren Freund und dessen Freundin. Sie haben uns dieses Dreiecksverhältnis aus Ihrer Sicht geschildert. Es könnte sich aber auch alles ganz anders verhalten und zugetragen haben. Wir dürfen diese Möglichkeit nicht außer Acht lassen.«

Auf ein Zeichen von Leo Parsinger kam der Beamte von der Spurensicherung, dessen Anblick mir inzwischen fast schon vertraut war. Er gab mir mein Handy zurück und nahm dann Proben von meinen blutverschmierten Händen. Als er damit fertig war, informierte die Beamtin mich, dass sie noch einen etwas gründlicheren Blick in meine Tasche werfen müsse.

»Falls ich die Waffe darin versteckt habe?«, fragte ich.

Sie habe es sich zur Maxime gemacht, alles für möglich zu halten. Dann informierte mich diese Frau, die es für möglich hielt, dass ich Alex und Biggi umgebracht hatte, dass sie mich nach Hause begleiten würde – damit ich mich dort umziehen und ihr meine Kleidung geben konnte.

5 Direkt vor meinem Haus – halb auf dem Bürgersteig – parkte bereits ein Einsatzfahrzeug der Polizei. Ob ich jetzt unter Beobachtung stünde, weil sie mich verdächtigten, wollte ich wissen.

»Nein«, war alles, was Corinna Altenburg antwortete. Sie schien mit ihren Gedanken bereits woanders zu sein.

Auf der ersten Treppe holte ich sie ein und versuchte, mit ihr Schritt zu halten. Als wir mein Stockwerk erreichten und ich meinen Blick für das schärfte, was hier augenscheinlich geschehen war, spürte ich, wie mich meine Kraft verließ. Ans Geländer gelehnt starrte ich auf meine Wohnungstür, die offen stand, weil jemand sie mit brachialer Gewalt aufgebrochen hatte. Für einen Moment verschwamm dieses Bild vor meinen Augen.

Corinna Altenburg befahl mir, mich nicht von der Stelle zu rühren, und verschwand in meiner Wohnung. Als sie keine Minute später wieder auftauchte, bat sie mich, ihr zu folgen. Auf dem Weg hinein informierte sie mich, dass die offen stehende Tür von meiner Nachbarin Gundula Mauss entdeckt worden sei. Sie sei es auch gewesen, die die Polizei gerufen habe. Was das für die Achtundsiebzigjährige mit ihrer ausgeprägten Angst vor Einbrüchen bedeutete, konnte ich mir lebhaft vorstellen.

Nur wenige Schritte hinter meiner Wohnungstür blieb ich stehen und sah mich fassungslos um. Das Chaos ähnelte dem in Alex' Wohnung. Noch vor wenigen Minuten hatte ich mich so sehr nach meinen vier Wänden und einer Dusche gesehnt, jetzt wäre ich am liebsten davongelaufen.

»Kommen Sie«, sagte die Beamtin leise. »Bringen Sie es hinter sich. Ich bin bei Ihnen.«

Mit bleiernen Beinen folgte ich ihr. Der Inhalt von Kleiderschrank, Regalen und Kommoden lag verstreut auf dem Boden. Das Bett war abgedeckt und durchwühlt. Um mich herum herrschte nichts als Chaos. Erstaunt bemerkte ich, dass weder mein relativ neuer Laptop noch mein Fernseher fehlten. Wonach hatten sie gesucht?

Ich sah mich um und entdeckte die kleine Spieluhr, die meiner Schwester gehört hatte und die üblicherweise auf meinem Nachttisch stand. Jetzt lag sie auf dem Boden. Mit einem bangen Gefühl hob ich sie auf. Am liebsten hätte ich sie gleich aufgezogen, um sicherzugehen, dass sie noch funktionierte. Aber wenn das von meiner Schwester so heiß geliebte *Guten Abend – gute Nacht* erklungen wäre, hätte ich meine Tränen nicht mehr zurückhalten können. Ich presste die Spieluhr an mich und betrachtete die Fotos meiner Mutter und meiner Schwester, die ebenfalls auf dem Nachttisch gestanden hatten und jetzt unter zerbrochenem Glas auf dem Boden lagen. Der Täter war offensichtlich daraufgetreten und hatte das Glas unter seinen Sohlen bersten lassen. Ich zog die Portraits darunter hervor und blies Reste von Splittern weg.

Corinna Altenburgs Stimme drang in mein Bewusstsein. Sie unterhielt sich mit den beiden Polizeibeamten, die von Gundula Mauss gerufen worden waren. Der Einbruch sei vor einer halben Stunde gemeldet worden, bekam ich gerade noch mit, bevor sie mich baten nachzusehen, ob etwas Wichtiges fehle. Das Wichtigste hielt ich zum Glück an mich gedrückt, während ich durch meine beiden Zimmer ging und anschließend einen Blick in Küche und Bad warf. Auch hier nichts als Chaos.

Die uniformierten Beamten informierten mich, dass ich

innerhalb von drei Tagen eine Liste mit den gestohlenen Gegenständen anzufertigen hätte. Diese Übersicht bräuchte ich auch für meine Versicherung. Dann verabschiedeten sie sich und ließen mich mit der Kripobeamtin allein zurück.

Während ich mich umzog und meine Kleidung in eine Tüte packte, die sie mir gegeben hatte, rief sie Kollegen von der Spurensicherung an. Sie sollten sich die beschädigte Wohnungstür genauer ansehen und herausfinden, ob es Finger- und Ohrenspuren gab. Kaum hatte sie aufgelegt, erklärte sie mir die Sache mit den Ohren. Einbrecher würden häufig daran denken, Fingerspuren zu vermeiden, indem sie Handschuhe trugen. Doch dann legten sie ein Ohr an die Tür, um auf Geräusche in der Wohnung zu lauschen. Solche Ohrabdrücke seien ebenso unverwechselbar wie Fingerspuren. Kein Ohr gleiche dem anderen.

Während sie mir all das erklärte, lief sie konzentriert jeden Meter meines Wohnzimmers ab. Dieses Zusammentreffen – erst die Morde und jetzt der Einbruch in meine Wohnung – sei zu ungewöhnlich, um es ohne eine nähere Untersuchung als Zufall abzutun. Immerhin sei nicht auszuschließen, dass sich der mutmaßliche Täter über meinen Personalausweis meine Adresse besorgt habe und nach den Morden in meine Wohnung gefahren sei.

Ihre Worte schnürten mir den Hals zu. An diese Möglichkeit hatte ich noch nicht gedacht.

»Bedeutet das, ich bin in Gefahr?«

»Zumindest kann ich es nicht ausschließen«, antwortete sie ehrlich. »Können Sie bei Freunden unterkommen oder bei jemandem aus Ihrer Familie, bis Ihre Tür repariert ist?«

»Ich werde einen Platz finden.«

»Sie müssen sich in den nächsten Tagen zur Verfügung halten und erreichbar sein. Es wird sicher noch die eine oder andere Frage geben. Außerdem muss Ihre Aussage protokolliert werden, und sobald Sie eine Übersicht haben, was gestohlen wurde, informieren Sie bitte auch mich oder meinen Kollegen.« Sie reichte mir ihre Visitenkarte und bat im Gegenzug um meine Handynummer. »Und seien Sie bitte vorsichtig, gehen Sie keine Risiken ein. Sollte Ihnen irgendetwas ungewöhnlich oder verdächtig erscheinen, melden Sie sich umgehend.« Sie griff nach der Tüte mit meiner Kleidung, schien sich verabschieden zu wollen, überlegte es sich dann jedoch anders und schüttelte energisch den Kopf. »Sie können hier nicht bleiben, solange Ihre Tür sich nicht schließen lässt. Am besten nehme ich Sie mit. Kann ich Sie irgendwo absetzen? Ich warte auch gerne, bis Sie geduscht und sich umgezogen haben.«

»Danke für Ihr Angebot, aber ich muss einen Moment für mich allein sein. Hier in meinen eigenen vier Wänden.«

Sie sah sich im Flur um. »Dann helfe ich Ihnen aber, diese Kommode vor die Tür zu schieben. Wenn ich draußen bin, schieben Sie sie ganz davor, und dann nehmen Sie Ihr Telefon mit ins Bad und schließen sich ein! Sollte irgendetwas sein, wählen Sie den Polizeinotruf.«

Ich nickte.

Sie maß mich mit einem Blick, wie es Mütter tun. »Sie haben es heute gleich zwei Mal mit außergewöhnlichen Situationen zu tun bekommen, Frau Rosin. Unterschätzen Sie das nicht! So etwas hinterlässt Spuren.«

Ich wusste, welche Spuren *außergewöhnliche Situationen* hinterließen – wie tief diese Spuren sein konnten. So tief, dass ein Leben nicht reichte, um sie auszulöschen.

»Ich weiß«, entgegnete ich leise, während die Beamtin mich zu der Kommode dirigierte.

Auf meinen Anblick im Spiegel war ich nicht gefasst. Corinna Altenburg hatte von Spuren gesprochen, aber sie hatte nicht erwähnt, dass sich einige davon deutlich sichtbar in meinem Gesicht abzeichneten. Wie oft hatte ich mir mit meinen blutverschmierten Händen den kalten Schweiß und die verlaufene Wimperntusche aus dem Gesicht gewischt? Es musste mehr als einmal gewesen sein, denn auf Wangen, Stirn und Kinn zeichneten sich Reste von Blut ab. Nachdem ich beide Leichen angefasst hatte, ließ sich nicht mehr sagen, ob es von Alex oder Biggi stammte.

Sekundenlang verharrte ich vor dem Spiegel und starrte diese bizarren Zeichnungen an, die an eine Kriegsbemalung erinnerten. Rotes Blut und schwarze Wimperntusche.

Ich stieg unter die Dusche und drehte das Wasser so weit wie möglich auf. Dann schrubbte ich meine Haut. Es waren nur wenige Stunden vergangen, und doch schien eine Ewigkeit seit heute Morgen vergangen zu sein. Ich sah Alex vor mir, wie er mich im Bad mit seinen Armen umfing und lachte. Er hatte in seinem Leben so vieles einstecken müssen und sich trotzdem nicht in die Knie zwingen lassen. Er hatte sich sein Lachen bewahrt. Ein Augenblick hatte genügt, um es für immer auszulöschen.

Erschreckt zuckte ich zusammen, als ich meinte, ein Geräusch gehört zu haben. Ich stellte die Dusche ab und lauschte. Da war es wieder. Jemand hielt den Knopf meiner Klingel gedrückt. Der Ton war wie ein Déjà-vu und bescherte mir eine Gänsehaut. Ich spürte meinen Puls im Hals und atmete mit aller Macht dagegen an. Dann schlüpfte ich klatschnass in meinen Bademantel und öffnete leise die Badezimmertür. Wieder lauschte ich.

»Kindchen?«, hörte ich eine ältere Frauenstimme rufen. »Sind Sie da?«

Ich atmete auf. »Sind Sie das, Frau Mauss?«, vergewisserte ich mich zur Sicherheit, obwohl nur meine Nachbarin mich so nannte.

Kaum hatte sie mit Ja geantwortet, lief ich zur Tür, rückte die Kommode ab und öffnete. Nur wenige Meter von mir entfernt stand die alte, füllige Frau schwer atmend auf ihren Rollator gestützt. Wie immer trug sie eine ihrer selbst gehäkelten Wollwesten über einem fast bodenlangen Rock, unter dem dicke Wollsocken hervorlugten. Sie fror ständig. Daran konnten weder ihre Leibesfülle noch die Wollberge etwas ändern. Das sei im Alter so, hatte sie mir einmal verraten. Mit einer fahrigen Bewegung strich sie sich eine Strähne ihres weißen schütteren Haares aus der Stirn.

»Ich habe es ja immer kommen sehen, dass wir nicht verschont bleiben«, meinte sie unglücklich und schob ihren Rollator durch den Türspalt in meinen Flur. »Es ist nur eine Frage der Zeit, bis sie auch zu mir kommen.« Fassungslos starrte sie auf meinen surrealistischen Bodenbelag. »Ist viel weggekommen?«

»Ich glaube nicht.«

Sie machte ein schnalzendes Geräusch. »Eigentlich bin ich ja nicht abergläubisch, aber wenn so etwas an einem Freitag, dem dreizehnten geschieht, kann man schon mal ins Grübeln kommen. Andererseits hatten Sie Glück, dass Sie nicht zu Hause waren.«

»Die kommen nicht, wenn man zu Hause ist«, versuchte ich, ihr wider besseres Wissen die Angst zu nehmen.

Gundula Mauss zeigte auf die hölzerne Teigrolle im Körbchen ihres Rollators. »Für den Fall, dass doch, habe ich mich gewappnet.«

»Legen Sie lieber Ihr Telefon in den Korb, dann können Sie gleich die Polizei anrufen.«

Während sie ihr beachtliches Übergewicht vom linken auf das rechte Bein verlagerte, ließ sie sich meinen Vorschlag durch den Kopf gehen. »Ich werde das Telefon dazulegen.« Sie musterte mich besorgt. »Sie sehen blass aus, Kindchen.

Das ist aber auch kein Wunder. So ein Einbruch würde mir auch an die Nieren gehen. Kann ich etwas für Sie tun? Wollen Sie zu mir rüberkommen, bis Ihre Tür repariert ist? Wir könnten ein bisschen reden. Erst neulich habe ich gelesen, dass Reden bei einem Schock gut sein soll. Fressen Sie es bloß nicht in sich hinein! Und trinken Sie genug! Hören Sie? Nicht nur wir Alten vergessen immer wieder das mit dem Trinken. Zum Glück trinke ich ja Leitungswasser. Eine Freundin tut sich damit schwer, sie muss ihre Wasserflaschen ganz allein in den dritten Stock schleppen. Und das in ihrem Alter. Aber die Kinder haben ja nie Zeit. Da denkt man in jungen Jahren, dass der Nachwuchs im Alter für einen da sein wird, und dann das. Wenn ich all das um mich herum sehe, ist es gar nicht so schlimm, dass wir keine Kinder bekommen haben.« Sekundenlang sah sie sich um, als habe sie die Orientierung verloren. Aber Gundula Mauss fand trotz aller Umwege immer wieder zum Ausgangspunkt zurück. »Vielleicht könnte ja der Rudi Ihre Tür reparieren. Der kann doch so viel, da sollte das auch kein Problem sein. Was meinen Sie?«

Rudi Meinhold war unser rühriger Hausmeister, um den einige Nachbarn aus der Valleystraße uns beneideten. Immer freundlich, immer zupackend, nie war ihm etwas zu viel. Er hatte die Devise ausgegeben, dass man ihn selbst zu Nachtzeiten herausklingeln dürfe. Was hin und wieder vorkam, wenn Not am Mann war. Da er mit seiner Frau die Kellerwohnung bewohnte, war er stets schnell zur Stelle.

Nachdem der Vierundfünfzigjährige mir einmal sein Herz ausgeschüttet hatte, war ich überzeugt, dass seine Frau, genauer gesagt deren krankhafte Eifersucht, der einzige Wermutstropfen in seinem ansonsten beglückenden Leben war. Gesine Meinhold ging davon aus, dass ihr Mann ins Beuteschema so ziemlich jeder Frau passte – und dass sich an jedem Morgen eine von ihnen aufmachte, um ihn zu erobern. In seiner freien Zeit konnte er kaum einen Schritt ohne Gesine tun. Woran ihm meistens auch gar nicht gelegen war. Er liebte seine Frau abgöttisch. Nur manchmal sehnte er sich nach einem Abend unter Männern. Für diese Gelegenheiten verschaffte ich ihm die Alibis. Es waren stets vermeintliche Aufträge, die unverdächtig wirkten: Wasserrohrbrüche, streikende Spülmaschinen, Klopfgeräusche in Leitungen bei angeblichen Freunden von mir. Diese Gefälligkeiten, die er mir, so sagte er seiner Frau, selbstverständlich nicht abschlagen konnte, verschafften ihm für ein paar Stunden Luft. Gundula Mauss hatte recht, Rudi Meinhold würde mir ganz sicher helfen.

Ihrem ungebremsten Redeschwall war es gelungen, meinen Pulsschlag zu beruhigen. »Das ist ein guter Vorschlag, Frau Mauss. Ich werde Rudi später gleich fragen. Vorher möchte ich aber gerne noch etwas von Ihnen wissen.«

»Ob ich die Einbrecher gesehen habe?«

Ich nickte.

»Leider nicht. Ich habe auch gar nichts davon mitbekommen, obwohl ich noch gut höre, wie Sie wissen. Aber vormittags schaue ich doch gerne meine Serien. Darin kann ich so sehr versinken, dass ich nichts mehr um mich herum wahrnehme. Heute ging es um eine wirklich vertrackte Liebesgeschichte. Ich habe die ganze Zeit über mitgefiebert, wie sie ausgeht.« Sie wirkte zufrieden. »Zum Glück gut. Ich weiß nicht, was ich sonst gemacht hätte. So etwas kann einem ja den ganzen Tag verhageln.« Gundula Mauss konnte ungehemmt vor sich hin plappern, doch verlor sie dabei selten ihr Gegenüber aus dem Auge. »Aber was rede ich da bloß? Schließlich wurde Ihnen heute der Tag verhagelt.«

Angesichts dieser maßlosen Untertreibung war ich kurz davor, laut aufzulachen. Einen Moment lang kam mir unser

Gespräch wie absurdes Theater vor. Während Alex und Biggi vermutlich längst in Kühlfächern im rechtsmedizinischen Institut lagerten, bemitleidete meine Nachbarin mich für einen vermiesten Tag. Zum Glück ahnte sie nicht einmal annähernd, worüber sie da gerade sprach. Die Wahrheit hätte sie zutiefst erschüttert.

Um den Frosch in meinem Hals loszuwerden, räusperte ich mich. »Frau Mauss, ist Ihnen vielleicht in den vergangenen Tagen irgendetwas Ungewöhnliches aufgefallen? Haben Sie jemanden im Treppenhaus beobachtet, der nicht hierhergehörte? Könnte es sein, dass jemand das Haus beobachtet hat? Sie schauen doch gerne mal aus dem Fenster.« Wenn sie nicht gerade bei ihren Serien mitfieberte, stützte sie ihre Unterarme auf ein Kissen auf der Fensterbank und verfolgte stundenlang das Geschehen auf der Straße.

»Das hat mich diese Kripobeamtin, die vorhin hier war, auch gefragt. Aber da war nichts. Wenn, hätte ich das bemerkt.« Sie seufzte unglücklich.

»Machen Sie sich keine Sorgen deswegen.«

»Was machen Sie denn jetzt? Kann ich Ihnen irgendwie helfen aufzuräumen?«

»Danke für Ihr Angebot, das ist lieb, aber das schaffe ich schon. Doch zuerst werde ich mal sehen, ob ich Rudi irgendwo auftreiben kann.« Ich begleitete sie zur Tür, was geraume Zeit in Anspruch nahm, da sie versuchte, Gegenstände, die sie für wichtig hielt, mit ihrem Rollator zu umrunden. »Und danke noch mal, dass Sie die Polizei gerufen haben.«

»Das ist doch selbstverständlich, Kindchen.« Sie hob ihre Hand und strich mir vorsichtig über die Wange.

Bei dieser sanften Berührung sammelten sich Tränen in meinen Augen. Ich wandte das Gesicht ab und schluckte.

»Ach, du meine Güte! Nicht doch! Es ist niemandem

etwas passiert. Das ist das Allerwichtigste. Hören Sie? Am besten streichen Sie diesen Tag ganz schnell aus Ihrem Gedächtnis. Denken Sie immer an das, was ich gesagt habe: Wie gut, dass Sie nicht zu Hause waren. Gar nicht auszudenken, was noch alles hätte passieren können.«

Zehn Minuten später trafen in Corinna Altenburgs Auftrag zwei Beamte von der Spurensicherung ein. Sie nahmen sich nicht nur meine Tür vor, sondern auch Möbelstücke und Gegenstände, die der oder die Täter möglicherweise angefasst hatten.

Erst nachdem sie gegangen waren, verschaffte ich mir selbst einen Überblick. Das Ergebnis war verstörend: Es war nichts gestohlen worden. Demnach handelte es sich nicht um einen gewöhnlichen Einbruch. *Der Fuchsmann*, schoss es mir unweigerlich durch den Kopf. War er auch in meiner Wohnung gewesen? Und befand sich jetzt vielleicht etwas hier, das gestern noch nicht da gewesen war? Hatte es Alex' Mörder nicht gereicht, mir in meiner Tasche etwas zu hinterlassen? Hatte er noch eins draufsetzen müssen? Eine halbe Stunde lang stellte ich das Chaos akribisch auf den Kopf, konnte aber nichts entdecken. Hatte ihm die Zeit nicht gereicht? Oder …?

Mitten in diesem Gedanken blieb ich hängen und machte schlapp. Zitternd und frierend schloss ich mich in meinem Schlafzimmer ein, verzog mich aufs Bett, umschlang meine Knie und ließ meinen Tränen freien Lauf. Es war, als sei ein Schalter umgelegt – bis hierhin hatte ich noch leidlich funktioniert, nur um jetzt von den Bildern des Schreckens eingeholt zu werden. Ich sank immer tiefer und zog mir schließlich die Decke bis zu den Ohren. Es dauerte nicht lang, bis wieder Übelkeit in mir aufstieg und ich es gerade noch rechtzeitig ins Bad schaffte.

Zum zweiten Mal an diesem Tag kauerte ich schweißgebadet neben einer Toilettenschüssel und starrte ins Leere.
Bis das Klingeln meines Handys zu mir durchdrang. Ich lief
ins Schlafzimmer, fischte es aus meiner Tasche und wollte
den Anruf gerade entgegennehmen, als ich die getrockne-
ten Blutflecken darauf entdeckte und mich daran erinnerte,
wie sie darauf gekommen waren.

Ich drückte den Anruf weg, rannte zurück ins Bad und
schrubbte noch die letzten Ritzen von Biggis Blut sauber.
Währenddessen kämpfte ich gegen ein sehr widersprüch-
liches Gefühl an. Hätte ich mich nicht auf Alex eingelassen,
wohl wissend, dass er eine Freundin hatte, wäre es heute
Morgen vermutlich nicht zu der Begegnung zwischen den
beiden gekommen. Biggi wäre nach ihrem Langstreckenflug erst einmal nach Hause oder direkt in die Redaktion
gefahren. Sie wäre noch am Leben. An ihrer Stelle wäre ich
jetzt tot.

Erneut klingelte mein Handy. Dieses Mal nahm ich den
Anruf an. »Hallo, Fritz«, meldete ich mich und versuchte,
meine Stimme kraftvoll klingen zu lassen.

Mein Onkel ließ sich jedoch nicht davon täuschen. »Was
ist passiert, Dana?«, fragte er alarmiert.

Ich schwieg, da ich nicht wusste, wie ich ihm beibringen
sollte, was geschehen war, ohne ihn zutiefst zu erschrecken
und alte Wunden aufzureißen.

»Raus damit, Dana! Irgendetwas stimmt ganz und gar
nicht. Das habe ich an deiner Stimme gehört.«

Während ich erzählte, unterbrach er mich kein einziges
Mal. Lediglich an seinem schweren, stoßweisen Atem war
seine Erschütterung zu erkennen. Als ich geendet hatte,
stellte er ein paar gezielte Fragen. Ob der Mörder gefasst
worden sei? Ob mein Name und die Tatsache, dass ich eine
Zeugin sei, auch ganz sicher von der Polizei unter Ver-

schluss gehalten würden? Und ob die Morde mit Alex' Arbeit zusammenhingen? Dass nicht auszuschließen war, dass sie auch mit meiner Arbeit zusammenhingen, verschwieg ich ihm vorsorglich.

»Ich wünschte, es gäbe Worte, die dem gerecht würden«, sagte er schließlich, »aber ich finde keine, die nicht schon viel zu oft für Bagatellen missbraucht worden sind.« Er schwieg und schluckte. »Es tut mir so unendlich leid, mein Schatz.« Seine Freundin im Hintergrund schien ihn etwas zu fragen, und er antwortete ihr flüsternd. »Marielu schlägt gerade vor, dass wir unsere Zelte hier sofort abbrechen und zurückkommen. Wir werden in der nächsten Stunde losfahren und sind dann heute Abend wieder in München.«

»Nein, auf keinen Fall! Ich will nicht, dass ihr das tut.«

Marieluise Brühl war seine Freundin aus Kindertagen. Vor einem Jahr hatten sich die beiden durch Zufall bei einer Lyrik-Lesung wiedergetroffen, und mein Onkel, der davon ausgegangen war, dass er eines Tages als Single ins Grab sinken würde, hatte sich mit neunundsechzig noch einmal verliebt. Er, der immer behauptet hatte, er tauge nicht zum Zusammenleben − außer natürlich mit mir, seinem Mündel −, war mutig geworden. Sollten ihre gemeinsamen Ferien ein Erfolg werden, beabsichtigten sie zusammenzuziehen.

»Bleibt bitte, wo ihr seid!«, insistierte ich. »Ich komme klar, Fritz, glaub mir! Du kennst mich doch.«

»Eben weil ich dich kenne, kommen wir zurück. Jemand muss sich jetzt um dich kümmern und auf dich aufpassen. Marielu ist da ganz meiner Meinung.«

Was Fürsorglichkeit anging, übertraf Fritz jede Glucke. Von dem Tag an, als er mich vor fünfundzwanzig Jahren zu sich geholt hatte, war ich von ihm in Watte gepackt worden. So umfassend und ausnahmslos, dass ich irgendwann glaubte, durch diese Watte hindurch nichts mehr spüren zu können.

So hatte ich zu Hause das Spiel mitgespielt, nur um draußen fortan über die Stränge zu schlagen. Ich hatte mir alle möglichen Kicks gesucht und war ständig mit aufgeschürften Knien und Händen oder Platzwunden am Kopf zurückgekehrt. Während ich stolz darauf gewesen war, zum wildesten und unerschrockensten Mädchen auf dem Schulhof und in unserer Nachbarschaft aufgestiegen zu sein, hatte sich Fritz' Sorge um mich in schwindelnde Höhen geschraubt. Er hatte mich zu einer Kinder- und Jugendpsychologin geschleppt, die mir, wie er mir Jahre später immer noch besorgt offenbarte, kontraphobisches Verhalten bescheinigte. Da mein Leben so früh schon bedroht worden sei, so ihre Überzeugung, müsse ich mich immer wieder vergewissern, dass ich unsterblich sei. Ich sei gewissermaßen auf der Flucht vor der Angst und würde gefährliche Situationen suchen, die ich glaubte beherrschen zu können. Selbstverständlich würde ich sie beherrschen, hatte ich wütend gekontert. Was diese Frau sich einbilden würde? Nur weil sie ein Hasenfuß sei, müsse das noch lange nicht für mich gelten. Er könne sicher sein, dass ich alles unter Kontrolle hätte. Er hatte mir vorgehalten, meine Narben seien Beweis genug, dass dem nicht so sei.

So war es ständig hin und her gegangen, bis ich gelernt hatte, Verletzungen zu vermeiden und Fritz meine Eskapaden zu verschweigen. Ich hatte ihm nie etwas von meinen einsamen Motorradtouren durch indische Bergdörfer erzählt, die ich gleich nach dem Abitur unternommen hatte, und er wusste immer noch nichts von meiner Vorliebe fürs Mountainbike-Downhill-Fahren, das ich vor ein paar Jahren entdeckt hatte und praktizierte, wann immer ich nach einem Ventil suchte.

»Ich bin nicht allein«, log ich. »Henry kommt gleich, um mich abzuholen. Ich kann so lange bei ihm wohnen, bis meine Tür repariert ist.«

Vor drei Jahren hatte ich Henry Seydlitz durch meine Freundin und Mitarbeiterin Niki kennengelernt, die regelmäßig in seinem Restaurant aushalf. Vom ersten Moment an hatten wir eine Seelenverwandtschaft gespürt, die oft ohne Worte auskam. Ich wusste, dass mein Onkel dem mehr als dreißig Jahre Jüngeren vertraute, dass er ihm all das zutraute, was in seinen Augen nötig war, um seine Nichte zu beschützen.

»Versprich mir, dass du uns dann später noch mal anrufst«, beschwor Fritz mich. »Ich muss sicher sein, dass es dir gut geht. Wobei *gut* im Anbetracht der Umstände natürlich relativ ist. Aber du weißt, wie ich es meine, Dana.« Er gab einen beredten Seufzer von sich. »Wenn du bei Henry bist, kann ich mich wenigstens darauf verlassen, dass du etwas zu essen bekommst.«

6 Der Kleingartenverein am Fuß des Neuhofener Bergs inmitten von Sendling war Nikis Refugium, das auch mir jederzeit offen stand. Als ihrer Patentante die Arbeit in den Beeten zu anstrengend geworden war, hatte sie deren Parzelle vor zwei Jahren übernommen. Seitdem pflanzte sie dort ihr eigenes Gemüse an, ließ ihre Seele baumeln und lernte ihre Fernsehrollen auswendig.

Erst durch Niki hatte ich begriffen, wie schwer es war, sich als Schauspielerin über Wasser zu halten. Als ich sie vor fünf Jahren kennenlernte, hatte sie zunächst nur als freie Mitarbeiterin für mich gearbeitet, wie einige ihrer arbeitslosen Kollegen auch, die für die Agentur in jede gewünschte Rolle schlüpften, wenn es darum ging, ein Alibi zu untermauern. Nach einem halben Jahr hatte ich Niki fest eingestellt und es keinen Tag bereut. Wir hatten vereinbart, dass sie Vollzeit arbeitete, sich jedoch immer dann freinehmen konnte, wenn sie eine Rolle bekam. Seit zwei Tagen hatte sie eine im Kölner *Tatort*. Als Mordopfer und anschließend als Leiche auf dem Obduktionstisch von Joe Bausch. Wir hatten uns diese Szene in allen Details ausgemalt, nichts ahnend, dass Alex nur wenige Tage später in der Münchner Rechtsmedizin landen würde. Die Fiktion konnte in diesem Fall nicht einmal annähernd den Schrecken beschreiben, den die Realität bedeutete.

Nachdem ich mein Rennrad abgestellt hatte, schloss ich das Tor auf. Über den Weg, der den alten vom neuen Teil der Anlage trennte, gelangte ich zu Nikis Laube. Sie war eine von jenen, die sich vom einheitlichen dunkelbraunen

Anstrich verabschiedet hatten. Niki hatte sich für Türkis entschieden, was nicht bei jedem der anderen Pächter sofort auf Wohlwollen gestoßen war. Aber Niki hatte ihnen ziemlich schnell den Wind aus den Segeln genommen. Sie fügte sich mit einer Selbstverständlichkeit in diese Gemeinschaft und hörte sich mit einer Engelsgeduld Kümmernisse und Sorgen an, dass selbst eine aus der Reihe tanzende Farbe an Bedeutung verlor.

Die Sympathien, die sie sich in kürzester Zeit erobert hatte, waren von ihren Nachbarn ohne nennenswerte Verluste auf mich übertragen worden. Allerdings wussten sie auch nichts von unserer Arbeit. Niki hatte nur gesagt, sie sei Schauspielerin, und als sie mich vorstellte, hatte sie erklärt, wir beide seien Freundinnen und Kolleginnen.

An einem so sonnigen und ungewöhnlich warmen Novembertag wie diesem war die Nachbarschaft in der Kleingartenanlage Balsam und Fluch zugleich. Auf dem Weg zu Nikis Laube passierte ich die angrenzenden Gärten, in denen Hecken geschnitten, Beete umgegraben und Futterhäuser für die Vögel aufgehängt wurden. Hier und da musste ich stehen bleiben und besonders prächtige Exemplare von Chrysanthemen, Astern, frühen Christrosen und Winterjasmin bewundern.

Ich bekam zu hören, was für ein Geschenk dieses Wetter sei. Nach dem Dauerregen im Oktober diesen goldenen November genießen zu können – damit hätte niemand rechnen können, und mit etwas Glück würde sich das Wetter in den kommenden Tagen auch nicht groß ändern, dafür würde schon der Föhn sorgen. Sobald sich die Blicke vom Himmel lösten und sie mich etwas genauer in Augenschein nahmen, hagelte es Fragen. Was denn nur los sei? Ich sei ja kalkweiß im Gesicht. Ob es mir nicht gut ginge? Der Föhn könne es doch nicht sein, unter dem würde ich doch sonst auch nicht leiden. Ob etwas passiert sei? Liebeskummer womöglich?? »So etwas in der Art«, antwortete ich. Liebeskummer und Zahnschmerzen seien so ziemlich das Schlimmste, bekam ich daraufhin zu hören, und für beides gebe es keinen Trost. Höchstens vielleicht ein Schälchen Apfelkompott mit Zimt und Zucker. Sie würden mir später eines vorbeibringen.

Und dann hatte ich endlich Nikis Laube erreicht. Die Gemüsebeete waren längst abgeerntet, aber darum herum blühten noch ein paar Herbstzeitlose, Septemberkraut und hier und da sogar noch eine Stockrose. Ich öffnete die Querriegelschlösser an Tür und Fenstern und ließ Licht in den gemütlich eingerichteten kleinen Raum. Schließlich setzte ich mich in eine warme Decke gehüllt in einen der Liegestühle vor dem kleinen Häuschen, ließ die Novembersonne auf meine Haut scheinen und schloss für einen Moment die Augen, während ich versuchte, mich auf das leise Gemurmel der Nachbarn und die Vogelstimmen zu konzentrieren.

Meine Hände und Füße waren bald eiskalt. Selbst die Decke konnte nichts gegen diesen inneren Frost ausrichten. Ich zog die Beine an, umschlang sie mit den Armen und wandte mein Gesicht vom Wind ab. Warum konnte er nicht wenigstens für einen Moment innehalten? So wie für Alex und Biggi alles innegehalten hatte. Für immer.

Ich schälte mich aus der Decke, ging in die Laube und setzte Teewasser auf. Während es warm wurde, unterdrückte ich meinen Widerwillen und aß in kleinen Bissen die Hälfte der Butterbreze, die ich mir unterwegs gekauft hatte und die nach nichts schmeckte. Dann sah ich zum ersten Mal seit Stunden auf die Uhr. Es war kurz vor vier. Vor sieben Stunden war noch alles gut gewesen.

Vor sieben Stunden hätte ich bei Robert Eichberger vor der Haustür stehen sollen. Aber er hatte nichts von mir gehört. Und ich nichts von ihm. Was ich merkwürdig fand. Ging er vielleicht doch davon aus, dass ich tot war?

Ich wählte seine Nummer und meldete mich mit »Elisa Tenzer«, als er abnahm.

»Frau Tenzer …« In die kleine Pause, die auf meinen Namen folgte, legte er all seine Enttäuschung. Er schien jedoch nicht überrascht zu sein, dass ich noch am Leben war. »Erinnern Sie sich, was ich Ihnen bei Ihrem Einstellungsgespräch gesagt habe? Dass ich auf Pünktlichkeit und Verlässlichkeit sehr großen Wert lege? Ich habe deutlich gemacht, dass wir uns schnell wieder würden trennen müssen, sollten Sie damit nicht zurechtkommen. Sie hätten mir wenigstens Bescheid geben können, dass Sie heute nicht kommen.« Er holte tief Luft, als müsse er für seinen nächsten Schritt Anlauf nehmen. »Dieses eine Mal werde ich noch darüber hinwegsehen, aber …«

»Ich kündige, Doktor Eichberger«, fiel ich ihm ins Wort. Für Alex konnte ich bei ihm nichts mehr ausrichten, und was auch immer ich hätte herausfinden können, spielte keine Rolle mehr. Der einzige Grund, für den Mann, den Alex für einen Kriminellen gehalten hatte, zu arbeiten, war mit ihm gestorben. »Es tut mir leid, Sie damit so unvorbereitet zu überfallen, aber ich sehe mich gezwungen zu kündigen. Fristlos.«

Sekundenlang war es still in der Leitung, dann hörte ich, wie er sich räusperte. »Sie sehen sich gezwungen? Das ist ja allerhand.« Wieder räusperte er sich. »Nennen Sie mir Ihren Grund.«

»Können wir es nicht einfach dabei belassen?«

»Ich möchte wissen, was Sie veranlasst, so überraschend zu kündigen.«

Über die Jahre hinweg hatte ich in meinem Job lernen müssen, mich in Sekundenschnelle auf eine veränderte Situation einzustellen und überzeugende Lügen parat zu haben. Meine Klienten gerieten manchmal von jetzt auf gleich in brenzlige Situationen und erwarteten dann von mir, dass ich sofort reagierte. Es kam immer wieder vor, dass mich Klientinnen anriefen, mit nur kurzer Vorwarnung den Hörer an ihren Mann weiterreichten und mich ihm als Freundin vorstellten, bei der sie die Nacht verbracht hatten. An mir war es dann, aus dem Stegreif ein überzeugendes Alibi zu konstruieren.

An diesem Tag brauchte ich jedoch Zeit, um nachzudenken. »Entschuldigen Sie, was haben Sie gesagt?«

»Warum kündigen Sie, nachdem Sie noch vor vierzehn Tagen so erpicht auf eine Anstellung waren?«

»Weil ich mir die Arbeit anders vorgestellt habe«, antwortete ich schließlich.

»Wie anders? Leichter? Anspruchsvoller? Ich verstehe Sie ehrlich gesagt nicht. Ihren Referenzen ist zu entnehmen, dass Sie bereits in verschiedenen Haushalten gearbeitet haben. Was ist denn in meinem so anders?«

»Ich bin es lebendiger gewohnt … zum Beispiel mit Kindern.«

»Damit kann ich nicht dienen«, entgegnete er brüsk. »Aber das wussten Sie von Anfang an. Ich habe kein Geheimnis daraus gemacht, dass ich allein lebe, dass es außer mir in meinem Haushalt nur noch meinen Hund gibt. Hat Ihr Vorstellungsvermögen dafür nicht ausgereicht?«

»Haben Sie sich noch nie geirrt?«

Er schien meine Frage gar nicht gehört zu haben. »Haben Sie überhaupt eine Vorstellung davon, was Ihre Kündigung für mich bedeutet? Von einem Tag auf den anderen sitze ich ohne Hilfe da und kann wieder ganz von vorne anfangen.«

»Es haben sich doch noch andere Frauen bei Ihnen vorgestellt. Da wird sicher die eine oder andere dabei gewesen sein, die noch frei ist.«

»Meine Wahl war aber auf Sie gefallen, Frau Tenzer!«, entgegnete er ungehalten.

Wie hatte ich diesen Mann nur jemals verdächtigen können? Wie hatte Alex ihn verdächtigen können? Oder beging ich da gerade einen fatalen Fehler, indem ich nicht für möglich hielt, dass ein skrupelloser Verbrecher auch ganz simple häusliche Bedürfnisse haben konnte?

»Es tut mir leid, Doktor Eichberger, aber ich bleibe bei meiner Entscheidung.«

Er atmete schwer ins Telefon. »Ihr berufliches Engagement und Ihr Durchhaltevermögen habe ich tatsächlich völlig falsch eingeschätzt. Ich frage mich, wie ich mich so in Ihnen täuschen konnte, Frau Tenzer. Mir will einfach nicht in den Kopf, warum Sie sich so sehr ins Zeug gelegt haben, um diesen Job bei mir zu bekommen, nur um ihn dann nach zehn Tagen gleich wieder hinzuschmeißen. Hat es vielleicht doch irgendetwas mit mir persönlich zu tun? War ich unfreundlich oder unsensibel Ihnen gegenüber? Ich weiß, dass ich manchmal in Gedanken bin und dann vielleicht auch schroff reagiere, aber das ist nicht so gemeint.« Er hielt kurz inne. »Ich kann Ihnen versichern, dass ich durchaus kritikfähig bin. Sie können mir also offen sagen, was Sie stört.«

»Es ist nichts dergleichen«, wehrte ich erschöpft ab.

»Was ist es dann?«

Ich schwieg.

»Frau Tenzer? Was ist es? Sagen Sie es mir bitte!«

»Es sind persönliche Gründe, Doktor Eichberger. Nichts, was Sie betrifft.«

»Dann war das mit der fehlenden Lebendigkeit nur vorgeschoben?«

»Es …«, setzte ich an, als ich durch das Telefon seine Klingel hörte.

Augenblicklich übertönte ein ohrenbetäubendes Gebell jedes weitere Wort. »Da ist jemand an der Tür«, erklärte er überflüssigerweise, nachdem es ihm gelungen war, Kasper zu beruhigen. »Bitte überlegen Sie es sich noch einmal, Frau Tenzer. Schlafen Sie eine Nacht darüber, ja? Ich bitte Sie darum.«

»Meine Entscheidung steht fest«, sagte ich, als er schon längst aufgelegt hatte.

Mein nächster Anruf galt Zeno von Kalden, der mir drei SMS hinterlassen hatte und mich unbedingt sprechen wollte. Neben Niki und mir war er in der Agentur der Dritte im Bunde. Außerdem war er mit seinen achtundzwanzig Jahren der Jüngste, was er durch seine bedächtige und umsichtige Art oft vergessen machte. Zeno hatte vor drei Jahren seinen Vorgänger abgelöst, der versucht hatte, einen Klienten zu erpressen. Diese Sache war mir lange nachgegangen. Ich hatte mich noch nie allein auf mein Bauchgefühl verlassen, sondern es mir zur Maxime gemacht, so viel wie möglich zu überprüfen, um nicht auf die Nase zu fallen. Deshalb hatte ich dem Klienten erst überhaupt nicht glauben wollen – bis er mir als Beweis einen Gesprächsmitschnitt vorgespielt hatte, der keinen Zweifel daran ließ, dass es diesem Mitarbeiter gelungen war, mich grundlegend zu täuschen.

Danach war mein Misstrauen zu Hochtouren aufgelaufen, und ich hatte alles und jeden kontrolliert. Ich rechnete es Zeno immer noch hoch an, dass er mein ständiges Überprüfen und Hinterfragen so gelassen hingenommen hatte. Wie er mir später gestand, war es sein Dankeschön an mich, dass ich wiederum geduldig über all seine Fimmel hinwegsah. Zeno war Sauberkeitsfanatiker, und das in einer Weise, die es ihm verbot, Klienten in sein Zimmer zu lassen. Am liebsten war es ihm ohnehin, wenn überhaupt niemand seinen Raum betrat und Niki und ich den direkten Kontakt mit den Klienten übernahmen. Und genau so hatte es sich mit der Zeit eingespielt. Im Gegenzug übernahm Zeno einen Großteil der organisatorischen Aufgaben. Ich kannte niemanden, der so gewissenhaft, strukturiert und zuverlässig war wie er und der sich so perfekt mit Computern auskannte.

Dass er sich an den Tagen, die Niki bei ihrem Dreh in Köln und ich im Haushalt von Robert Eichberger verbrachte, zumindest an den Vormittagen um alles allein kümmern musste, war eine bisher nicht gekannte Herausforderung für ihn. Natürlich hatte ich ihm – anders als meiner Freundin Niki – keine Details über meinen neuen Nebenjob erzählt, sondern nur gesagt, dass ich Alex bei einer Geschichte helfen würde, über die ich noch nicht mit ihnen reden konnte.

»Ich bin's«, meldete ich mich, als er meinen Anruf entgegennahm.

»Warum antwortest du nicht? Ich versuche schon seit zwei Stunden, dich zu erreichen. Hast du meine SMS nicht bekommen?«

»Ich bin leider aufgehalten worden, Zeno. Ich kann dir das jetzt nicht erklären. Hast du alles hinbekommen?«

»Selbstverständlich habe ich das!«, antwortete er empört und betonte gleich darauf, dass solche Tage ja wohl zum Glück die Ausnahme seien. »Ich werde nie verstehen, warum die Leute einem unbedingt die Hand geben müssen. Und das, ohne sie vorher gründlich zu waschen.« Er stöhnte hörbar. »Ganze Epidemien ließen sich vermeiden, wenn die Menschen ihre Hände bei sich behalten würden. Ich …«

»Zeno …?«

»Keine Sorge! Alle sind zufrieden.«

»Zeno, warum sollte ich dich so dringend zurückrufen?«

»Die Durchgeknallte war hier. Die hätte ich fast mit Waffengewalt von mir fernhalten müssen. Um die musst du dich kümmern, Dana. Unbedingt. Hörst du?«

»Meinst du Karen Döring?«

»Wen denn sonst? Alle anderen bewegen sich ja innerhalb des ganz normalen Wahnsinns, aber diese Frau ist wirklich speziell.«

»War sie etwa im Büro?«

»Würde ich sonst von Waffengewalt reden?«

»Wann war sie da, und was wollte sie?«

»Sie ist vor ungefähr eineinhalb Stunden hier aufgetaucht und hat ein beachtliches Theater veranstaltet. Als ich sagte, du seist nicht im Büro, hat sie beide Hände auf meine Brust gelegt und mich zur Seite gestoßen. Beide Hände, Dana. Auf meine Brust!« Er schien auf mein Mitgefühl zu warten.

»Tut mir leid, Zeno! Und dann?«

»Dann hat sie das gesamte Büro durchsucht. Als ich ihr den Weg zu meinem Zimmer versperrt habe, ist sie durchgedreht, weil sie überzeugt war, du würdest dich darin verstecken. Um es kurz zu machen: Ich musste hinterher erst einmal gründlich sauber machen.« Bei jedem anderen hätte es wie ein Scherz geklungen, bei Zeno war es bitterer Ernst.

»Hat sie irgendetwas gesagt?«

»Irgendetwas? Sie hat ununterbrochen geredet. Ehrlich gesagt verstehe ich ihren Mann nicht. Anstatt über Jahre hinweg Geld und Zeit ins Vertuschen seiner Seitensprünge zu stecken, hätte ich mich an seiner Stelle längst von ihr getrennt.«

»Er wird seine Gründe haben, es nicht zu tun. Du weißt, wir erlauben uns kein Urteil«, leierte ich reflexartig den Satz herunter, den ich in der Agentur zum Credo erhoben hatte.

»Ich erlaube mir jetzt aber mal eins, wir sind schließlich unter uns. Wenn du ehrlich bist, kommst du nämlich auch nicht ganz ohne aus. Und meines ist: Diese Frau ist die Pest, und genau wie die Pest stellt sie eine Gefahr für die Bevölkerung dar. Ich habe noch in ihrem Beisein die Polizei angerufen.«

»Du hast die Polizei gerufen?«

»Ja. Du bist ja nicht ans Telefon gegangen! Ich wusste mir nicht mehr anders zu helfen, und als sie mich den Notruf wählen sah, hat sich endlich mal wieder ein vernünftiger Gedanke in dieses verquere Hirn verirrt, und sie ist auf und davon. Und wenn du jetzt sagst, ich solle nicht so despektierlich von unseren Klienten sprechen, kann ich nur entgegnen: Erstens ist sie keine Klientin, und zweitens hat sie mich angefasst. Bist du noch dran, Dana?«

»Bin ich.«

»Du sagst ja gar nichts. Ich meine, du schimpfst nicht. Ist alles mit dir in Ordnung? Oder gibt es ein Problem?«

Nicht nur eines, hätte ich gerne geantwortet, aber ich wollte Zeno nicht schrecken. Irgendwann würde er von Alex' Tod erfahren, aber nicht heute. »Ich habe nur ein paar ziemlich anstrengende Stunden hinter mir.«

»Wegen deiner mysteriösen Arbeit für Alex? Willst du mir nicht endlich verraten, was für dunkle Geheimnisse ihr gemeinsam ausgrabt? Seid ihr schon ins Zentrum des Bösen vorgestoßen? Ist es gefährlich?«, ratterte er weiter. »Du musst auf dich aufpassen, Dana, wir brauchen dich hier. Und deinem Alex kann wohl kaum daran gelegen sein, dass du dich quälst.« Er schwieg. »Bist du noch dran, Dana?«

Ich nickte und schluckte gegen die Tränen an.

»Dana? Ist wirklich alles in Ordnung mit dir?«

»Ich bin okay«, presste ich hervor.

»Irgendwie habe ich nicht den Eindruck. Ist es wegen

dieser Karen Döring? An deiner Stelle würde ich mir wegen ihr nicht allzu viele Gedanken machen. Bestimmt ist sie nur eine von denen, die knurren, aber nicht beißen.«

»Du hast gesagt, sie sei gemeingefährlich.«

»Ach, Dana, du kennst mich doch, ich nutze gerne mal Übertreibungen, um etwas anschaulicher zu machen.«

»Was hat sie denn nun eigentlich gewollt? Erzähl mir bitte Wort für Wort, was sie gesagt hat.«

»Das kannst du dir doch denken: dass sie es dir zeigen wird, dass du noch an sie denken wirst, dass ihr niemand so etwas ungestraft antun darf. Das übliche Blabla in solchen Fällen. Was soll sie auch tun? Vermutlich ahnt sie seit Jahren, was ihr Mann da treibt, um dann urplötzlich so sehr mit der Nase draufgestoßen zu werden, dass selbst sie es nicht mehr ignorieren kann. Jedenfalls nicht, wenn sie noch einen Funken Selbstachtung besitzt. Und wie früher die Überbringer schlechter Botschaften umgebracht wurden, meint sie, du allein seist das Übel schlechthin und müsstest vernichtet werden.«

»Vernichtet? Hat sie gesagt, sie wolle mich umbringen?«

»Nein, sie will dir nur für immer das Handwerk legen.«

»Wie?«

»Sie will den Eingang der Agentur beobachten, die Klienten fotografieren und an den Pranger stellen.«

»Das ist verboten. Außerdem schießt sie damit an ihrem Ziel vorbei. Sie würde unsere Klienten vernichten, aber nicht mich.«

»Und unsere Geschäftsgrundlage, falls ich dich daran erinnern darf.«

»Was hat sie noch vor? Das ist doch bestimmt noch nicht alles.«

»Sie ist überzeugt, Alex habe neben dir noch eine Freundin. Sie behauptet, Fotos zu besitzen, die das beweisen. Und sie ist überzeugt, dass diese Tatsache pikant genug sei, um die Medien dafür zu interessieren. *Freund von Betreiberin einer Alibi-Agentur begeht Seitensprung.«* Zeno kicherte. »Da gähnen die doch nur.«

»Alex hatte eine Freundin.«

»Na siehst du: *hatte.* Wo ist also das Problem?«

Nur nicht nachdenken!, hämmerte ich mir ein. Nicht hängen bleiben an so einer in völliger Unwissenheit dahingeworfenen Bemerkung! Weitergehen, nicht stehen bleiben! Und schon gar nicht zurückblicken! Die Erinnerungen ausschalten! Wenigstens für den Moment.

Nach dem Telefonat mit Zeno rief ich Rudi Meinhold an, um ihn zu bitten, meine Tür zu reparieren, aber Gundula Mauss war mir bereits zuvorgekommen. Vor einer Stunde, erfuhr ich von ihm, sei meine betagte Nachbarin unter großen Mühen in den Keller gestiegen, weil er über den Lärm seiner Kreissäge hinweg das Telefon nicht gehört hatte. Sie habe ihm von meinem Desaster erzählt und gesagt, in der Stunde der Not müssten alle ihren Beitrag leisten. Seiner sei es, die Einbruchschäden zu beseitigen. Und was solle er sagen? Selbstverständlich könne ich mich auf ihn verlassen. Er würde die Tür schnellstmöglich richten und zur Sicherheit auch einen Querriegel anbringen.

Ich legte auf und ließ mich von dem beruhigenden Stimmengemurmel aus den Nachbargärten einlullen. Am Abend wollten sich einige zum Grillen zusammensetzen, und zwei Ehepaare hatten fest vor, in den Lauben zu übernachten. Ich würde also wie erwartet die Nacht nicht allein verbringen müssen. Hier war ich sicher.

Zumindest dachte ich das, bis hinter mir der Kies knirschte und mich eine tiefe männliche Stimme zusammenzucken ließ, als hätte ich in eine Stromleitung gegriffen. Blitzschnell griff ich nach der Gartenschere, die neben dem Liegestuhl lag, sprang auf und machte ein paar Schritte rückwärts. Es dauerte mehrere Sekunden, bis die Worte des jungen Mannes in meinem Gehirn einen Widerhall fanden. Bis ich sie kritisch überprüft und mich gleichzeitig vergewissert hatte, dass seine Unterarme keinerlei Ähnlichkeit mit denen des Fuchsmannes aufwiesen. Während dieser Sekunden sah mich der Mann erschrocken an und machte Anstalten, sich zurückzuziehen.

»Selbstverständlich können Sie den Spaten haben«, krächzte ich. »Entschuldigen Sie! Ich habe nur nicht mit Ihnen gerechnet.«

»Mein Vater hat mir zwar erklärt, wo er seinen abgestellt hat, aber ich finde ihn nicht. Er meinte, die Leute hier seien sehr hilfsbereit, ich solle einfach fragen, wenn ich mit irgendetwas nicht klarkäme.« Seinem Gesichtsausdruck nach zu urteilen bereute er es bereits, seinem Vater in dieser Hinsicht Glauben geschenkt zu haben.

Ich sah auf die Gartenschere in meiner Hand und konnte es ihm nicht verübeln. »Keine Sorge, ich bin heute nur etwas schreckhaft. Und ängstlich. Soll ich Ihnen den Spaten holen?«

Er nickte, ohne mich dabei aus den Augen zu lassen.

»Wenn Sie ihn nicht mehr brauchen, lehnen Sie ihn einfach hinten an den Schuppen«, bat ich ihn, als ich mit dem Gerät zurückkam.

Er streckte den Arm weit aus, um einen möglichst großen Abstand zu mir einzuhalten, und bedankte sich in einer so überschwänglichen Weise, als befürchte er, andernfalls von mir niedergestochen zu werden. Die ersten Meter zurück zur Parzelle seines Vaters legte er im Rückwärtsgang zurück, um sicherzugehen, dass ich ihm nicht folgte.

Aber auch ich ließ ihn erst aus den Augen, als mein

Handy klingelte. Auf dem Display erkannte ich eine vertraute Nummer.

»Henry«, hauchte ich kraftlos.

»Was ist passiert?«, fragte er alarmiert.

»Etwas sehr Schlimmes.« Dann konnte ich nicht mehr anders. Ich begab mich in die Laube, schloss die Tür und erzählte ihm alles, indem ich Schlaglichter herausgriff, mich über die Chronologie hinwegsetzte und wilde Vermutungen anstellte. Ich rechnete es Henry hoch an, dass er sich aus alldem einen Reim machte und ohne großes Aufhebens die richtigen Schlüsse zog.

»Sag mir, wo du bist, ich hole dich ab, und dann kannst du bei mir bleiben, so lange du willst.«

»Ich bin in Nikis Laube, und das ist im Augenblick genau der richtige Ort für mich. Hier ist alles so überschaubar und geordnet.«

»Und heil?« Er erwartete keine Antwort. »Dann versprich mir wenigstens, dass du anrufst, wenn irgendetwas ist.«

»Fritz geht davon aus, dass ich bei dir übernachte. Es war die einzige Möglichkeit, um ihn davon abzuhalten, aus dem Urlaub zurückzukommen.«

»Und du glaubst allen Ernstes, das könnte ihn aufhalten?«

»Falls er bei dir anruft …«

»Schenke ich ihm reinen Wein ein.«

Ein winziges Lächeln stahl sich in meine Mundwinkel. Es fühlte sich an wie ein Rettungsring im tosenden Meer. »Ich wusste vom ersten Tag an, dass auf dich Verlass ist.«

7 Aus den Nachbarparzellen hagelte es lieb gemeinte Einladungen zum vielleicht letzten Grillen in diesem Jahr. Ich schlug jede einzelne mit der Begründung aus, dass es mir nicht so gut gehe. Dass ich mich einfach nur nach der Gartenliege sehnte, um von dort aus in eine dicke Decke gewickelt den Himmel zu betrachten. Das sei doch gar nicht meine Art, bekam ich zu hören. Ob es etwas Ernstes sei? Als ich halbherzig den Kopf schüttelte, wurde mir der Inhalt von fünf Hausapotheken angeboten und schließlich mehrere Teller mit Grillgut. Nach Ansicht mancher beneidenswerter Frohnaturen gab es nichts, was sich nicht mit einer Aspirin und einem saftigen Steak kurieren ließ. Oder mit dem versprochenen gezuckerten Apfelkompott.

Bis weit nach der Dämmerung hielt ich es auf meiner Liege aus, dann ging ich hinein und legte mich für eine Weile auf die Pritsche.

Um Viertel nach zehn verstaute ich gerade Steaks und Grillgemüse in dem kleinen Kühlschrank, als ich draußen seltsame Geräusche hörte. Blitzschnell schnappte ich mir den Baseballschläger, den Niki für den Fall der Fälle unter der Pritsche deponiert hatte, und versteckte mich hinter der Tür. Im selben Moment ging draußen ein ohrenbetäubendes Geschrei los, aus dem sich einzelne Stimmen herauskristallisierten.

»Haben wir dich endlich!« … »Jetzt ist Schluss!« … »Das machst du nie wieder!«

»Jetzt haltet mal den Ball flach, Jungs!«, ertönte Henrys

Stimme. »Ich weiß ja nicht, für wen ihr mich haltet, aber ich komme in friedlicher Absicht.«

Und schon war ich durch die Tür und neben ihm. So standen wir uns dann im Schein von Fackeln gegenüber: fünf Nachbarn bewaffnet mit Spaten und Schaufeln, Henry mit zwei Flaschen und einer Schachtel unter dem Arm und ich mit dem Baseballschläger in beiden Händen. Es dauerte keine Minute, um das Missverständnis aufzuklären. Die Nachbarn hatten Henry für einen der Einbrecher gehalten, die in der Kleingartenanlage seit geraumer Zeit ihr Unwesen trieben. Mit einem »Nichts für ungut« und mehreren aufmunternden Schulterklopfern, die auf Henry niederprasselten, verabschiedeten sich die selbst ernannten Wächter.

»Das ist ja gerade noch mal gut gegangen«, sagte Henry, bevor er mir einen Kuss auf die Wange drückte und seine Mitbringsel drinnen auf dem kleinen Holztisch abstellte. »Ich habe selbst gemachte Pralinen mitgebracht, Fruchtsaft und Prosecco. Ich denke, damit kommen wir durch die Nacht.«

»Du willst hierbleiben?« Ich forschte in seinem Gesicht, das sich mir vom ersten Tag an eingeprägt hatte, weil es so vieles in sich vereinte, was ich mochte: Gradlinigkeit, Sensibilität, Widerstandskraft, Güte und das Wissen um die Widrigkeiten des Lebens. In leicht alkoholisiertem Zustand hatte ich ihm all das irgendwann einmal aufgezählt. Er hatte mich gefragt, ob das etwa die Umschreibung dafür sei, dass ich mich in ihn verliebt hätte. Den Zug mit dem Verlieben hätten wir verpasst, hatte ich geantwortet. Wir seien doch längst Freunde. Zum Glück, denn so hätten wir schließlich viel länger etwas voneinander.

»Glaubst du, ich lasse dich in so einer Nacht alleine?«, fragte er liebevoll.

Ich wandte mich ab und wischte mir verstohlen die Tränen aus den Augenwinkeln.

»Komm mal her«, sagte Henry, zog mich an sich und hielt mich fest umschlungen. »Es tut mir so unendlich leid, Dana.«

»Sie sind tot. Von einer Sekunde auf die andere lagen sie da, und ich habe es nicht einmal richtig mitbekommen«, sagte ich mit rauer Stimme. »Ich dachte, sie seien in Streit geraten und dieser Streit sei in eine Rangelei ausgeartet. Alex muss völlig überrascht worden sein, er hat keinen Laut von sich gegeben, aber Biggi hat noch kurz aufgeschrien. Aber selbst diesen Schrei habe ich nicht richtig interpretiert. Ich hatte keine Ahnung, was da wirklich vor sich ging.«

»Zum Glück, sonst hättest du womöglich noch etwas Unüberlegtes getan.«

»Es war nur ein einziger Augenblick, aber der hat alles geändert. Dieser Mann … Er hat sie einfach abgeknallt und ist dann in aller Seelenruhe durchs Wohnzimmer marschiert, hat meine Tasche durchwühlt und sich meinen Ausweis angesehen. Ich nehme an, er hat mich mit Biggi verwechselt.«

»Willst du damit sagen, dass der Mann es auf dich abgesehen hatte?«

»Es ist zumindest nicht auszuschließen.«

»Wie kommst du denn nur auf so eine Idee? Hätte Alex das für sich in Anspruch genommen: okay. Aber du? Enthüllungsjournalisten können manchen Leuten wirklich gefährlich werden, wobei ich es mir bei ihm immer nur schwer vorstellen konnte.«

»Wie meinst du das?«

»In diesem Metier bewegen sich üblicherweise andere Kaliber − härtere, skrupellosere. Ohne den richtigen Biss kommst du dort nicht sehr weit. Das sind Leute, die nicht mehr loslassen, wenn sie erst einmal Blut geleckt haben.«

Seine Worte rührten an irgendetwas tief in mir, das ich jedoch nicht richtig zu fassen bekam. »Alex ist zumindest weit genug gekommen, um gut davon leben zu können«, verteidigte ich ihn. »Wie kommst du überhaupt darauf?«

»Hast du mal etwas von ihm gelesen?«

»Er wollte mir immer ein paar Reportagen von sich heraussuchen, aber irgendwie war dann doch immer etwas anderes wichtiger.«

»Ich habe ihn mal gegoogelt, habe aber nichts über ihn finden können.«

Im Schein des schwachen Deckenlichts setzte ich mich auf die Pritsche, umschlang meine Beine und sah Henry dabei zu, wie er eine dicke weiße Kerze entzündete und sich dann den kleinen Kunststoffhocker heranzog.

»Warum hast du Alex gegoogelt?«, fragte ich irritiert.

»Erinnerst du dich noch, als du an eurem dritten Abend mit ihm zu mir ins *Wunschkonzert* gekommen bist und meine Meinung hören wolltest? Weil du meintest, ich hätte ein gutes Gespür für Menschen?«

»Du hast gesagt, wenn ich mir sicher wäre, dass Alex gut für mich ist, würde mich deine Meinung nicht interessieren.«

Henry nickte, füllte unsere Gläser mit Prosecco und reichte mir meines.

»Und«, fuhr ich fort, »du hast mir geraten, die Finger von ihm zu lassen, solange es mir noch möglich sei. Alex habe nicht den allerbesten Umgang.« Ich erinnerte mich an jedes einzelne Wort. Henry hatte mir erzählt, dass er Alex vom Sehen her kannte. Er sei ihm ein-, zweimal in einer Bar über den Weg gelaufen. Und zwar in Begleitung eines Typen, der keinen guten Ruf genieße. Seit wann er die Menschen nach ihrem Umgang beurteile, hatte ich ihm entgegengehalten. Er könne doch gar nicht wissen, wie dieser Umgang zustande gekommen sei. Immerhin hätte Alex beruflich immer wieder mit Leuten zu tun, um die er privat einen großen Bogen mache. Was für ein Umgang es denn überhaupt gewesen sei, hatte ich wissen wollen. Ein Typ, der nichts auf die Reihe bekomme, sich von einer Frau aushalten lasse und sie mit mehreren anderen betrüge. Daraufhin hatte ich gekontert, dass ich Alex vertrauen würde, und dann schnell das Thema gewechselt.

Nach mehreren Schlucken Prosecco starrte ich in mein Glas. »Ich habe beruflich auch nicht gerade den allerbesten Umgang, jedenfalls nicht, wenn man herkömmliche moralische Maßstäbe ansetzt. Und trotzdem sind du und ich Freunde geworden. Was hat dich an Alex' Umgang so gestört?«

»Bei dir hatte ich nie ein ungutes Gefühl.«

»Du hast mich auch nie in Begleitung eines Klienten gesehen.«

Henry beugte sich zu mir und strich mir über die Wange. »Du musst ihn nicht verteidigen. Ich weiß, wie viel er dir bedeutet hat. Und er hat dir gutgetan. Das war letztlich das Entscheidende.«

Ich fuhr mir mit beiden Händen durchs Gesicht und verdeckte für einen Augenblick meine Augen. »Alex wollte klare Verhältnisse schaffen, er hat diese Zweigleisigkeit nicht ausgehalten. Nur aus diesem Grund war er heute früh mit Biggi verabredet. Er wollte es ihr endlich sagen. Wäre sie nicht da gewesen, wäre ich jetzt vermutlich tot. Ein in jeder Hinsicht fürchterlicher Gedanke.«

»Bevor du da etwas vermischst, Dana: Das ist Schicksal. Es hat nichts mit Schuld zu tun.«

»Aber was für ein Schicksal ist denn das, wenn es so etwas zulässt? Und komm mir jetzt nicht mit der Kirche und diesem unsäglichen Unsinn von Prüfungen, die Gott uns auferlegt. Sollte da tatsächlich was dran sein, dann ist es ein durch und durch gestörter Gott, mit dem ich nichts zu tun haben will.« Ich suchte ein Papiertaschentuch aus meiner Tasche und schnäuzte mir die Nase. Dann zerknüllte ich es in meiner Faust. »Wie kann so etwas geschehen, Henry? Einfach so? Nur weil an diesem Morgen ein Mann aufgestanden ist, der beschlossen hat, zwei Morde zu begehen?« Ich hieb mit der Faust auf die Matratze. »Stell dir vor, es klingelt an deiner Tür. Du öffnest nichts ahnend und … peng! Das war's. Mir macht das Angst.«

Er stand auf, kroch hinter mich und zog mich an sich, sodass ich mich gegen ihn lehnen konnte. Dann nahm er meine Hände in seine und löste behutsam meine Fäuste. »Es ist entsetzlich, was da geschehen ist, Dana, aber es zählt zu den großen Ausnahmen. Das wird dir in deinem Leben nicht noch einmal passieren.«

Es war mir schon einmal passiert, aber das konnte Henry nicht wissen. »Beschrei es nicht«, sagte ich leise. »Alex hat neulich zu mir gesagt, wir würden zusammenbleiben, bis dass der Tod uns scheidet.«

Henry legte behutsam die Arme um mich und wiegte mich. »Warum glaubst du, dass es jemand auf dich abgesehen haben könnte?«

Ich erzählte ihm von Karen Döring, die allem Anschein nach das Halali auf mich geblasen hatte.

»Wegen eines aufgedeckten Ehebruchs soll sie eine solch monströse Tat in Auftrag gegeben haben?«

»Dieser eine ist nur die Spitze des Eisbergs. Ihr Mann ist Wiederholungstäter.«

»Das reicht doch nicht als Motiv, um zwei Menschen zu töten. Dafür muss mehr auf dem Spiel stehen.«

»Für manche Menschen wiegt ihr verletztes Ego viel schwerer als ein Menschenleben.« Deshalb waren sie auch zu allem bereit, um ihr Ego zu heilen. Und sei es mit dem Blut der anderen.

Für eine ganze Weile schwiegen wir und hingen unseren Gedanken nach.

»Sollte diese Frau es wirklich auf dich abgesehen haben«, sagte Henry, »warum hätte sie dann versuchen sollen, dich in Alex' Wohnung zu töten? Das ergibt doch keinen Sinn.«

»Das meinte der Kripobeamte auch. Aber wer von uns weiß schon, wie Karen Döring tickt? Um wie viele Ecken sie denkt? Sie ist gerissen. Vielleicht wollte sie so von mir ablenken und den Fokus auf Alex richten, der mich – wie sie glaubt – mit einer anderen Frau betrogen hat. So wie ihr Mann sie betrogen hat. So konnte sie sich an mir und indirekt zugleich an ihrem Mann rächen. Zusätzlich ist sie noch in meinem Büro aufgetaucht und hat so getan, als würde sie mich dort suchen.« Ich schluckte. »Und irgendwann wird sie erfahren, dass ich noch am Leben bin.«

Henry holte tief Luft, als müsse er sich wappnen. »Bis dahin ist die Sache hoffentlich geklärt. In Zeiten von DNA, Überwachungskameras, Computertechnologie und Funkzellenabgleich sollte das doch schnell herauszufinden sein. Welchen Eindruck hattest du von den Kripoleuten?«

»Einen guten«, antwortete ich, während meine Lider immer schwerer wurden und ich meine Augen kaum noch offen halten konnte. »Sie haben unvoreingenommen gewirkt. Ich glaube nicht, dass sie sich vorschnell ein Urteil bilden.« Kam es mir nur so vor, oder hatte ich inzwischen eine schwere Zunge?

Henry nahm mein Glas und hielt es mir hin. »Eigentlich bin ich ja dagegen, sich mit Alkohol zu betäuben, aber es gibt Situationen, da ist Betäubung ein Segen. Trink aus!«

Henry war um sechs Uhr aufgebrochen, um rechtzeitig die Einkäufe für sein Restaurant erledigen zu können. Es war ihm sichtlich schwergefallen, mich in der Laube zurückzulassen, noch dazu in der Dunkelheit. Ich hatte ihm hoch und heilig versprechen müssen, keine Risiken einzugehen und so gut wie möglich auf mich aufzupassen. Dass all das Makulatur war, wenn es jemand wirklich auf mich abgesehen hatte, war uns dennoch beiden klar.

Für mich schien sich an diesem Morgen alles verlangsamt zu haben. Jeder Schritt kam mir vor, als ginge ich ihn in Zeitlupe, noch dazu mit schweren Gewichten an den Beinen. Fühlten sich so alte Menschen? Als koste jeder Schritt Konzentration und Anstrengung? Als rausche alles unaufhaltsam an einem vorbei? Als gebe es zwei Geschwindigkeiten – die eigene und die der anderen?

Ich ließ mich auf die Langsamkeit ein, weil ich tief in mir spürte, dass sie im Augenblick der einzig mögliche Weg für mich war. In zwei warme Decken gehüllt saß ich in der Morgendämmerung auf der kleinen Terrasse, aß das süße Apfelkompott und trank heißen Tee dazu. Ich beobachtete die Amseln, die in einem umgegrabenen Beet nach Regenwürmern suchten, während sich über ihnen ein paar Meisen über eine Futterglocke hermachten. Gegen die Holzwand gelehnt fiel ich immer wieder minutenlang in einen bleiernen Schlaf, um beim kleinsten Geräusch daraus aufzuschrecken.

Es war Viertel nach neun, als Corinna Altenburg anrief.

Sie habe gerade bei mir geklingelt, vom Hausmeister jedoch erfahren, dass ich nicht zu Hause sei. Sie hätte noch ein paar Fragen und würde mich gerne kurz sprechen. Ob ich mich irgendwo in der Nähe aufhalten würde?

Ich erklärte ihr, wo ich zu finden war, und versprach, sie am Eingang zu erwarten. Zehn Minuten später kam sie mit ausgreifenden Schritten auf mich zu. Ihr fester Händedruck zeugte von jeder Menge Energie. Während sie mir zu Nikis Parzelle folgte, kommentierte sie staunend dieses kleine Paradies. Sie schien die Gabe zu besitzen, alles um sich herum mit nur wenigen Blicken zu erfassen. So auch mich.

»Sie sehen nicht aus, als hätten Sie viel geschlafen, Frau Rosin. Außerdem scheinen Sie zu frieren. Das können alles Nachwirkungen eines Schocks sein. Waren Sie beim Arzt?«

»Nein, ich komme zurecht.«

Sie musterte mich eingehend. Ihr lag etwas auf der Zunge, aber sie schluckte es herunter. »Können wir uns irgendwo setzen?«

Ich wies auf die Bank unter dem Vorbau. »Möchten Sie einen Tee?«

»Gerne.«

In der Laube setzte ich Wasser auf und wartete, bis es kochte. Dann übergoss ich die Teeblätter, stellte Kanne und Becher auf ein Tablett und brachte es nach draußen. Bevor ich mich setzte, fragte ich sie, ob sie auch eine Decke bräuchte, aber sie verneinte mit den Worten, dass sie nicht so leicht friere.

»Gibt es etwas Neues?«, fragte ich. »Haben Sie etwas herausgefunden?«

»Ja, das haben wir.« Während sie in ihren Tee blies, um ihn abzukühlen, ließ sie mich nicht aus den Augen. »Bei der Toten handelt es sich nicht um Biggi.«

Entgeistert sah ich sie an. »Es muss Biggi sein. Ganz sicher sogar. Alex hat es doch gesagt, und er musste es schließlich wissen.«

»Der Name der Toten lautet Rike Jordan. Sie war dreißig Jahre alt und wohnte im Stockwerk über Alex Wagatha. Sie war seine Nachbarin.«

Von einer Sekunde auf die andere geriet in meinem Kopf alles in eine Schieflage. »Nein!«, sagte ich entschieden, als ließe sich damit den vermeintlichen Tatsachen etwas entgegensetzen.

»Wie es aussieht, hat sie gestern Morgen nur kurz ihre Wohnung verlassen«, fuhr die Beamtin ruhig fort. »Vermutlich um etwas mit Herrn Wagatha zu besprechen oder um sich bei ihm etwas zu borgen. Das erklärt auch, warum wir am Tatort weder Tasche noch Mantel des Opfers gefunden haben, sondern lediglich den Schlüsselbund.« Sie ließ mir Zeit, ihre Worte zu verarbeiten. »Weil Rike Jordan sich nicht wie verabredet am Vormittag bei ihrer Schwester gemeldet hat, hat die sich Sorgen gemacht und ist zur Wohnung gefahren. Mit dem Schlüssel, den Rike Jordan ihr für den Notfall gegeben hatte, hat sie sich selbst eingelassen. Als sie Tasche und Handy ihrer Schwester fand, aber keine Spur von ihr selbst, hat sie im Haus herumgefragt und stieß ziemlich schnell auf meine Kollegen. So kam eines zum anderen.« Wieder hielt sie inne und betrachtete mich. Dann holte sie Stift und Notizheft aus ihrer Tasche und schlug es auf. »Inzwischen steht zweifelsfrei fest, dass es sich bei der Toten um Rike Jordan handelt. Deshalb werden wir unsere Ermittlungen nun auf ihr Umfeld ausweiten. Hat Alex Wagatha Ihnen gegenüber seine Nachbarin einmal erwähnt? Oder sind Sie ihr vielleicht im Treppenhaus begegnet?«

Ich sprang auf und lief vor dem Tisch auf und ab. »Nein, das hat er nicht, ich höre den Namen heute zum ersten Mal. Und ich begreife das nicht. Alex hätte doch nicht gesagt, es sei Biggi und ich solle mich auf der Empore verstecken, wenn er sie nicht erkannt hätte. Ich meine, wer verwechselt denn seine Freundin mit seiner Nachbarin? Und vor der Nachbarin hätte ich mich doch gar nicht zu verstecken brauchen.« Ich setzte mich wieder, nahm meinen Teebecher und wärmte meine eiskalten Hände daran.

»Haben Sie gesehen, dass er durch den Spion schaute?«

»Nein, zu dem Zeitpunkt saß ich ja in der Küche. Aber Alex hätte schließlich nur auf diese Weise herausfinden können, wer vor der Tür stand. Er muss hindurchgesehen haben, alles andere ergibt keinen Sinn. Wieso hätte er mich vor seiner Nachbarin verbergen sollen?«

»Vielleicht haben sie und Biggi in Kontakt gestanden.«

»Aber selbst wenn, eine Stunde später hätte Biggi ohnehin die Wahrheit erfahren.« In meinem Kopf brodelte es, und ich hatte das Gefühl, keinen klaren Gedanken mehr fassen zu können. Ich versuchte mit aller Macht, mich zu konzentrieren. »Könnten Rike Jordan und Biggi ein und dieselbe Person sein? Vielleicht hat Alex mir ja nur nicht sagen wollen, dass seine Freundin im selben Haus wohnt.«

Aber Corinna Altenburg entzog mir diesen Rettungsanker. Das passe nicht zu dem, was ich ihr bisher über Alex erzählt habe. Der Mann, der mir vor der Trennung von Biggi nicht einmal seine Freunde habe vorstellen wollen, wäre nicht das Risiko eingegangen, dass beide Frauen sich durch Zufall im Hausflur vor seiner Tür begegneten.

Dieser Punkt ging an sie. Dennoch war ich überzeugt, dass da ein wie auch immer gearteter Irrtum vorliegen musste. Ich hatte Alex' Worte noch ganz genau im Ohr, als er sagte, es sei Biggi, die vor seiner Tür stünde.

»Trotzdem, Frau Altenburg«, sagte ich kurz vor dem Verzweifeln, »glauben Sie mir, da kann etwas nicht stimmen. Alex und Biggi hatten sich um zehn Uhr bei ihm verabredet. Wenn es nicht Biggi war, der er um kurz vor neun geöffnet hat, wo ist seine Freundin dann geblieben? Warum ist sie nicht aufgetaucht?«

»Dafür kann es alle möglichen Gründe geben. Der wahrscheinlichste ist, dass das Polizeiaufgebot vor der Tür sie abgeschreckt hat.«

»In dem Fall wäre es doch das Normalste der Welt gewesen, Alex anzurufen. Stellen Sie sich die Situation vor: Biggis Freund wohnt ausgerechnet in dem Haus, das von der Polizei abgesperrt ist. Da wird sie sich doch wohl Sorgen gemacht und versucht haben herauszufinden, was los ist.« Ich sah mich suchend um, als ließe sich hier irgendwo eine plausible Erklärung finden. »Solange ich da war, hat sein Handy nicht geklingelt. Irgendwie passt hier nichts mehr zusammen.«

»Überlegen Sie bitte mal, was Ihnen zu Biggi alles einfällt. Selbst wenn es Ihnen völlig belanglos erscheint.« Vielleicht habe Alex doch einmal ihren Nachnamen erwähnt oder Kollegen von ihr bei der Zeitung. Vielleicht sogar die Straße, in der sie wohne.

»Das fragen Sie mich? Auf all diese Informationen müssten Sie bei der Durchsuchung seiner Wohnung gestoßen sein. Es wird doch wohl sicherlich Fotos von ihr auf seinem Laptop geben, Telefonnummer und Adresse müssen auf seinem iPhone gespeichert sein, und es gibt ganz bestimmt auch Mailverkehr. Sind Sie noch nicht dazu gekommen?«, fragte ich irritiert. Es war mehr als vierundzwanzig Stunden her, dass Alex und diese Frau ermordet worden waren. Wie wollten sie den Täter aufspüren, wenn sie mit allem so weit hinterherhinkten?

»Weder in seinem Telefon noch auf dem Laptop gibt es einen Hinweis auf eine Biggi.«

»Biggi ist ganz sicher eine Kurzform. Haben Sie nach Birgit oder Brigitte gesucht?«

»Wir haben alle Namensmöglichkeiten abgecheckt. Ohne Erfolg.«

»Vielleicht kann man Ihnen bei der Süddeutschen weiterhelfen. Biggi hat dort … Ich meine: Biggi arbeitet dort im Wirtschaftsressort.«

»Dort kennt man niemanden mit diesem Namen, zumindest nicht in der Altersgruppe.«

»Aber das kann nicht sein. Sind Sie sich sicher?«

Die Beamtin nickte.

»Dann hat sie möglicherweise das Ressort gewechselt.«

Corinna Altenburg überging meinen Einwand. »Wo hat Ihr Freund gearbeitet?«

»In seinem Arbeitszimmer. Das ist der Raum, der verschlossen war.«

»Hatte er noch ein externes Büro? Soweit ich weiß, gibt es eine Menge freier Journalisten, die einen Pool bilden und sich ein Büro teilen.«

»Nein, er hat ausschließlich zu Hause gearbeitet … in seinem Arbeitszimmer.«

»Wissen Sie, ob er Laptop und Smartphone in doppelter Ausführung hatte?«

»Wenn Sie in seinem Arbeitszimmer keine Zweitgeräte gefunden haben, dann vermutlich nicht.«

»Er hätte sie in einem frei zugänglichen Schrank aufbewahrt haben können.«

»Ich habe immer nur die beiden Geräte gesehen, die ich Ihnen gestern in seinem Wohnzimmer gezeigt habe, und wenn der Akku seines Handys mal leer war, hat er sich meines geborgt. Das tut doch niemand, der ein weiteres Handy besitzt.« Ich sah sie überrascht an. »Wieso ist denn die Frage nach Zweitgeräten überhaupt so wichtig?«

Corinna Altenburg befeuchtete ihre Lippen und beugte sich leicht vor. »Weil nichts von dem, was wir in seiner

Wohnung gefunden haben, Hinweise auf seine Tätigkeit als Journalist gibt. Die Kontakte, die wir gefunden haben, sind vorwiegend privater Natur. Es existiert kein Terminkalender, weder elektronisch noch aus Papier. Es fehlen Hinweise auf geschäftliche Verabredungen. Und es gibt keinerlei Recherchematerial.«

»Er wird all diese Dateien verschlüsselt haben. Alex war fast ein wenig paranoid, was seine Arbeit anging.«

Die Beamtin schüttelte den Kopf.

»Keine verschlüsselten Dateien? Was haben Sie denn überhaupt auf seinem Laptop gefunden?«

»Hauptsächlich Spiele. Der Verlauf seines Browsers zeigt Vorlieben für Fußball, alte Fahrräder, Plattenspieler, gebrauchte und neue LPs, Autos, hier vor allem Youngtimer, Reisen. Die Kontakte auf seinem iPhone sind, wie gesagt, fast ausschließlich privat. Wer immer Zugriff auf diese beiden Geräte bekommen hätte, hätte annehmen müssen, es mit einem stinknormalen, trendbewussten Durchschnittsbürger zu tun zu haben. Es gibt nicht einen einzigen Hinweis auf seine Arbeit. Überlegen Sie bitte mal, ob der Täter in der Wohnung genug Zeit gehabt haben könnte, um nach einem zweiten Laptop und Handy zu suchen?«

»Nur, wenn er genau gewusst hätte, wo danach zu suchen gewesen wäre. Aber das würde doch auch nur dann einen Sinn ergeben, wenn er die jeweiligen Geräte hätte unterscheiden können. Die im Wohnzimmer haben ihn keine Sekunde lang interessiert. Er hat sie achtlos vom Tisch gefegt.« Augenblicklich sah ich ihn wieder vor meinem inneren Auge. Eine Gänsehaut überzog meine Unterarme. Ich rieb fest darüber. »Haben Sie denn sein Arbeitszimmer wirklich genau unter die Lupe genommen?«

Corinna Altenburg war hoch anzurechnen, dass sie durch eine solche Frage nicht ihre Kompetenz infrage gestellt sah. Sie nickte. »Das haben wir, Frau Rosin. Dieses angebliche Arbeitszimmer hat sich jedoch als Abstellkammer entpuppt.«

»Das kann nicht sein«, entfuhr es mir. Schon wieder lag mir auf der Zunge zu sagen, dass sie sich irren müsse. Sie schien jedoch nicht der Typ zu sein, der leichtfertig etwas in die Welt setzte. »Eine Abstellkammer?«, fragte ich beklommen und verspürte den unbändigen Wunsch, sie würde meine Frage wider jede Wahrscheinlichkeit verneinen.

»Irrtum ausgeschlossen.« Sie ließ mich nicht aus den Augen. »Versuchen Sie bitte mal, sich daran zu erinnern, was für Anrufe er bekam, wenn Sie bei ihm waren. Ließ sich daraus irgendetwas entnehmen?«

Ich dachte nach. »Sein Handy hat so gut wie nie geklingelt, wenn wir zusammen waren. Vermutlich hat er es meistens auf stumm geschaltet.« Hilflos zuckte ich die Schultern. »Ich habe Ihnen ja schon gesagt, dass er seine Arbeit weitgehend von mir ferngehalten hat.«

»Wussten Sie, dass Ihr Freund für ein Taxiunternehmen arbeitete?«

»Nein … davon hat er mir nichts erzählt. Vielleicht hat er dort verdeckt recherchiert.«

Es könne auch ein zusätzlicher Brotjob gewesen sein, warf sie in den Raum. Schließlich gebe es jede Menge Journalisten, die von ihrer Arbeit allein nicht leben könnten. Die Wohnung habe ihm zwar gehört, aber dennoch fielen auch da Kosten an. In München erreichten die Nebenkosten inzwischen immerhin eine Höhe, die einer zweiten Miete gleichkäme. Ob wir mal über Geld gesprochen hätten?

Das hatten wir nicht, jedenfalls konnte ich mich nicht daran erinnern. War es möglich, dass Alex Geldsorgen gehabt hatte? Und wenn ja, warum hatte er dann nicht mit mir darüber geredet? War es ihm peinlich gewesen? Hatte er mir nicht vertraut? Ich war gar nicht auf die Idee gekommen, er könne finanzielle Sorgen haben, denn eine Dreizimmerwohnung im Münchner Westend hatte schließlich ihren Preis, und die Tatsache, dass er sie allein bewohnte, sprach immerhin dafür, dass er sie sich leisten konnte. Andernfalls hätte er ohne Weiteres ein oder zwei Zimmer vermieten können. Auch wenn wir essen gegangen waren, hatte er nicht gespart. Er hatte sich immer das bestellt, worauf er gerade Lust hatte, ohne auf den Preis zu achten. Ich sah die Beamtin ratlos an. Ihre Antwort war ein mitfühlender Blick.

»Gestern sagten Sie uns, dass Sie von den Tarnnamen gewusst haben. Mich interessiert, wann er Ihnen davon erzählt hat.«

»Nach unserem ersten Abend«, setzte ich zu einer Erklärung an, »habe ich ihn gegoogelt, aber so gut wie nichts über ihn finden können. Bei unserem dritten Date habe ich ihm dann …«

»Warum haben Sie ihn gegoogelt?«, unterbrach sie mich. »Haben Sie ihm misstraut?«

»Um Gottes willen, nein, überhaupt nicht! Wieso hätte ich ihm misstrauen sollen? Er hat mir gleich am ersten Abend reinen Wein eingeschenkt und von Biggi erzählt. Es war, weil …« Ich schluckte. »Ich hatte mich verliebt, und ich wollte einfach mehr über ihn wissen.«

»Was war bei Ihrem dritten Date?«, nahm sie den Faden wieder auf.

»Ich habe ihm von meiner Google-Aktion erzählt und ihn gefragt, warum ich nichts über ihn finden konnte.« Wir hatten am Ufer der Isar gesessen. Ich sah Alex wieder vor mir, wie sich das Licht der untergehenden Sonne in seinen Augen spiegelte. Ich hatte das Rauschen des Flusses im Ohr und spürte seine Haut an meiner, als wir uns aneinanderlehnten. Ich spürte seine Lippen auf meinen, als wir uns küssten, und ich hörte seine Stimme, als er mir den Grund nannte. »Er sagte, seine Arbeit könne durchaus mal gefährlich werden. Deshalb würde er dort draußen seine wahre Identität hinter Decknamen verbergen und seinen richtigen Namen möglichst geheim halten. Und deshalb hätte ich so gut wie nichts über ihn finden können. Anfangs habe ich geglaubt, er wolle mir einen Bären aufbinden und versuche, mir zu imponieren, aber schließlich hat er mich überzeugt.«

»Womit?«

»Er hat gelacht und gesagt, er wolle sich nicht rechtfertigen und erklären. Ihm sei bewusst, dass er einer ungewöhnlichen Arbeit nachgehe. Aber nur weil sie manch eine Vorstellungskraft sprenge, bedeute das noch lange nicht, dass sie nicht existiere.« Ich trank mehrere Schlucke Tee und spürte, wie sich die Wärme in meinem Magen ausbreitete. »Alex war jemand, der für seine Arbeit brannte, der sich aber gleichzeitig seiner großen Verantwortung bewusst war. Lieber hat er alles drei Mal gegengecheckt und hinterfragt, bevor er damit an die Öffentlichkeit gegangen ist. Eine Existenz sei schließlich schnell ruiniert, hat er einmal gesagt und sich über weniger verantwortungsbewusste Kollegen beklagt.«

»Hat er Ihnen mal einen seiner Tarnnamen verraten?«

»Nein, ich muss aber auch gestehen, dass ich ihn nicht danach gefragt habe. Auch wenn ihm seine Arbeit so viel bedeutet hat, haben wir eher selten darüber gesprochen. Es kam mir manchmal so vor, als belaste ihn das, was er da aufdeckte. Das ist mir in gewisser Weise sehr vertraut. Ich bin inzwischen auch meistens froh, wenn ich meiner Arbeit den Rücken kehren kann. Es war so eine Art stilles Einvernehmen zwischen uns, unsere jeweiligen Beschäftigungen außen vor zu lassen.«

Corinna Altenburg betrachtete mich, als gehöre ich zu einer seltenen Spezies. Vielleicht hatte sie sich aber auch noch nicht entschieden, ob sie mir Glauben schenken sollte. Was ich ihr nicht einmal verübeln konnte. Bei ihrer Arbeit wurden ihr schließlich genau wie mir Tag für Tag Lügen aufgetischt. Ich wusste, wie schwierig es sein konnte, sich in einem solchen Dschungel aus Halbwahrheiten, Wahrheiten und Lügen zurechtzufinden. Eigentlich war es nur mit Abstrichen möglich – und dem Bewusstsein dafür, dass es Menschen gab, die die Gabe besaßen, einen überzeugend hinters Licht zu führen. Verglichen mit Corinna Altenburg hatte ich es noch gut. Bei meiner Arbeit ging es nicht darum, die Wahrheit herauszufinden, sondern sie zu verbergen.

Während ich ihren Blick erwiderte, spürte ich, wie wichtig es mir war, dass sie mir glaubte. »Irgendwann hätte ich ihn bestimmt danach gefragt«, kam ich auf die Tarnnamen zurück, und plötzlich stiegen mir Tränen in die Augen. »Ich dachte aber, wir hätten noch so viel Zeit.«

Sie hielt meinem verzweifelten Blick stand und gab mir das Gefühl, dass sie es nicht eilig damit hatte fortzufahren.

Erst als ich mich beruhigt hatte, kam sie auf Alex' Recherche zum Organhandel zu sprechen und bat mich ein weiteres Mal, ihr zu sagen, was ich darüber wisse. Sie und ihr Kollege hätten den Eindruck gewonnen, dass ich ihnen etwas verschweigen würde, und sie wolle dem gerne auf den Grund gehen.

Ich versuchte, ihrem Blick standzuhalten und diesen Eindruck nicht noch zu verstärken. Ihr von meinem Nebenjob bei Robert Eichberger zu erzählen, kam allerdings nach wie vor nicht infrage. Es würde die Ermittlungen nicht weiterbringen und konnte mich meine Agentur kosten. Ich überlegte angestrengt, ob es etwas anderes gab, das ich ihr bieten konnte. Und dann fiel es mir zum Glück ein.

»Ich weiß nur«, sagte ich, »dass Alex sich vor ungefähr zehn Tagen in dieser Sache mit einer Informantin getroffen hat, und zwar in der *Schwarzreiter Tagesbar* auf der Maximilianstraße. Es war an einem Samstag, daran erinnere ich mich noch.«

»Wissen Sie, wie die Frau heißt?«

»Nein, tut mir leid.«

»Wissen Sie sonst irgendetwas über sie?«

»Meine Freundin Niki war an dem Tag durch Zufall mit ihrem Vater dort zum Essen. Sie hat Alex kurz begrüßt, ist dann aber gleich wieder zurück an ihren Tisch. Wie sie mir später erzählte, hatten Alex und diese Frau eine heftige Auseinandersetzung. Worum es dabei ging, konnte sie nicht verstehen. Aber da Alex an dem Abend ungewöhnlich schlechte Laune hatte, habe ich ihn gefragt, ob es wegen dieses Treffens gewesen sei. Er kochte immer noch vor Wut, als er mir erzählte, die Frau habe ihm Dateien versprochen, die seinen Verdacht erhärten sollten. Dann habe sie jedoch plötzlich einen Rückzieher gemacht und Geld von ihm für die Dateien verlangt. Unverschämt viel Geld, wie er sagte. So ärgerlich hatte ich ihn vorher noch nie erlebt. Ich glaube, er hatte sich viel von diesen Informationen versprochen, aber er sagte, er würde aus Prinzip nie dafür zahlen. Lieber würde er ganz auf eine Geschichte verzichten.«

Corinna Altenburg hatte sich Details in ihrem Notizbuch notiert. Nachdem ich ihr Tag und ungefähre Uhrzeit genannt hatte, zeigte sie sich zuversichtlich, möglicherweise über die Kreditkartenabrechnungen der Tagesbar etwas herauszufinden zu können. Immer vorausgesetzt, die beiden hatten sich auf getrennte Rechnungen geeinigt oder sie hatte die Rechnung für beide übernommen, was in diesem Fall jedoch eher unwahrscheinlich sei. Um diese Begegnung aus erster Hand geschildert zu bekommen, solle sich

Niki bitte so schnell wie möglich mit ihr in Verbindung setzen.

»Ist Ihnen eigentlich noch irgendetwas zu Robert Eichberger eingefallen?«, fragte sie in beiläufigem Tonfall.

Hatten sie herausgefunden, dass ich für ihn gearbeitet hatte? »Nein«, antwortete ich fest.

Corinna Altenburg erhob sich. »Dann gönne ich Ihnen jetzt erst einmal wieder etwas Ruhe.«

Was sich in dem Päckchen befunden habe, hielt sie zurück. Sie fasste sich an den Kopf und meinte, das habe sie völlig vergessen. Vermutlich liege es an dem wenigen Schlaf, denn sie hätte sich zu dem Päckchen ein paar Fragen notiert, die sie unbedingt mit mir habe klären wollen. Es habe sich Kokain darin befunden. Sie ließ dieses Wort zunächst unkommentiert im Raum stehen, bevor sie mich fragte, was ich damit verbinden würde.

»Nichts Gutes«, antwortete ich spontan. »Ich mag nichts, was den Bewusstseinszustand und die Wahrnehmung verändert.«

»Und was ist mit Ihrem Freund? Wie stand er zu Drogen? Hat er welche konsumiert?«

»Das glaube ich nicht«, erwiderte ich mit Nachdruck. »Jedenfalls nicht in meinem Beisein. Als wir mal über Drogen gesprochen haben, habe ich keinen Hehl daraus gemacht, dass ich sie ablehne. Vielleicht hat er sich danach nicht mehr getraut, mir gegenüber zuzugeben, dass er gelegentlich schnupft.« Ich verfolgte diesen Gedanken und wurde plötzlich ganz aufgeregt. »Wissen Sie was, Frau Altenburg? Das könnte erklären, warum Alex so getan hat, als stünde Biggi vor der Tür. Überlegen Sie mal: Rike Jordan klingelt bei ihm. Er hat gewusst, dass sie ihm das Kokain bringen würde, und er wollte verhindern, dass ich etwas davon mitbekomme. Deshalb hat er mich unter dem Vorwand, Biggi sei früher gekommen, auf die Empore geschickt – immerhin hätte ich es ja nicht mitbekommen, wenn sie später wirklich gekommen wäre. Dann hatte seine Nachbarin ihm das Päckchen vielleicht gerade übergeben, als es erneut klingelte. Und …« Ich hielt inne und versuchte, in der Miene der Beamtin zu lesen.

»Es könnte auch sein, dass es umgekehrt war, dass nämlich Rike Jordan das Päckchen bei Ihrem Freund hat abholen wollen«, gab sie zu bedenken. »Allerdings kann bei der Menge an Drogen, um die es sich hier handelt, von gelegentlichem Konsum nicht die Rede sein. Es ist eher eine Menge, mit der man handelt.«

»Alex soll mit Drogen gehandelt haben? Nie im Leben!«

»Ist Ihnen schon mal der Gedanke gekommen, dass Sie ihn für wahrhaftiger gehalten haben, als er war?«

»Sie kannten ihn nicht, deshalb können Sie es nicht beurteilen, aber so etwas hätte nicht zu ihm gepasst«, verteidigte ich Alex und versuchte, den Gedanken zu fassen zu bekommen, der mir gerade durch den Kopf geschossen war. »Es gibt noch eine Möglichkeit! Der Täter könnte die Drogen mitgebracht haben, um diesen ganz speziellen Tathintergrund vorzutäuschen. Das würde auch erklären, warum er die Drogen in meiner Tasche hat verschwinden lassen. Das ist doch, als würde er mit dem Finger auf mich deuten. Warum hätte er das tun sollen, wenn das Päckchen eine Sache zwischen Rike Jordan und Alex gewesen wäre? Zumal er in dem Fall eigentlich nicht hätte wissen können, was sich darin befand. Wenn wir also einmal davon ausgehen, dass der Täter das Päckchen mitgebracht hat, dann hätte der Einbruch in meine Wohnung möglicherweise dazu gedient, genau diesen Tathintergrund zu untermauern. Als habe der Mann erst in meiner und dann in Alex' Wohnung nach dem Stoff gesucht und sei dort von den beiden überrascht worden. Das würde auch erklären, warum in meiner Wohnung nichts, aber auch gar nichts gestohlen wurde. Natürlich hätte ich Ihnen das aber nicht mitteilen können, wenn ich tot gewesen wäre. Und deshalb hätten Sie aus dem Einbruch und den Drogen in meiner Tasche vermutlich genau das geschlossen, was ich mir hier gerade zusammenreime.« Ich holte tief Luft. »Wenn alles so war, hat der Täter Rike Jordan mit mir verwechselt, und daraus wiederum ergibt sich, dass er eigentlich keine von uns beiden kannte.« Diese Vorstellung hatte etwas Beruhigendes, besagte sie doch, dass ich nicht mehr in Gefahr war. »Und wenn er uns nicht kannte, muss Alex das eigentliche Ziel gewesen sein, und ich hätte lediglich als Ablenkungsmanöver dienen sollen.«

Corinna Altenburg hatte sich alles in Ruhe und ohne eine Miene zu verziehen angehört. Sie runzelte die Brauen. »Ich kann verstehen, dass Sie das gerne so sehen möchten, und es ist sicher auch möglich, aber, Frau Rosin, nicht alles, was möglich ist, ist auch wahrscheinlich. Und wie Sie es drehen und wenden – in dieser Geschichte gelangt man immer wieder zu einem Punkt, der einen anderen ausschließt, denn würde das stimmen, was Sie da gerade konstruiert haben, würde sich wieder die Frage stellen, warum Ihr Freund behauptet hatte, Biggi stünde vor der Tür.«

Mein Gehirn schien heiß zu laufen und zu überdrehen. Aber sosehr ich mich auch anstrengte, es gelang mir nicht, den roten Faden zu erwischen, der sich schlüssig durch alles hindurchzog. Ich raufte mir die Locken, stöhnte und schloss für Sekunden die Augen. »Haben Sie das Päckchen auf Fingerabdrücke untersucht?«

»Es befinden sich ausschließlich die von Rike Jordan darauf.«

»Aber dann …«

»Nein!«, fing sie mich ein. »Das heißt zunächst mal gar

nichts. Schließlich könnte der Täter sie darauf hinterlassen haben. Er hätte dazu nur Rike Jordan das Päckchen einmal in die Hand drücken müssen.«

Das Schwirren in meinem Kopf wurde immer stärker. »Was heißt denn das alles nun? Halten Sie es für möglich, dass ich in Gefahr bin?«

»Zumindest kann ich es nicht völlig ausschließen, Frau Rosin. Aber meine Intuition sagt mir, dass Ihr Freund das eigentliche Ziel war. Ich komme nur auf anderen Wegen als Sie zu diesem Schluss.«

»Der Täter hat sich meinen Ausweis angesehen. Sehr wahrscheinlich weiß er, wo ich wohne. Er weiß es sogar sicher, falls der Einbruch auch auf sein Konto geht, und er nimmt an, dass er mich getötet hat. Wenn er nun in der Zeitung liest, dass außer Alex W. eine Rike J. umgebracht wurde, muss er sich doch fragen, wieso sich dann meine Tasche in der Wohnung befand. Und von dieser Frage bis zu der Überlegung, dass ich vielleicht auch dort war, ist es nicht weit.«

»In der Verlautbarung für die Presse haben wir ganz bewusst nichts von einer Zeugin erwähnt.«

»Die entscheidende Frage ist doch, was sich der Täter denken wird.«

»Er wird annehmen, dass Sie Ihre Tasche bei Alex Wagatha vergessen haben.«

»Welche Frau vergisst denn irgendwo ihre Tasche?«

»Das ist sicher die Ausnahme, ist aber auch schon vorgekommen. Aber ich verstehe Ihre Besorgnis. Sie glauben, der Täter käme zurück, wenn er erfährt, dass er nicht Sie, sondern Rike Jordan erschossen hat. Aber vergessen Sie bitte nicht: Sie haben sein Gesicht nicht sehen können, er hat schließlich die ganze Zeit über diese Fuchsmaske getragen. Das schützt ihn und Sie.«

»Was glauben Sie, bedeutet diese Fuchsmaske? Hat sie überhaupt eine Bedeutung?«

»Diese Frage kann uns allein der Täter beantworten. Ich kann Ihnen nur sagen, was ich mit einem Fuchs verbinde: Schlauheit. Vielleicht ist es das, was er damit zum Ausdruck bringen will.«

Ich ließ ihre Worte einen Moment auf mich wirken. »Ich verbinde nur Grausamkeit und eine skrupellose Kälte mit ihm«, sagte ich leise. »Von der Maske einmal abgesehen – was heißt denn das nun alles für Ihre Ermittlungen?«

»Wir haben zwei Mordopfer, und erfahrungsgemäß ist es zielführend, die Ermittlung zunächst einmal auf sie zu konzentrieren. In diesem speziellen Fall ermitteln wir aber auch in Richtung einer Verwechslung.«

»Und was bedeutet das für mich? Haben Sie mich immer noch in Verdacht, nur weil ich am Tatort war?«

Sie lächelte. »Ich denke, als mögliche Täterin sind Sie draußen. Die Schmauchspurenuntersuchung war negativ – sowohl die Ihrer Hände als auch die Ihrer Kleidung. Bei der Benutzung eines Schalldämpfers gibt es zwar deutlich weniger Schmauchspuren, aber bei Ihnen sind gar keine gefunden worden.« Sie machte Anstalten zu gehen.

»Werden Sie sich auch mit Karen Döring befassen? Sie wissen schon, das ist die Frau, die mir nachstellt.«

»Wir werden nicht nur sie befragen, sondern auch Biggi, sobald wir sie gefunden haben. Immerhin ist nicht auszuschließen, dass sie hinter alldem steckt.«

»Biggi?«, fragte ich fassungslos.

»Sie könnte von Ihrem Verhältnis mit Alex Wagatha erfahren haben.«

»Alex hat gesagt, sie sei völlig ahnungslos.«

»Das mag er angenommen haben, aber ob es wirklich stimmt?«

Rudi Meinhold hatte ganze Arbeit geleistet. Er hatte die Einbruchschäden an meiner Tür beseitigt und einen stabilen Querriegel montiert. Darüber hinaus verfügte ich jetzt über eine Kette, die es mir ermöglichte, die Tür nur einen Spalt zu öffnen.

Und genau das tat ich, als es klingelte, kurz nachdem ich nach Hause gekommen war. Mit klopfendem Herzen sah ich durch den Spion, bevor ich die Klinke hinunterdrückte und Gundula Mauss begrüßte. Ich ließ die Kette, wo sie war, weil ich Ruhe brauchte und mich in kein Gespräch verwickeln lassen wollte.

»Alles in Ordnung bei Ihnen, Kindchen?«, fragte sie, während sie ihren Rollator fortwährend vor- und zurückschob, als wolle sie Anlauf auf den Türspalt nehmen.

»Ja, alles in Ordnung, Frau Mauss.«

»Ganz sicher?«

»Machen Sie sich keine Sorgen.«

»Die mache ich mir aber.« Sie stoppte ihren Wagen und schnaufte leicht. »Sie sind zwar jung, aber auch Ihnen wird so ein Einbruch zusetzen. Und Sie sehen ziemlich blass um die Nase herum aus.« Sie sah kurz zu Boden und zögerte. »Ich müsste nachher noch einkaufen, ich habe nicht mehr viel im Kühlschrank. Soll ich Ihnen etwas mitbringen?«

Meine Nachbarin mochte es nicht, auf andere angewiesen zu sein. Sie hatte mir einmal erzählt, dass sie stets ein selbstbestimmtes, selbstständiges Leben geführt habe und sehr unter den Einschränkungen des Alters litt. Deshalb fiel es ihr schwer, um etwas zu bitten, das wusste ich.

»Schreiben Sie mir auf einen Zettel, was Sie brauchen, und ich bringe es Ihnen später mit. Okay?«

Jetzt breitete sich ein erleichtertes Lächeln auf ihrem Gesicht aus. »Und es ist Ihnen ganz bestimmt nicht zu viel?«

Ich schüttelte den Kopf. »Nein, das ist es nicht.«

»Dann schreibe ich jetzt gleich den Zettel und lege Ihnen auch ausreichend Geld dazu.«

Nachdem ich die Tür wieder geschlossen hatte, lehnte ich mich von innen dagegen und rutschte langsam zu Boden. Es war, als hätte mich von einem Moment auf den anderen alle Kraft verlassen. Ich schlug die Hände vors Gesicht und stützte die Ellenbogen auf den Knien ab.

Mein letztes Gespräch mit Alex drängte sich in den Vordergrund. Ich sah sein Gesicht vor mir und spürte seine Lippen auf meinen. Die Gewissheit, dass ich ihn nie wieder sehen würde, raubte mir den Atem. Nie wieder.

Diese beiden Worte schienen sich durch mein Leben zu ziehen. Über die Jahre hinweg hatte ich gelernt, mit der Endgültigkeit meinen Frieden zu schließen, weil es mir der einzige Weg zu sein schien, mit ihr umzugehen, ohne an ihr zu verzweifeln. Aber in einer Art Kinderglauben hatte ich angenommen, die Endgültigkeit habe mir genug genommen und sie würde mich erst einmal verschonen. Doch Unglück bewahrte einen nicht vor Unglück. Auch Alex hatte es nicht davor bewahrt.

Ich dachte daran, wie wir uns vor ein paar Monaten kennengelernt hatten, als wir im *Rüen Thai* in der Kazmairstraße auf einen Tisch warteten. Als endlich einer frei wurde, hatte die Kellnerin uns gefragt, ob wir zusammengehörten. Mit einem Lächeln hatte Alex geantwortet: »Leider nicht«, um dann mit einem Augenzwinkern ein »Noch nicht« hinterherzuschicken. Wir hatten längst mit unseren jeweiligen Verabredungen am Tisch gesessen – ich mit Niki, Alex mit einem Bekannten –, als ein Rosenverkäufer ins Lokal gekommen war. Alex hatte etwas auf eine Serviette geschrieben, die er dann als Schleife um eine der Rosen gebunden und sie von dem Rosenverkäufer bei mir hatte abgeben lassen. Auf der Serviette standen die Worte »Morgen? Selbe Zeit, selber Ort? Ich warte auf Dich. Aber komm allein! Alex«.

Niki war überzeugt davon gewesen, das sei eine Masche. Der Typ sehe viel zu gut aus und sei bestimmt einer von denen, die sich ständig durch neue Eroberungen beweisen müssten. »Du fällst doch nicht auf so eine Anmache herein und gehst da hin«, hatte ich ihre Worte noch im Ohr. Aber sie hatten mich nicht abhalten können. Ich war hingegangen, und ich hatte mich in ihn verliebt. Alex sagte, bei ihm habe es am Abend zuvor bereits gefunkt. Und deshalb sei ihm Ehrlichkeit so wichtig. Er wolle alles richtig machen und den Anfang nicht verbocken. Deshalb hatte er mir von Biggi erzählt und mich bekniet, ihm trotzdem eine Chance zu geben. Er würde so schnell wie möglich für klare Verhältnisse sorgen.

Ich kämpfte mich hoch, ging in die Küche und trank eine halbe Flasche Wasser leer, während ich die Straße unter mir nach etwas Auffälligem absuchte. Nach jemandem, der sich nicht in das alltägliche Bild fügte. Nach einem Mann mit behaarten Unterarmen und einer Rolex Daytona am rechten und einem Fitnessarmband am linken Handgelenk. Oder nach einer Frau Ende zwanzig, die Alex' Typ hätte gewesen sein können.

Immerhin ist nicht auszuschließen, dass Biggi hinter alldem steckt. Corinna Altenburgs Worte gingen wie eine schnell wachsende Saat auf. War es möglich, dass Biggi von uns erfahren und aus Eifersucht Rachepläne geschmiedet hatte? Je länger ich darüber nachdachte, desto plausibler erschien mir diese Idee. Warum war ich nicht längst selbst daraufgekommen? Weil ich ganz selbstverständlich davon ausgegangen war, dass Alex eine sozialverträgliche Freundin hatte? Dabei gab es Menschen, die sich nur so lange friedlich verhielten, wie ihre eigenen Interessen nicht verletzt wurden.

Es fühlte sich an, als würde die Kugel nach langen Irrwegen endlich ins richtige Loch fallen, als ergebe das alles plötzlich einen Sinn. Vielleicht hatte Biggi den Plan gefasst, sich an Alex und mir zu rächen, hatte sich aber nicht selbst die Finger schmutzig machen wollen, sondern jemanden damit beauftragt. Das würde auch erklären, warum sie um zehn Uhr nicht wie verabredet aufgetaucht war. Dann hätte nicht das Polizeiaufgebot sie abgehalten, sondern das Bewusstsein ihrer Schuld. Ich lief ins Wohnzimmer und holte mein Handy. Mit zittrigen Fingern wählte ich Corinna Altenburgs Nummer, erreichte aber nur ihre Mailbox. Ich unterbrach die Verbindung, ohne etwas zu hinterlassen.

Vielleicht ließ sich in der Zwischenzeit etwas über Biggi herausfinden. Mittlerweile bereute ich, dass ich Alex nie über sie ausgefragt hatte. Außer ihrem Vornamen, ihrem Alter und ihrem Beruf wusste ich nichts über sie. Corinna Altenburg hatte zwar gesagt, sie hätten bereits bei der Süddeutschen vergeblich nach ihr geforscht, aber es konnte nicht schaden, es selbst zu probieren. Ich rief dort an, ließ mich zunächst mit dem Wirtschaftsressort und schließlich mit der Personalabteilung verbinden. Nur um mir eingestehen zu müssen, dass es zwecklos war. Niemand dort schien sie zu kennen.

Wie sollte man jemanden finden, von dem man nur so wenig wusste? Und wieso hatte Alex ihre Daten nicht in seinem Handy gespeichert? Hatte er Sorge gehabt, ich könne es durchschnüffeln und sie hinter seinem Rücken kontaktieren, um die Trennung zu beschleunigen? Der Gedanke tat weh.

Noch ein anderer gesellte sich hinzu. Warum hatte Alex behauptet, das Zimmer, das er stets verschlossen hielt, sei sein Arbeitszimmer? Warum hatte er geglaubt, eine Abstellkammer vor mir verschließen zu müssen? Wie auch immer ich es drehte und wendete: Alex, der Verfechter der Wahrheit, hatte mich belogen.

Im ersten Moment erstaunte mich diese Erkenntnis nur. Ich hätte meine Hand dafür ins Feuer gelegt, dass er nicht zum Lügen neigte. Nicht im Großen, nicht dort, wo es bedeutsam wurde. Im Kleinen, Unbedeutenden logen wir ja alle angeblich bis zu zweihundert Mal am Tag.

War es bei der Abstellkammer doch um Drogen gegangen? Hatte er sie dort deponiert? Für Rike Jordan, bevor sie sie abholen kam? Oder für sich selbst, nachdem seine Nachbarin sie ihm gebracht hatte? Wenn sie für Rike Jordan bestimmt gewesen waren und er sie in dem Raum aufbewahrt hatte, hätte er die Tür kurz nach ihrem Eintreffen aufschließen müssen. Ich versuchte, mich an die Geräusche zu erinnern, bevor der Fuchsmann geklingelt hatte. Aber es war zwecklos. Wenn, dann würde Alex die Tür so leise geöffnet haben, dass ich es nicht mitbekam. Und noch eine entscheidende Frage stellte sich: Wie hatte der Fuchsmann überhaupt wissen können, was sich in dem Päckchen befand? Irgendein beliebiges Päckchen in meine Tasche fallen zu lassen, hätte überhaupt keinen Sinn ergeben.

Ich sah auf die Uhr: Es war kurz vor zwölf. Vor siebenundzwanzig Stunden waren Alex und Rike Jordan ermordet worden. Obwohl ich den Täter gesehen hatte, gab es noch keinen Tatverdächtigen. Es gab nur jede Menge Fragen und Ungereimtheiten. Und es gab ein diffuses Gefühl, das mir Angst machte. Hätte ich es benennen sollen, hätte ich nur sagen können, dass es mit Alex zu tun hatte. Mit meinem Bild von ihm. Es fühlte sich an, als versuche irgendetwas, mir dieses Bild zu zerstören. Was mich dabei am meisten erschreckte, war die Tatsache, dass ich überhaupt in der Kategorie eines Bildes an ihn dachte. Denn ein Bild hatte längst nicht immer etwas mit der Realität zu tun.

Eine unerträgliche Unruhe zerrte an mir und trieb mich hinaus. Meine Nachbarin hatte Einkaufszettel und Geld in einen Umschlag vor meine Tür gelegt. Ich steckte ihn ein und lief die Treppe hinunter. Im Eingang blieb ich stehen und scannte die Straße, bevor ich mich auf mein Rennrad schwang, um von der Valley- in die Gollierstraße zu fahren. Eine Viertelstunde lang schlängelte ich mich durch dichten Verkehr, nicht ohne mich immer wieder nach möglichen Verfolgern umzusehen.

Ein paar Meter von dem fünfstöckigen Mehrparteienhaus entfernt kettete ich mein Rad an ein Einbahnstraßenschild. Kurz hatte ich wieder den Geruch von Blut in der Nase und hielt mich schnell an dem Schild fest. Ich holte tief Luft, als müsse ich Anlauf nehmen – und letztlich musste ich das ja auch.

»Kann ich Ihnen helfen? Geht es Ihnen nicht gut?«, drang eine weibliche Stimme in mein Bewusstsein.

Ich sah auf und erblickte das fein gezeichnete Profil einer Frau, die vielleicht ein paar Jahre jünger war als ich und die mit einem Buggy neben mir stehen geblieben war.

»Geht schon wieder, danke«, antwortete ich. »Vermutlich ist es der Föhn, nichts weiter.«

»Ja«, meinte sie, »der kann einem schon zusetzen, wenn man empfindlich ist. Aber morgen soll schon wieder alles vorbei sein, und es soll wieder kühler werden.«

»Für November ist es ja aber auch etwas zu warm.«

»Stimmt.« Sie sah erst mich an, dann das Haus, in dem Alex gewohnt hatte. »Wohnen Sie hier?«

»Nein.« Ich folgte ihrem Blick. »Ich will nur jemanden besuchen.«

Sie deutete auf Alex' Haus. »Gestern standen dort ganz viele Polizeiautos. Wissen Sie, was da geschehen ist?«

Ich betrachtete den kleinen, circa zwei Jahre alten Jungen in dem Buggy. Er schien tief und fest zu schlafen. Trotzdem senkte ich die Stimme. »Zwei Bewohner sind umgebracht worden, ein Mann und eine Frau.«

Der Blick der Frau fiel auf mich zurück. »Wissen Sie zufällig, wie der Mann hieß? Ich kenne nämlich jemanden, der dort wohnt.«

Ich ging etwas auf Abstand. »Sind Sie Reporterin?«

»Um Gottes willen, nein! Ich dachte nur, Sie könnten mir etwas zu den … Ich meine …«

»Tut mir leid, ich weiß nicht, wie die beiden hießen. Am besten klingeln Sie bei demjenigen, den Sie im Haus kennen. Dann wird sich alles klären.«

»Ja, natürlich, danke, und entschuldigen Sie!«

»Kommen Sie doch einfach mit. Ich will auch in das Haus.«

Wie angewurzelt blieb sie stehen und schüttelte den Kopf. »Lieber nicht. Mein Sohn wird gleich aufwachen, und dann hat er Hunger. Ich muss nach Hause.«

Nachdem ich mich von ihr verabschiedet hatte, überquerte ich die Straße und hoffte darauf, dass die Haustür wie so oft nicht richtig ins Schloss gefallen war. Alex hatte sich immer wieder darüber aufgeregt und gesagt, auf diese Weise könne jeder problemlos ins Haus gelangen. Ob er sich deswegen sorgen würde, hatte ich ihn einmal gefragt, aber er hatte nur abgewinkt und gemeint, es ginge dabei ums Prinzip. Er habe sich schon ein paarmal bei der Hausverwaltung deswegen beschwert, aber die kümmere es nicht. Ich hatte entgegnet, beim nächsten Mal solle er denen Rudi Meinhold als Hausmeister empfehlen.

Wäre Rudi hier zuständig gewesen, hätte ich jetzt keine Chance gehabt, einfach so die Tür aufzustoßen. Mit bleischweren Beinen und einem ebenso schweren Herzen stieg ich die Stufen bis zu Alex' Wohnung hinauf. Hätte nicht das polizeiliche Siegel an der Tür geklebt, hätte alles so ausgesehen wie immer. Ans Geländer gelehnt blieb ich ein paar Sekunden davor stehen. So lange, bis der Film in meinem Kopf unerträglich wurde und ich mich ins nächste Stockwerk aufmachte.

Rike Jordan hatte direkt über Alex gewohnt. Bis darauf, wie sie ausgesehen hatte, wusste ich so gut wie nichts über sie. Hatte sie einen Mann und Kinder? Oder hatte sie wie Alex allein gelebt? Ich ging nah an die Tür heran und lauschte. Drinnen waren Geräusche zu hören, eine Frau, die mit jemandem sprach, vermutlich am Telefon, denn in ihren Gesprächspausen war es still in der Wohnung. Ich fasste mir ein Herz und drückte den Klingelknopf.

»Wer ist da?«, hörte ich sie hinter der Tür rufen.

»Dana Rosin.«

»Wer sind Sie und was wollen Sie?«

»Ich möchte mit jemandem sprechen, der Rike Jordan kannte.«

»Wenn Sie von der Presse sind, können Sie gleich wieder verschwinden.«

»Alex Wagatha war mein Freund.«

Ich hörte, wie ein Riegel zurückgeschoben wurde. Die Tür öffnete sich so weit, wie die davorgelegte Kette es zuließ. In dem Spalt erschien ein dunkler Pagenkopf über verweinten, umschatteten Augen. Sekundenlang kam es mir vor, als würde ich in einen Spiegel blicken.

»Rike Jordan war meine Schwester«, sagte die Frau leise. Sie zupfte an dem schwarzen grobmaschigen Pullover, den sie über einer gleichfarbigen Jeans trug.

»Frau Jordan«, setzte ich an.

Sie schüttelte den Kopf. »Ich heiße Gabriele Heckert. Und Sie? Durch die Tür konnte ich Ihren Namen nicht genau verstehen.«

»Dana Rosin. Alex Wagatha war mein Freund«, wiederholte ich mich. »Es gibt so unendlich viele Fragen, auf die ich keine Antwort finde. Ihnen geht es vielleicht ähnlich. Ich möchte verstehen, was da passiert ist.«

»Glauben Sie allen Ernstes, dass man so etwas wirklich verstehen könnte?«

»Im Sinne von nachvollziehen sicher nicht, aber ich würde gerne die Zusammenhänge begreifen. Was hat Ihre Schwester bei Alex gewollt?«

Sie schien meine Frage gar nicht wahrgenommen zu haben. Es war, als habe sie den Faden verloren. Vielleicht hatte sie sich in sich verschlossen, weil es zu viel für sie war. Ich wollte mich schon entschuldigen und verabschieden, als sie leise etwas vor sich hin murmelte.

»Wie bitte?«, fasste ich nach.

»Ich muss alle Unterlagen für den Bestatter zusammensuchen und die Beerdigung vorbereiten.« Mit einer fahrigen Geste fuhr sie sich über die Stirn.

Ich blieb an dem Wort »Beerdigung« hängen und fügte all meinen Fragen eine weitere hinzu. Wer würde sie für Alex organisieren? Er hatte schließlich keine Angehörigen mehr.

Gabriele Heckert nahm die Kette ab und öffnete die Tür. »Dieses Wetter macht mich ganz krank. Wie halten es die Leute mit diesem Föhn nur aus? Ständig habe ich das Gefühl, mein Kopf würde gleich platzen. Geht es Ihnen auch so?«

»Eigentlich bin ich ganz froh, dass es mit dem Föhn noch einmal ein bisschen wärmer geworden ist. Seitdem Alex tot ist, friere ich ständig.«

»Möchten Sie vielleicht einen grünen Tee?« Sie wartete meine Antwort nicht ab, sondern ging mir voraus Richtung Küche.

Die Wohnung hatte den gleichen Schnitt wie die von Alex, und auch das Parkett knarzte. Während ich Gabriele Heckert folgte, sah ich kurz in die Räume, deren Türen offen standen. Die Einrichtung wirkte eher männlich, ihr fehlte jede feminine Note, stellte ich überrascht fest. Während Rike Jordans Schwester Wasser für den Tee erhitzte und es schließlich in Teebecher füllte, ließ ich meinen Blick durch die Küche wandern.

»Ihre Schwester hat gerne gekocht«, fasste ich meinen Eindruck in Worte.

»Gerne und gut«, antwortete sie mit einem Lächeln und setzte sich zu mir. »Ulli hat auch gerne gegessen, aber …«

»Ulli?«, hakte ich nach. »War das ihr Spitzname?«

Sie nickte. »Am liebsten hat sie übrigens andere bekocht. Auch Ihren Freund. Er war ein paarmal hier oben und hat mit ihr gegessen. Ulli hat von Alex geschwärmt. Verstehen Sie mich nicht falsch, sie war nicht etwa verliebt in ihn. Sie mochte ihn einfach. Er sei total nett und hilfsbereit gewesen.«

»Ich zerbreche mir die ganze Zeit den Kopf, was das Motiv für die beiden Morde sein könnte.«

»Da sind Sie nicht die Einzige.« Sie legte ihre Hände auf die Tischplatte und sah an mir vorbei aus dem Fenster. Die Sonne spiegelte sich in den Fenstern gegenüber.

»Sagt Ihnen der Name Biggi etwas?«

»Zwei Kripoleute haben mich das auch schon gefragt, aber ich konnte ihnen nichts dazu sagen. Ulli hat nie etwas von einer Biggi erzählt. Wer soll das sein?«

»Sie war die Freundin von Alex.«

»Ich dachte, Sie wären das. Haben Sie nicht gesagt …?«

»In den vergangenen Wochen waren wir es beide gleichzeitig. Alex war mit Biggi zusammen, als wir uns kennenlernten. Er wollte sich gestern von ihr trennen. Die beiden hatten sich gegen zehn in seiner Wohnung verabredet. Wie ich herausgefunden habe, ist Biggi aber gar nicht dort aufgetaucht, stattdessen kam gegen neun Ihre Schwester zu Alex, und das finde ich alles sehr verwirrend.« Ich stockte kurz. »Halten Sie mich bitte nicht für verrückt, aber ist es möglich, dass Ihre Schwester den Namen Biggi benutzt hat? Ich meine, Sie nennen sie Ulli. Menschen haben ja manchmal mehrere Spitznamen.« Die Vorstellung von Rike alias Biggi als Mordopfer war auf eine seltsame Weise erträglicher als die von einer Biggi, die aus Eifersucht einen Doppelmord in Auftrag gegeben hatte.

»Für unsere gesamte Familie und ihre Freunde war sie immer nur Ulli. Es ist die Abkürzung für Ulrike.«

»Genauso wie Rike?«

Sie sah mich lange an und schien sich zu etwas durchringen zu müssen. »Meine Schwester hieß Ulrike Kunze. Ihr Mädchenname lautete Heckert. Rike Jordan ist der Name, hinter dem sie sich vor ihrem gewalttätigen Mann versteckt hat. Ullis Ehe war in den letzten Jahren zu einem Albtraum verkommen. Ich habe ihr immer wieder gesagt, sie könne nicht bei ihm bleiben, sie müsse sich von ihm trennen, aber Ulli fürchtete sich vor ihm. Ständig hat er ihr gedroht. Sollte sie ihn jemals verlassen, würde er sie umbringen. Aus Sorge, er würde sie in einem seiner Anfälle krankenhausreif oder gar totschlagen, habe ich sie immer wieder gedrängt, es trotzdem zu tun. Vor ein paar Monaten hatte ich sie endlich so weit. Wir haben alles in Ruhe vorbereitet. Ende April habe ich sie dann in einer Nacht-und-Nebel-Aktion in

Wiesbaden abgeholt und nach München gebracht. Ihr Mann befand sich zu der Zeit auf einer Geschäftsreise. München erschien uns als ein sinnvoller Ort. Wir haben keine Verwandten hier, und Ulli hatte bis zu ihrer Flucht keinerlei Bezug zu der Stadt. Die Wohnung gehört einem Freund von mir, der sich für ein Jahr im Ausland aufhält. Er hatte sie ihr vorübergehend überlassen, bis sie hier Fuß gefasst und sich selbst etwas gesucht hätte.«

Das erklärte die Einrichtung, dachte ich.

»Ihr Mann ist – wie nicht anders zu erwarten – Amok gelaufen«, fuhr sie fort. »Er wollte die Trennung um keinen Preis akzeptieren. Aber bevor Sie jetzt glauben, er habe das getan …« Sie schüttelte den Kopf in einer Weise, als versuche sie sich damit selbst zu beruhigen. »Zuzutrauen wäre es ihm, keine Frage, aber er hatte nicht die geringste Chance herauszufinden, wo sie war. Sie hat ihr Handy zu Hause zurückgelassen und nur mit ständig wechselnden Prepaid-Handys telefoniert. Anstatt hier ein Konto zu eröffnen, hat sie alles in bar bezahlt, und vom Internet hat sie die Finger gelassen. Zwar hat mein Schwager unsere Eltern und mich massiv bedroht, aber er hat nichts von uns erfahren. Ihre beiden engsten Freundinnen sind die Einzigen außer uns, die von München wissen, und sie schwören Stein und Bein, dass sie ihm nichts verraten haben.«

»Vielleicht ist er einem von Ihnen hierhergefolgt.«

»Ausgeschlossen! Keiner von uns hat sie je hier besucht. Das war die Abmachung. Erst sollte sich die ganze Sache etwas abkühlen.« Sie schlug die Hände vors Gesicht und verharrte so sekundenlang. Dann legte sie sich eine Hand auf die Brust und atmete tief ein. »Wie gesagt: Meinem Schwager würde ich alles zutrauen«, fuhr sie mit rauer Stimme fort. »Hinzu kommt, dass er die finanziellen Mittel hat, um uns alle überwachen zu lassen. Glauben Sie mir, wir waren schon allein deshalb sehr, sehr vorsichtig. Ich war bis gestern nur ein einziges Mal hier, und das war an dem Tag, an dem ich Ulli hierhergebracht habe.« Sie umklammerte den Teebecher. »Die ganze Zeit über zermartere ich mir das Hirn, wo die Schwachstelle gewesen sein könnte.« In ihrem Blick offenbarte sich die verzweifelte Hoffnung, dass sie sich täuschte.

»Sie haben Angst, dass seine Überwachung schon viel früher eingesetzt hat, habe ich recht? Dass er seine Frau hat beobachten lassen, während er auf Geschäftsreise war.« Damit sprach ich das aus, wovor sie sich am meisten zu fürchten schien. Ich wusste aus Erfahrung, dass es manchmal besser war, solche Gedanken in Worte zu fassen. Standen sie erst einmal klar und deutlich im Raum, konnte man beginnen, sie auseinanderzunehmen und zu entmachten.

»Wenn es so war, dann …« Sie schlang die Arme um den Körper. »Wie soll man denn mit dem Gedanken leben, seine Schwester auf dem Gewissen zu haben?«

»Sie haben Ihre Schwester nicht auf dem Gewissen, Frau Heckert! Schuld ist allein derjenige, der abgedrückt hat. Helfen Sie ihm nicht dabei, diese Schuld zu tragen.«

»Mein Kopf sagt mir, dass Sie recht haben«, meinte sie sichtlich erschöpft. »Aber …«

»Ich weiß: Das Aber holt einen immer wieder ein. Ich frage mich auch die ganze Zeit, ob meine Beziehung zu Alex eine Rolle gespielt haben könnte. Ob womöglich ich gemeint war. Ob der Täter angenommen hat, Ihre Schwester sei ich. Wäre Ihre Schwester gemeint gewesen, hätte er sie doch nicht in Alex' Wohnung abfangen müssen.« Ich nahm einen Schluck Tee. »Wissen Sie, was Ihre Schwester bei Alex gewollt haben könnte?«

»Vielleicht hat ihr Kaffee gefehlt. Es ist nämlich keiner mehr da. Sie wird versucht haben, sich welchen bei Ihrem

Freund zu borgen. Zwar hätte sie nur um die Ecke ins nächste Geschäft gehen müssen, aber Ulli hatte häufig Angst, das Haus zu verlassen.«

Wir saßen uns kurz schweigend gegenüber.

»Haben Sie das alles auch den Kripobeamten gesagt?«

»Ja. Sie wollten ihre Kollegen in Wiesbaden informieren.«

»Gut.« Blitzschnell ließ ich mir noch einmal alles durch den Kopf gehen. Wenn Ulrike Kunze alias Rike Jordan erst seit zwei Monaten in München war, konnte sie nicht Biggi gewesen sein. Mit ihr war Alex seit einem Jahr zusammen gewesen. Und das ganz sicher nicht in einer Fernbeziehung. Warum aber hatte er behauptet, Biggi stünde vor der Tür? Wie ich es auch drehte und wendete – für diese Frage gab es keine schlüssige Erklärung.

»Ist es möglich, dass Ihre Schwester etwas mit Drogen zu tun hatte? Dass sie darin in ihrer sehr schwierigen Situation Entspannung gesucht hat?«

»Die Kripobeamtin hat mich das auch gefragt, aber ich kann es mir beim besten Willen nicht vorstellen – was nichts heißt. Das ist mir natürlich bewusst. Aber Ulli und Drogen, das passt einfach nicht. Hatte denn Ihr Freund etwas damit zu tun?«

»Ich glaube nicht, aber beschwören kann ich es auch nicht.« Ich massierte mir die Schläfen und suchte nach einem Weg durch diesen Dschungel. »Alex war Enthüllungsjournalist. Könnte das zwischen Ihrer Schwester und ihm eine Rolle gespielt haben?«

»Was hätte Ulli denn schon groß zu enthüllen gehabt? Ich kann mir nicht vorstellen, dass sich ein Enthüllungsjournalist für häusliche Gewalt interessiert.«

»Was hat Ihre Schwester denn beruflich gemacht, bevor sie hierherkam?«

»Nichts, das war ja das Schlimme. Ihr Mann hat nicht

gewollt, dass sie arbeitet. Er hat sie ständig kontrolliert und war extrem eifersüchtig. Ulli kam sich vor wie in einem Gefängnis.«

»Und wovon lebt Ihr Schwager?«

»Er bringt international Käufer und Verkäufer von gebrauchten landwirtschaftlichen Maschinen zusammen und kassiert dafür horrende Provisionen. Jedenfalls behauptet er das. Wie auch immer. Seine Geschäfte müssen gut laufen, denn Ulli hat es zumindest finanziell an nichts gefehlt.« Gabriele Heckert war ein Bild des Jammers und sichtlich am Ende ihrer Kräfte. Sie stand auf, füllte ein Glas mit Wasser und löste eine Schmerztablette darin auf.

»Gibt es jemanden, der Ihnen hier helfen könnte?«, fragte ich. »Sie sollten alldem nicht allein ausgesetzt sein.«

»Meine Eltern kommen heute Nachmittag«, antwortete sie. »Aber können Sie sich vorstellen, wie das ist, wenn drei Menschen gleichzeitig glauben, in ihrem Schmerz zu ertrinken? Wenn es keinen Trost gibt? Ulli wird fürchterliche Angst gehabt haben. Es wird diesen einen Moment gegeben haben, in dem sie begriffen hat, dass sie sterben wird. Dieser Gedanke lässt mir keine Ruhe.«

Ich griff nach ihrer Hand und dachte an Rike Jordans unterdrückten Schrei in der Sekunde, bevor sie starb. Nichts auf der Welt konnte ihn kleinreden, deshalb schwieg ich.

Bevor ich ging, tauschten wir Handynummern aus und verabredeten, uns gegenseitig auf dem Laufenden zu halten, sollte sich etwas Neues ergeben. Wir standen schon an der Tür, als mir noch ein wichtiger Punkt einfiel. Er war heikel, denn es ging um ihren Schwager und die Möglichkeit, dass es ihm doch irgendwie gelungen sein könnte, den Aufenthaltsort seiner Frau herauszufinden. Ich fragte sie nach einem Foto von ihm. Schließlich sei ich öfter im Haus gewesen, und vielleicht sei er mir dabei zufällig über den Weg gelaufen. Gabriele Heckert schüttelte den Kopf. Ein Foto von ihm sei sicher das Letzte, was ihre Schwester mit hierher genommen hätte. Aber vermutlich sei es nicht schwer, ihn im Internet zu finden. Ihr Schwager heiße Jürgen Kunze, sei einundvierzig Jahre alt und wohne in Wiesbaden.

10 Auf halber Treppe zu Alex' Wohnung setzte ich mich auf eine der Stufen und starrte erneut auf die versiegelte Tür. Alex und Rike Jordan waren ganz normale Menschen gewesen, Nachbarn, wie es sie in unzähligen Häusern gab. Nicht einmal ihre persönlichen Hintergründe unterschieden sie so sehr von anderen. Denn Dramen spielten sich in vielen Familien ab.

Von einer Sekunde auf die andere waren die beiden brutal aus ihrem Leben gerissen worden. Was steckte dahinter? Eifersucht? Rache? Die Eifersucht eines Jürgen Kunze auf einen möglichen neuen Liebhaber? Seine Rache, dass Rike Jordan ihn verlassen hatte? Oder waren es die verletzten Gefühle einer Biggi, die beschlossen hatte, Alex und mich auszulöschen? Nicht zu vergessen Karen Döring, die überzeugt war, eine gesalzene Rechnung mit mir offen zu haben.

Für die meisten Menschen war ein Mord das, was sie voller Spannung in Filmen und Büchern verfolgten. Wenn es in der Realität geschah, dann immer nur den anderen. Selbst schien man gefeit dagegen zu sein, weil es unerträglich wäre, sich Tag für Tag die Zerbrechlichkeit des Lebens bewusst zu machen. Dennoch wurde uns allen ständig gepredigt, ein Leben im Angesicht des Todes zu führen. Seine Zeit nicht zu vergeuden, sondern sie sinnvoll zu gestalten. So, als sei gerade unser letzter Tag angebrochen. Aber ich empfand es als tröstlich, so zu leben, als gebe es noch unendlich viele Tage. Zu vergessen, dass in jedem beliebigen Moment der Schlussstrich gezogen werden konnte. Jeden Tag so zu leben, als sei es der letzte, zwang allen Tagen eine Bedeutungsschwere auf, die leicht in Stress ausarten konnte. Was sprach gegen bedeutungslose Tage, die vor sich hin plätscherten?

Alex und ich hatten nicht nur einmal darüber diskutiert. Er war völlig anderer Meinung gewesen. Das Leben könne so schnell vorbei sein. Der Tod habe ihm zwei Elternpaare und seine Geschwister geraubt. Diese Erfahrung zwinge ihn geradezu, seine Zeit nicht zu verplempern. Auch ich hätte meine Eltern und meine Schwester verloren, hatte ich entgegnet. Dieses einschneidende, grauenvolle Ereignis habe mir große Angst gemacht, aber entgegen der Überzeugung meiner Psychologin hätte ich mich davon befreit. Zwar habe sie gemeint, sie würde nach wie vor in mir schlummern und mich zu halsbrecherischen Aktionen verleiten, aber das glaubte ich nicht. Letztlich war es nicht wichtig gewesen, wer von uns beiden recht hatte. Entscheidend war nur gewesen, dass ich das Gefühl hatte, die Angst besiegt zu haben. Seit gestern nun war sie zurück.

Ich atmete tief durch, löste den Blick von Alex' Tür und holte mein Handy hervor, das ich auf stumm geschaltet hatte. Die erste SMS stammte von Niki. Sie schrieb, dass Obduktionstische denkbar unbequem seien, das wunderbare Tatort-Team aber alles wettmachen würde. Sie habe jede Menge zu erzählen, wenn sie zurück sei. Bei mir sei hoffentlich auch alles gut. Ich starrte auf diesen Satz und wusste im ersten Moment nicht, was ich darauf antworten sollte. Alex und seine Nachbarin sind tot, ermordet mit mehreren Kugeln? Stattdessen schrieb ich, dass ich mich auf sie freue und ihr ein tolles Wochenende wünsche.

Die nächste SMS war von Henry. Er sorge sich um mich und sei immer für mich da, wenn ich Hilfe bräuchte. Aber selbstverständlich auch dann, wenn ich keine bräuchte. Es war das erste Mal in den vergangenen Stunden, dass sich so etwas wie ein Lächeln in mein Herz stahl.

Mein Onkel hatte seine Nachricht auf meiner Mailbox hinterlassen. Er und Marielu seien auf dem Rückweg aus dem Urlaub, und bevor ich protestieren würde, solle ich mich erst einmal fragen, wie sie ihren Urlaub hätten genießen sollen, während mir hier der Boden unter den Füßen weggezogen worden sei. Sie würden rechtzeitig zurück sein, um gegen neunzehn Uhr gemeinsam mit mir im *Wunschkonzert* zu essen. Diese Nachricht trieb mir die Tränen in die Augen.

Während sie auf meine Lederjacke tropften, ließ mich ein Geräusch zusammenzucken. Unten war die Haustür gegangen. Ich hielt den Atem an und lauschte schweren Schritten, die sich die Treppe heraufbewegten. Im Bruchteil einer Sekunde hüllten sie mich in einen Kokon aus Angst und ließen meinen Puls in die Höhe schnellen. Nur mit Mühe gelang es mir, mich aus meiner Starre zu lösen und vorsichtig übers Geländer zu schauen. Die Schritte und das leise Schnaufen stammten von einem übergewichtigen Mann um die sechzig, der sich mit Einkaufstüten in beiden Händen die Stufen hinaufquälte. Es dauerte einen Moment, bis mein Gehirn Entwarnung gab.

Mit einem Seufzer blieb er ein paar Meter von mir entfernt stehen, betrachtete erst mich, dann die versiegelte Tür und wiegte den Kopf von einer Seite zur anderen.

»Unfassbar«, brachte er schließlich hervor, während er ein Stofftaschentuch aus der Hosentasche zog, um sich den Schweiß von der Stirn zu wischen. »Kannten Sie einen von beiden?«

»Ich kannte Alex. Wir waren befreundet.« Mit einer schnellen Bewegung wischte ich mir die Tränen aus dem Gesicht.

Er stellte die Tüten ab und hielt mir seine verschwitzte Hand hin. »Wendelin Eisenstein. Meine Mutter wohnt im vierten Stock.« Er zeigte auf seine Einkäufe. »Ich erledige jede Woche ihre Besorgungen. Sie ist jetzt neunundachtzig. Seit sie von den Morden erfahren hat, ist sie zutiefst erschüttert. Sie hat Alex sehr gemocht. Er ist ihr oft zur Hand gegangen, wenn sie Hilfe brauchte. Sie konnte ihn immer anrufen, zu jeder Tages- und Nachtzeit.« Mit einem leisen Stöhnen stützte er sich auf dem Geländer ab. »Das war für mich eine große Beruhigung, wissen Sie? Wenn ich meine Mutter nicht erreichen konnte, weil sie das Telefon mal wieder nicht gehört hat, habe ich bei Alex angerufen.« Er starrte vor sich hin auf den Boden. »Eigentlich kann ich immer noch nicht fassen, was da geschehen ist. Gleich zwei junge Menschen aus diesem Haus. Frau Jordan habe ich nicht gekannt, allerdings hat sie auch noch nicht so lange hier gewohnt. Aber Alex …« Er hob den Blick. »Entschuldigen Sie, ich muss weiter. Meine Mutter wartet bestimmt schon ungeduldig.«

Ich deutete auf seine offensichtlich schweren Tüten. »Warum nehmen Sie nicht den Aufzug?«

»Mein Arzt sagt, ich müsse abnehmen, und da ich Diäten hasse, arbeite ich mich an den Treppen ab. Machen Sie's gut, Frau …«

»Rosin. Dana Rosin.«

Die Haustür war gerade hinter mir ins Schloss gefallen, als Corinna Altenburg anrief. Ich hätte versucht, sie zu erreichen. Ob mir noch etwas eingefallen sei?

»Ich wollte nur wissen, ob Sie Biggi gefunden haben.«

»Nein, das haben wir noch nicht, Frau Rosin. Die Suche gestaltet sich schwierig. Bis auf Ihre Aussage gibt es keinerlei Anhaltspunkte für ihre Existenz.«

»Aber jeder Mensch hinterlässt doch angeblich Spuren. Sie ist ja schließlich kein Geist. Vorhin haben Sie gesagt, auf

Alex' iPhone seien fast ausschließlich private Kontakte vermerkt. Und darunter befindet sich kein Hinweis auf Biggi? Das kann ich mir beim besten Willen nicht vorstellen.«

»Glauben Sie mir: Es ist so. Aus diesem Grund vermuten wir, dass der Täter ein Zweithandy an sich genommen hat.«

»Aber das ergibt doch auch keinen Sinn. Diese Sache mit den Zweithandys ist mir nicht neu, Frau Altenburg. Bei meiner Arbeit habe ich Tag für Tag damit zu tun. Ich empfehle selbst immer, das Zweitgerät so auszuwählen, dass es vom ersten nicht zu unterscheiden ist, weil sich das Umfeld auf diese Weise am besten täuschen lässt. Was ich nur nicht verstehe, ist, warum Alex in seinem offen herumliegenden privaten Handy Biggis Nummer nicht gespeichert haben sollte. Ich will einfach nicht glauben, dass er mir auf diese Weise misstraut haben könnte. Ich habe ihm gar keinen Anlass dazu gegeben. Ich hätte nie und nimmer in seinem Handy geschnüffelt. Haben Sie denn meine Nummer auf seinem iPhone gefunden? Ich meine, wenn Biggis nicht gespeichert ist, dann meine vielleicht auch nicht.«

»Ihre Nummer haben wir gefunden.«

»Und haben Sie schon all die anderen überprüft, die nicht gespeichert sind, die er aber angerufen hat? Oder von denen er angerufen wurde?«

Sekundenlang war es still in der Leitung. »Frau Rosin, ich bin mir bewusst, dass eine Erfahrung, wie Sie sie gestern machen mussten, einschneidend ist, aber lassen Sie sich Ihr Vertrauen in die Polizei dadurch nicht beeinträchtigen. Ich versichere Ihnen, wir machen unsere Arbeit, und wir machen sie so gut wie möglich.«

Nachdem ich die Einkäufe für Gundula Mauss erledigt hatte, machte ich mich auf den Heimweg. Da ich immer noch fror, radelte ich, wo immer es möglich war, in der

Sonne. Ich war gerade erst in die Valleystraße eingebogen und noch etwa dreißig Meter von meinem Haus entfernt, als ich eine Vollbremsung hinlegte, die mich ins Schlingern brachte. Nur um Haaresbreite entging ich einem Sturz.

Der Mann, der gerade aus seinem Auto gestiegen war und jetzt die Klingelschilder unter meiner Hausnummer studierte, hatte davon zum Glück nichts mitbekommen. So schnell wie möglich verschwand ich zwei Häuser weiter in einem Hauseingang und beobachtete, wie der Besucher klingelte und wartete. Ich biss mir auf die Unterlippe und versuchte, das Chaos in meinem Kopf zu ordnen. Bei dem Mann handelte es sich unzweifelhaft um Robert Eichberger, dem ich gestern den Job als Haushälterin gekündigt hatte. Was wollte er hier?

Da die Tür verschlossen blieb, gab er auf. Anstatt jedoch sein Auto zu besteigen und fortzufahren, setzte er sich ein paar Meter weiter ins Café. Er richtete seinen Stuhl hinter der Glasfront so aus, dass er meinen Eingang im Blick behalten konnte. Sekundenlang fragte ich mich, ob es möglich war, dass ich mich täuschte und ihn verwechselte. Immerhin war mein Körper voller Adrenalin und die Angst zum Greifen nah. Nicht auszuschließen, dass mir mein Gehirn einen Streich spielte.

Ich versuchte, ruhig zu bleiben und jedes Detail mit meinem Wissen über den alten Mann abzugleichen. Er fuhr einen silbernen Golf. Er trug einen von Grau durchwirkten Vollbart und hatte einen akkuraten Haarschnitt. Auch sein überkorrekter Kleidungsstil war durch und durch Robert Eichberger, wie ich ihn kennengelernt hatte.

Im Innenhof des Nachbarhauses entdeckte ich einen Jungen, den ich vom Sehen kannte. Ich gab ihm fünf Euro und trug ihm auf, die Einkäufe bei Gundula Mauss abzugeben. Dann vergewisserte ich mich aus sicherer Entfernung, dass er es auch wirklich tat. Robert Eichberger ließ die Gelegenheit verstreichen, ins Haus zu schlüpfen. Er blieb im Café sitzen und beobachtete weiter den Hauseingang.

Mein Herz pochte bis zum Hals. Allein der Gedanke, dass er mich wohl kaum auf offener Straße angreifen würde, beruhigte mich ein wenig. Ich musste trotzdem hier weg. Ohne ihn aus den Augen zu lassen, schwang ich mich aufs Rad und atmete erst auf, als ich die Valleystraße hinter mir gelassen hatte.

Zehn Minuten später öffnete ich die Tür zu Nikis Gartenlaube und verschanzte mich so dahinter, dass ich das Fenster im Auge behalten und meine Umgebung scannen konnte. Es war alles wie immer in dieser kleinen, geordneten Welt. Nur mein Nervensystem befand sich nach wie vor unter Strom.

Nach einer Weile ging ich hinaus, setzte mich in eine dicke Decke gehüllt unter den Vorbau und suchte nach einer Antwort auf die drängendste Frage: Wie hatte Robert Eichberger mich finden können? Er kannte mich nur als Elisa Tenzer. Die Adresse, die ich ihm gegeben hatte, führte zu einem Briefkasten in Pasing, den meine Agentur hin und wieder für die Klienten nutzte. Von dort aus waren keinerlei Rückschlüsse auf meine wahre Identität möglich.

Ich zückte mein Handy und rief Corinna Altenburg an. »Sie müssen mir helfen«, sagte ich mit ungewohnt schriller Stimme. »Vor meiner Haustür ist eben Robert Eichberger aufgetaucht. Vielleicht hat er doch etwas mit den Morden zu tun. Vielleicht hatte Alex recht mit seinem Verdacht. Der Mann wohnt in Nymphenburg in der Lachnerstraße. Bitte«, flehte ich sie an, »Sie müssen etwas gegen ihn unternehmen, bevor noch mehr passiert.«

»Woher wissen Sie, wo er wohnt?«

»Alex hat es mal erwähnt.«

»Beruhigen Sie sich bitte, Frau Rosin. Wo sind Sie jetzt?«

»In der Kleingartensiedlung.«

»Gut! Machen Sie sich keine Sorgen! Ich kümmere mich darum.«

»Versprechen Sie mir das?«

»Ja, und Sie versprechen mir bitte, dass Sie morgen früh um neun zu mir ins Kommissariat 11 in die Hansastraße kommen. Es hat sich zwischenzeitlich einiges ergeben.«

Ich hatte noch gut zwei Stunden in der Kleingartensiedlung verbracht, bevor ich mich nach Hause getraut hatte. In eine dicke Decke gewickelt hatte ich dagelegen und nachgedacht. Schließlich hatte ich mich dazu durchgerungen, die Karten offen auf den Tisch zu legen und Corinna Altenburg morgen von meinem Nebenjob bei Robert Eichberger zu erzählen. Die Wahrscheinlichkeit, dass der alte Mann tatsächlich hinter dem Doppelmord steckte, war einfach zu groß. Was nutzte es mir, mit der Urkundenfälschung davonzukommen, wenn ich tot war?

Auf dem Nachhauseweg war von Robert Eichberger und seinem Golf zum Glück nichts mehr zu sehen gewesen. In meiner Wohnung hatte ich ausgiebig geduscht und schließlich das Internet nach Jürgen Kunze, dem Witwer von Rike Jordan, durchforstet, immerhin konnte man auch ihn als Täter nicht ausschließen. Es gab jede Menge Portraitfotos von ihm, aber kein einziges, auf dem seine Arme zu sehen gewesen wären. Seine Haarfarbe hätte passen können, aber sie allein genügte nicht. Immerhin kannte ich jetzt sein Gesicht. Nach ihm und dem von Robert Eichberger hielt ich Ausschau, als ich das Haus verließ, um mich mit meinem Onkel und Marielu zum Essen in Henrys Restaurant zu treffen.

Das *Wunschkonzert* war bereits gut gefüllt, als ich abends

um kurz vor sieben dort eintraf. Durch den puristisch eingerichteten Raum mit blanken Holztischen und Bänken wehten Klänge des norwegischen Jazzpianisten Ketil Bjørnstad. Fritz und Marielu waren noch nicht da, deshalb lief ich erst einmal in die Küche, um Henry zu begrüßen. Er drückte mir einen schnellen Kuss auf die Wange und vertröstete mich auf später, wenn mehr Zeit sei. Einer seiner Köche sei ausgefallen, und er wisse gerade nicht, wo ihm der Kopf stehe.

Henry, der eigentlich Internist war, hatte das Restaurant vor ein paar Jahren aus einem unerträglichen Frust heraus gegründet. Er war als Mediziner mit vielen guten Vorsätzen angetreten, nur um festzustellen, dass er immer wieder an dem unbefriedigenden System scheiterte. Einem System, das ihm nicht die Zeit ließ, sich so um seine Patienten zu kümmern, wie er es für angemessen hielt. Also hatte er seinen Job an den Nagel gehängt und beschlossen, die Menschen zu bekochen, anstatt sie mehr schlecht als recht zu verarzten.

Die Idee zu seinem Restaurant war ihm gekommen, als er sich eines Abends in einem Lokal für sein Essen eine winzige Änderung gewünscht und sich vom Kellner hatte sagen lassen müssen, das sei kein Wunschkonzert. Henrys Konzept sah so aus, dass er jeden Tag die vorrätigen Produkte auf eine Tafel schrieb und seine Gäste sie sich als Zutaten zu einem beliebigen Gericht auswählen konnten. Niemand außer ihm hatte an dieses Konzept geglaubt. Er solle die Finger davon lassen, so etwas würde nicht funktionieren, hatte er allenthalben zu hören bekommen, aber Henry hatte sie eines Besseren belehrt.

Fritz und Marielu saßen bereits an einem Ecktisch, als ich in den Gastraum zurückkehrte. Mein Onkel sprang auf, umarmte mich und drückte mich so fest an sich, dass ich kaum

Luft bekam. Dann hielt er mich ein Stück von sich und betrachtete mich eingehend. Die Worte, die er in seiner Aufregung nicht aussprechen konnte, spiegelten sich in seinem Blick. Ich lehnte meinen Kopf an seine Schulter. Er strich mir über den Kopf und drückte mir einen Kuss auf den Scheitel. Dann bugsierte er mich zum Tisch und platzierte mich so, dass ich mit dem Rücken zu den anderen Gästen saß.

»Gut, dich zu sehen, Dana«, übernahm Marielu, nachdem Fritz sich gesetzt hatte. »Wir haben uns große Sorgen um dich gemacht.« Sie nahm meine Hand und strich so sanft darüber, als sei sie zerbrechlich.

Während mich Fritz mit Fragen überhäufte, betrachtete ich die beiden, die sich erst spät gefunden hatten. Meinen Onkel, in dessen Gesicht sich viel Leid gegraben hatte und der früh weiß geworden war, und Marielu, die sich mit ihren siebzig Jahren immer noch etwas Mädchenhaftes bewahrt hatte, die am liebsten weiche, fließende Kleider trug und ihre grauen Haare zu lockeren Knoten steckte – und die Fritz stets ansah, als habe sie ihr Leben lang auf ihn gewartet.

»Gibt es denn nicht wenigstens einen kleinen Anhaltspunkt?«, wiederholte Fritz seine Frage, nachdem wir unsere Bestellungen aufgegeben hatten. »Irgendetwas Greifbares?«

»Ich soll morgen zur Kripo kommen. Die zuständige Beamtin meinte, es gebe einiges zu besprechen. Vielleicht erfahre ich dann mehr. Bis dahin …«

»Bis dahin kann alles Mögliche passieren«, sagte Fritz. »Was, wenn …?« Er schüttelte den Kopf und nahm einen Schluck Wein. »Gestern hattest du einen Schutzengel. Einmal mehr. Aber …«

»Lass es einfach so stehen«, sagte Marielu leise und bestimmt. »Dana hat genug Angst ausgestanden, die sollten wir nicht noch weiter schüren.«

»Aber …«

»Kein Aber! Kein *Was wäre gewesen, wenn*! Lass uns dankbar sein, dass es so ausgegangen ist.« Sie goss mir Wein ein und schob mir das Glas zu. »Es ist schlimm, was dir da widerfahren ist, Dana. Und es ist tragisch, dass Alex und diese Frau tot sind. Allein die Vorstellung ist unerträglich. Du weißt, wir haben immer ein offenes Ohr, wenn du eines brauchst, wenn du reden willst oder wenn du einfach nur nicht allein sein magst. Folge deinem Gefühl und mach das, von dem du glaubst, dass es dir guttut.«

Mein Onkel saß stumm daneben und schien immer mehr in sich zusammenzufallen. Ich wusste nur zu gut, was gerade in ihm vorging. Und Marielu wusste es auch. Was vor fünfundzwanzig Jahren geschehen war, erstand jetzt wieder in voller Größe vor ihm auf. Ich war damals noch ein Kind gewesen, ich hatte im Lauf der Zeit einiges hinter mir lassen können. Ihm war das nie gelungen.

Fritz entschuldigte sich und ging hinaus, um eine Zigarette zu rauchen.

»Er gibt immer noch sich die Schuld«, sagte Marielu, als er außer in Hörweite war.

»Ich weiß.«

»Dabei hätte jeder so gehandelt. Er ist ja nicht einmal angeklagt worden. Die Sache mit der Nothilfe war eindeutig. Ohne sein Eingreifen würdest du jetzt nicht hier sitzen.«

Ich nickte und begriff zum ersten Mal, dass Fritz ihr nie die ganze Wahrheit gesagt hatte. Dass er ihr nichts von der Schuld erzählt hatte, die ihn eigentlich quälte. Diese Schuld, die in meinen Augen längst keine mehr war und die er sich nicht verzeihen konnte. Er war überzeugt, dass ohne ihn alles anders gekommen wäre. Dieser Gedanke hatte ihn nie losgelassen, in all den Jahren nicht, und vermutlich war ich nicht ganz unschuldig daran. Als er mich kurz nach dem

Abitur nicht auf Weltreise hatte gehen lassen wollen, hatte ich ihn angeschrien und behauptet, meine Mutter hätte es mir ganz sicher erlaubt – und wenn er kein Verhältnis mit ihr gehabt hätte, würde sie noch leben. Dann hatte ich meine Sachen gepackt und war eineinhalb Jahre lang rund um die Welt gereist.

Als er zurück an den Tisch kam und sich wieder setzte, wehte ein Hauch Zigarettenduft zu mir herüber. Er sah uns abwechselnd an, als wolle er herausfinden, worüber wir geredet hatten. In diesem Moment brachte die Kellnerin für Marielu und Fritz zwei Salate, für mich eine Tomatensuppe. Ich wollte gerade zu meinem Löffel greifen, als ich bemerkte, dass Fritz mit leicht zusammengekniffenen Augen einen Punkt hinter mir fixierte.

»Was ist?«, fragte ich.

»Vorne am Fenster sitzen zwei Frauen. Eine von ihnen beobachtet dich die ganze Zeit.«

»Wie sieht sie aus?«

»Ich schätze sie auf Anfang fünfzig. Schlank. Strohblondes kurzes Haar. Bohrender Blick.«

Ich drehte mich auf meinem Stuhl herum und suchte über die anderen Tische hinweg nach einem ganz bestimmten Gesicht. Als ich es fand, erhob ich mich und ging langsam zu ihrem Tisch. Immer noch besser, den Stier bei den Hörnern zu packen, als sich von ihm hochnehmen zu lassen.

»Guten Abend, Frau Döring«, sagte ich schneidend und bedachte ihre fein herausgeputzte Begleiterin mit einem schnellen Seitenblick. »Verfolgen Sie mich jetzt auch schon hierher?«

»Nehmen Sie sich da nicht ein wenig zu wichtig?«

»Gestern haben Sie meinen Mitarbeiter überrumpelt und mein Büro durchsucht.«

Sie zuckte die Schultern, als handle es sich um eine Lappalie. Verglichen mit dem, was in Alex' Wohnung geschehen war, hatte sie nicht ganz unrecht.

»Was wollen Sie von mir?«, fragte ich.

Sie hob die Brauen und ließ sich Zeit mit ihrer Antwort. »Ich will Sie in die Knie zwingen, nicht mehr und nicht weniger. Ich will, dass Sie Ihr unsägliches Geschäft aufgeben.«

»Glauben Sie, das würde Ihnen mit ein paar Stalking-Attacken und heimlich geschossenen Fotos gelingen? Und selbst wenn: Was soll das bringen? Es gibt genug andere Agenturen, die den gleichen Service anbieten. Wollen Sie die alle in die Knie zwingen, damit Ihr Mann Sie nicht mehr betrügt? Glauben Sie nicht, dass es da effektivere Wege gibt?«

»Sie leisten diesem Betrug Tag für Tag Vorschub. Wie lässt es sich damit eigentlich nachts schlafen?«

Ihre Verachtung war von einer Intensität und Kälte, dass es mich Mühe kostete, ruhig stehen zu bleiben und meine Angst im Zaum zu halten. Wozu war diese Frau fähig? Was hatten die Kränkungen ihres Mannes in ihr angerichtet? War sie so weit gegangen, einen Mörder zu beauftragen? Und würde sie es wieder tun, nachdem sie ihr Ziel nicht erreicht hatte? Ihr war nicht anzumerken, ob sie überrascht war, dass ich noch lebte, aber sie hatte mich schon eine Weile beobachten können. Insofern war das kein Indiz dafür, dass sie mit den Morden nichts zu tun hatte.

»Ich schlafe relativ gut«, antwortete ich nach außen hin gelassen, wohl wissend, dass ich sie damit nur noch mehr reizen würde. Aber klein beizugeben schien mir keine Alternative zu sein.

»Das sollten Sie aber nicht«, entgegnete sie so leise, dass nur ihre Begleiterin und ich es hören konnten. »Sie sollten wachsam sein. In der Nacht kehren die Geister zurück, die man ruft. Und sie sind alles andere als freundlich.«

»Ist das eine Drohung, Frau Döring?«

»Wo sehen Sie da einen Interpretationsspielraum?«

Ich zückte mein Handy. »Ich schlage vor, dass Sie diesen Satz im Beisein der Kripo wiederholen.«

»Welchen Satz?«

»Den Satz, den Ihre Begleiterin genauso gut gehört hat wie ich. Aber vielleicht möchte sie ja einen Meineid schwören.« Ich sah die Frau so lange an, bis sie den Blick senkte und etwas Unverständliches murmelte. »Das hier ist kein Spiel, Frau Döring.«

»Haben Sie den Eindruck, als würde ich spielen?«

»Vor ein paar Tagen haben Sie behauptet, Sie hätten Fotos von meinem Freund und seiner Geliebten gemacht. Was ist aus diesen Aufnahmen geworden? Ich würde sie gerne sehen.« Und endlich Biggi ein Gesicht geben.

»Da müssen Sie etwas gründlich falsch verstanden haben, Frau Rosin. Ich kenne Ihren Freund nicht, und ich habe nie Fotos von ihm gemacht.«

Ich wusste, es wäre besser gewesen, an meinen Tisch zurückzukehren, doch tief in mir spukte der Gedanke herum, dass sie in ihrem Hass womöglich eine Grenze überschritten hatte. Und dass sie es wieder tun könnte. Nicht hier und nicht jetzt, aber irgendwann. Um die Wurzel allen Übels auszulöschen. Mich. »Ich glaube Ihnen nicht.«

»Das ist ganz allein Ihr Problem.« Sekundenlang betrachtete sie ihre Hände. »Schafft es Ihnen eigentlich Genugtuung, all diesen Männern zu helfen? Immer und immer wieder. Ohne jeden Skrupel. Fühlen Sie sich deren Frauen überlegen, weil Sie diejenige sind, die im Hintergrund die Fäden in der Hand hält? Ist es das, was Sie antreibt?«

»Es ist ein längst überholtes Klischee zu glauben, nur Männer würden meine Dienste in Anspruch nehmen.«

»Wir reden hier aber von einem Mann – und zwar von meinem.«

»Und Sie erwarten allem Anschein nach, dass ich die Verantwortung für seine Handlungen übernehme.«

»Sie zerstören Beziehungen. Und ja, ich finde tatsächlich, dass Sie dafür die Verantwortung übernehmen sollten.«

Was war sie: naiv, verblendet oder so sehr außer sich, dass sie nicht mehr klar denken konnte? Und wie gefährlich machte sie das? Ich warf einen Blick über die Schulter und gab Fritz und Marielu zu verstehen, dass ich hier noch zwei Minuten bräuchte. »Ich glaube nicht, dass ich es bin, die die Beziehungen zerstört. Es ist vielmehr …«

»O ja, ich weiß«, fiel sie mir ins Wort. »Nicht das Alibi stellt das Grundproblem dar, sondern die mangelnde Kommunikation in der Partnerschaft. Das ist alles Bullshit! Dieses ganze Gerede von Verzeihen und Toleranz, von Kommunikation, von Betrug als Ausdruck des Zustands einer Beziehung. Soll ich Ihnen etwas sagen? Solch ein Betrug zerstört etwas Elementares. Da können Sie so viel kommunizieren, wie Sie wollen. Tief in Ihnen geht dabei etwas zu Bruch, etwas, das sich nicht reparieren lässt.«

»Haben Sie deshalb auch etwas zerstören wollen, das sich nicht mehr reparieren lässt?«

Sie zückte ihr Portemonnaie, legte einen Geldschein auf den Tisch, gab ihrer Begleiterin ein Zeichen und erhob sich. »Passen Sie gut auf sich auf, Frau Rosin! Das mit den nächtlichen Geistern war nicht nur so dahingesagt.«

11 Mit dem Leben davongekommen zu sein sei eines der elementarsten Erlebnisse überhaupt, hatte ich einmal gelesen. Damals als Kind hatte ich nicht so empfunden. Damals hatten Todesangst und Trauer überwogen. Dieses Empfinden war erst mit den Jahren gekommen, und es hatte dem Leben einen unschätzbaren Wert verliehen. Jetzt war ich wieder mit dem Leben davongekommen, und wieder hatten gleichzeitig andere Menschen ihres verloren. Die Bilder schoben sich ineinander – das meiner Mutter und meiner Schwester mit dem von Alex und Rike Jordan. Der Mörder von damals war mir vertraut gewesen. Der von gestern war aus dem Nichts gekommen und wieder dorthin verschwunden. Solange er nicht gefasst war, würde ich nicht zur Ruhe kommen.

Es hatte Jahre gedauert, meine Todesangst hinter mir zu lassen. Ich wollte mich nicht noch einmal von ihr beherrschen lassen. Deshalb verbrachte ich die Nacht in meiner Wohnung, nachdem ich die Angebote von Henry und meinem Onkel, bei einem von ihnen zu übernachten, ausgeschlagen hatte. Im *Wunschkonzert* hatte sich meine Entscheidung mutig angefühlt, zu Hause nur noch falsch. Anstatt jedoch den Hörer in die Hand zu nehmen und Fritz oder Henry anzurufen, damit einer von ihnen mich hier abholte, verbarrikadierte ich die Wohnungstür und schloss mich im Schlafzimmer ein. Aber selbst diese Maßnahmen ließen mich kaum länger als ein paar Minuten schlafen. Immer wieder schreckte ich hoch und lauschte. Nur um einmal mehr festzustellen, wie laut die Stille sein konnte.

Um kurz nach Mitternacht brach ich in Tränen aus. Es war mein vierunddreißigster Geburtstag, der Tag, für den Alex sich eine Überraschung ausgedacht hatte. Worum auch immer es sich gehandelt hatte, ich würde es vermutlich nie erfahren. Schluchzend vergrub ich meinen Kopf im Kissen, als mein Handy klingelte. Ich drückte die grüne Taste und hauchte ein »Hallo?« in den Hörer.

»Ich wollte dir nur sagen, dass ich an dich denke.« Henry schwieg sekundenlang. »Und dass ich dir einen anderen Geburtstag gewünscht hätte. Einen glücklichen. Wollen wir am Vormittag etwas zusammen unternehmen?«

»Ich muss um neun zur Kripo.«

»Dann vielleicht danach? Wir könnten raus in die Natur fahren. Was meinst du?«

»Ich kann nicht, Henry. Es ist …«

»Es war nur ein Vorschlag. Und er steht. Falls du es dir anders überlegst, melde dich einfach.«

Nachdem wir das Gespräch beendet hatten, fuhr ich meinen Laptop hoch und suchte auf YouTube nach Andreas Bourani. *Ein Hoch auf uns, auf dieses Leben … auf das, was vor uns liegt … auf den Moment, der bleibt.* Es lag nichts mehr vor uns, es blieben nur ein paar letzte Momente und eine Erinnerung, die unendlich schmerzte.

Als ich mich um neun Uhr beim Kommissariat 11 in der Hansastraße einfand, hatte ich bereits mehrere Tassen Tee getrunken, um der bleiernen Schwere dieser weitestgehend schlaflosen Nacht zu entkommen. Corinna Altenburg musterte mich, als sie mich begrüßte, und legte dann mit einer tröstlichen Geste kurz die Hand auf meinen Arm.

Ich folgte ihr durchs Treppenhaus und über einen langen Gang in ihr Büro. Auf ihrem Schreibtisch hatte sie eine Ecke frei geräumt und eine Wasserflasche und Gläser bereitgestellt.

Sie bedeutete mir, mich auf einen Besucherstuhl zu setzen, und nahm schräg gegenüber von mir Platz. Dann reichte sie mir eine große braune Papiertüte, in der sich, wie sie sagte, meine Kleidung befand, die ich am Freitag getragen hatte. Ich stellte die Tüte achtlos neben meinem Stuhl ab und nahm mir vor, sie später ungeöffnet im nächstbesten Mülleimer zu entsorgen. Nichts davon würde ich je wieder tragen.

»Ich habe gerade erst gesehen, dass Sie heute Geburtstag haben«, begann die Beamtin. »Danke, dass Sie trotzdem gekommen sind.«

Ich war froh, dass sie mir nicht gratulierte, und zuckte mit einem angedeuteten Lächeln die Schultern. Bevor sie näher darauf eingehen konnte, wechselte ich das Thema.

»Diese Karen Döring hat mich gestern Abend übrigens im *Wunschkonzert* bedroht. Ich solle wachsam sein, hat sie gesagt. In der Nacht würden die Geister zurückkehren, die man gerufen habe. Und sie seien alles andere als freundlich.«

»Gibt es Zeugen für diese Unterhaltung?«

»Glauben Sie mir etwa nicht?«

»Um Maßnahmen gegen Frau Döring zu ergreifen, brauche ich Beweise. Ohne Zeugen steht Aussage gegen Aussage.«

Ich stöhnte auf. »Sie hatte eine Freundin dabei, aber ich wette, dass die schon aus Prinzip nichts gehört hat. Haben Sie Karen Döring denn überhaupt schon befragt?«

»Das haben wir, aber es ist nichts dabei herausgekommen. Auf die Fotos angesprochen hat sie geantwortet, das sei nur eine Finte gewesen. Sie hätte Sie lediglich ein wenig ärgern wollen.«

»Und Sie glauben ihr?« Ich wartete ihre Antwort gar nicht erst ab, denn sie stand ihr ins Gesicht geschrieben. »Verstehe«, sagte ich schroff, was mir die Überleitung zu meinem geplanten Geständnis nicht gerade erleichterte.

Ich hatte das Gefühl, mein Kopf würde gleich platzen. Ich zog das Glas Wasser zu mir heran und trank hastig ein paar Schlucke. »Haben Sie mit Robert Eichberger gesprochen?«

Sie nickte, sagte aber nichts.

Ich holte tief Luft. »Ich habe Ihnen vorgestern nicht alles gesagt.«

Sie sah mich fragend an.

»Ich ... kenne Robert Eichberger. Persönlich.«

»Woher?«

»Alex hat mich gebeten, bei ihm einen Job als Haushälterin anzunehmen. Ich habe zehn Tage lang für ihn gearbeitet und vorgestern, nachdem das alles geschehen war, gekündigt.«

»Warum haben Sie uns das bisher verschwiegen?«

»Weil ich mich unter falschem Namen bei ihm eingeschlichen habe.«

»Warum dieser Job als Haushälterin? Worum ging es da?«

»Ich sollte Robert Eichberger für Alex ausspionieren – wegen seines Verdachts in der Organhandelsache.«

»Und da sind Ihnen keine Zweifel an Ihrem Freund gekommen? Haben Sie gar nicht hinterfragt, was er da von Ihnen verlangte? Eine solche Aktion hätte jede Menge Gefahren für Sie bergen können, wenn an diesem Verdacht etwas dran gewesen wäre.«

»Ich weiß, aber ich habe mich als Elisa Tenzer vorgestellt. Meine Schwester hieß Elisa, und Tenzer war der Mädchenname meiner Mutter. Und die Adresse, die ich bei meiner Einstellung angegeben habe, führt zu einem Briefkasten in Pasing, den meine Agentur hin und wieder für Klienten nutzt. Wir haben angenommen, ich sei damit auf der sichereren Seite. Deshalb ist es mir auch ein Rätsel, wie der Mann meine wahre Identität und vor allem meine Adresse herausfinden konnte. Das macht mir Angst. Er ... muss mir irgendwann nach Hause gefolgt sein. Vielleicht war Alex mit seinem Verdacht doch auf der richtigen Spur, und vielleicht hat er deswegen sterben müssen.« Tief in mir spürte ich ein Zittern. »Vielleicht wollte der Mann auch mich umbringen lassen, weil er herausgefunden hat, dass ich mich bei ihm eingeschlichen habe. Das würde erklären, warum der Täter sich meinen Ausweis angesehen hat: um sicherzugehen, dass er auch wirklich die Richtige erwischt hat.« Ich hatte immer schneller gesprochen und schluckte jetzt gegen eine aufsteigende Übelkeit an. »Da ich Herrn Eichberger ein paar Stunden nach den Morden angerufen habe, um zu kündigen, weiß er, dass ich noch lebe. Sie müssen ihn festnehmen.«

»Ich denke, das sollten wir ihm ersparen«, sagte Corinna Altenburg sanft.

»Glauben Sie, nur weil er siebzig ist, sei er ungefährlich?«, brach es aus mir heraus.

»Von Herrn Eichberger droht Ihnen keine Gefahr, Frau Rosin. Glauben Sie mir. Er ist Alex Wagathas Vater, und das Labor, von dem sein Sohn gesprochen hat, war ein Veterinärlabor, das er vor ein paar Jahren verkauft hat. Er war Tierarzt. Ganz davon abgesehen lassen sich illegale Typisierungen für die Auswahl von Organspendern mit einem Veterinärlabor nur schwer vereinbaren. Immerhin setzt das Ganze voraus, dass Menschenblut eingesandt und untersucht wird.«

Sekundenlang kam es mir vor, als sei ein bis dahin stabiles Gebäude mit voller Wucht von einer Abrissbirne bis auf die Grundmauern zerstört worden. Ich stand vor den Trümmern, ohne wirklich zu begreifen. Als würde mein Gehirn mir all das als ein Trugbild signalisieren. Aber es schien keines zu sein.

»Robert Eichberger ist Alex' Vater?«, fragte ich und erkannte meine eigene Stimme kaum.

»Ja«, antwortete die Kripobeamtin. »Ein Irrtum ist ausgeschlossen.« Sie ließ mir einen Moment Zeit, um das Ausmaß dieser Information zu begreifen. »Uns ist bewusst, dass das für Sie einiges auf den Kopf stellen muss. Deshalb haben wir diese Information bis jetzt zurückgehalten.«

»Aber Alex' Eltern sind tot. Sie sind bei einem Unfall ums Leben gekommen. Dabei sind auch seine Geschwister gestorben.«

»Seine Mutter ist vor Jahren gestorben, das ist richtig. Sein Vater, Robert Eichberger, lebt. Geschwister gab es keine.«

»Und die Adoptiveltern?«

»Die existieren ebenfalls nicht.«

»Alex und Robert Eichberger haben unterschiedliche Namen«, machte ich einen letzten schwachen Versuch.

»Alex Wagathas Geburtsname ist Adrian Eichberger. Er ist bei der Namenswahl ganz ähnlich vorgegangen wie Sie: ›Alex‹ war der Spitzname seiner Mutter Alexandra, ›Wagatha‹ ihr Mädchenname.«

»Seit wann wissen Sie das?«

»Seitdem sich die Kollegen von der Spurensicherung am Freitag seinen Ausweis und alle anderen persönlichen Unterlagen angesehen haben.«

Ich starrte vor mich auf den Tisch. Corinna Altenburg schob das Glas Wasser in mein Blickfeld und forderte mich auf zu trinken. Mit zitternden Händen nahm ich das Glas, nur um es gleich wieder abzustellen.

»Ich verstehe das alles nicht. Warum sollte Alex mich denn zu seinem Vater geschickt haben? Das kann doch nur ein einziger großer Irrtum sein.«

»Ich weiß nicht, worum es ihm dabei ging«, antwortete die Beamtin. »Zurzeit lässt sich mit Gewissheit nur sagen, dass Alex Wagatha Ihnen Geschichten erzählt hat.«

»All das soll gelogen gewesen sein?«

»Ja, Frau Rosin, das war es. Ihr Freund hatte keine Geschwister. Seine Mutter ist vor Jahren bei einem Verkehrsunfall ums Leben gekommen, und er ist dann allein bei seinem Vater aufgewachsen. Seinen Lebensunterhalt hat er sich ausschließlich mit Taxifahren verdient. Es gab keine anderen Einnahmequellen.«

»Aber er war Journalist, er …« Meine Stimme versagte mir endgültig.

»Laut Aussage seines Vaters hatte er keine abgeschlossene Ausbildung. Er hat mehrere Studien abgebrochen, lange Zeit als Barkeeper gearbeitet und sich dann schließlich als Taxifahrer verdingt. Die Wohnung, in der er gewohnt hat, gehörte seiner Mutter. Er hat sie von ihr geerbt.« Sie hielt kurz inne. »Sein Vater hat ihn als Pseudologen bezeichnet. Demnach hat Ihr Freund unter einer ernst zu nehmenden Persönlichkeitsstörung gelitten.«

»Was bedeutet das? War er krank?«

»Nicht im klassischen psychiatrischen Sinn. Allerdings war bei ihm ein bestimmtes von der Norm abweichendes Verhalten extrem ausgeprägt.«

»Sie meinen das Lügen.«

»Ja.«

»Und das soll jetzt alles erklären? Ist er damit von jeder Schuld befreit?«

»Ich kenne das Ausmaß seiner Störung nicht, Frau Rosin, insofern kann ich Ihnen nicht so sehr viel dazu sagen.«

»War ihm bewusst, was er tat?«

»Vermutlich. Aber er wird vielleicht geglaubt haben, nicht anders handeln zu können. Vielleicht war ihm auch der Gewinn durch seine Lügengeschichten mehr wert als alles andere.«

»Sie meinen, mehr wert als ich«, brachte ich es auf den Punkt.

»Er wird unter seiner Störung gelitten haben. So etwas geht nicht ohne soziale Isolierung einher.«

»Und ich soll jetzt einfach einen Schalter umlegen und ihn bedauern?« Ich schüttelte den Kopf. Am liebsten hätte ich mir die Ohren zugehalten, um dem ein Ende zu machen. Um nichts mehr zu hören, was mir die letzten Reste von festem Boden unter meinen Füßen wegzog und nur Treibsand übrig ließ.

»Und Biggi?«, fragte ich schließlich, nachdem ich mich mit aller Kraft zusammengerissen hatte.

»Es ist möglich, dass es sie tatsächlich gibt. Nach allem, was wir bisher wissen, ist es jedoch wahrscheinlicher, dass auch sie eine Erfindung war.«

»Aber wozu hätte er denn, als wir uns kennenlernten, eine andere Frau erfinden sollen, mit der er angeblich eine feste Beziehung hatte? Und von der er sich dann auch noch hatte trennen wollen?«

Die Beamtin sah mich mitfühlend an. »Das habe ich mich auch gefragt.« Offensichtlich hatte sie eine ziemlich genaue Vorstellung davon, was in mir vorging, und sie schien sich als Überbringerin all dieser schlechten Nachrichten nicht wohl in ihrer Haut zu fühlen. »Manche Menschen täuschen eine Beziehung vor, weil sie Angst vor Nähe haben. Sie können dann bei Bedarf hinter dieser anderen Bindung in Deckung gehen. Im Fall von Alex Wagatha nehme ich an, dass es aus dem gleichen Grund geschah, aus dem er all die anderen Lügen erzählt hat. Er wollte sich wichtigmachen. Er wollte etwas Besonderes sein, Aufmerksamkeit bekommen, und auf eine perfide Weise hat er sich Ihnen gegenüber dadurch glaubwürdig gemacht. Er hat Ihnen ganz offen gestanden, dass er fest liiert ist. Für Sie musste es so aussehen, als würde er mit nichts hinterm Berg halten. Und ich vermute mal, dass er dabei Ihre Arbeit mit ins Kalkül gezogen hat. Immerhin haben Sie es Tag für Tag mit Menschen zu tun, die ihren Beziehungsstatus in welche Richtung auch immer verdecken wollen. Da muss Alex Wagatha Ihnen wie eine große Ausnahmeerscheinung vorgekommen sein.«

»Wir hatten uns ineinander verliebt«, stammelte ich fassungslos. »Alex hat ständig davon gesprochen, dass er mehr Zeit mit mir verbringen möchte. Deshalb wollte er die Sache mit Biggi so schnell wie möglich beenden.«

Es war, als hätte jemand einen Eimer mit Eiswasser über mir ausgekippt. Willkommen in der Realität, Dana! Wie war es möglich, dass ich Alex so sehr auf den Leim gegangen war? Hatte ich nicht schon längst alle Lügen gehört? Alex hatte mich eines Besseren belehrt.

»Lassen Sie uns noch einmal auf den Freitagmorgen zurückkommen«, riss Corinna Altenburg mich aus meinen Gedanken. »Wie es sich jetzt darstellt, hat Rike Jordan bei Ihrem Freund geklingelt. Sie wird ihm gerade recht gekommen sein und unwissentlich in die Hände gespielt haben. Durch seine Nachbarin konnte er Biggi noch weiter untermauern und ihr noch mehr Realität verleihen.«

»Noch mehr Realität verleihen?« In meinem Magen rumorte es. Ich presste meine Faust darauf. »Für mich war Biggi real, da musste nichts untermauert werden. Ich habe Alex geglaubt. Wäre er nicht umgebracht worden, hätte er mir vermutlich nach seinem Treffen mit Biggi vorgegaukelt, er hätte sich von ihr getrennt.«

»Möglich«, sagte Corinna Altenburg. »Vielleicht hätte er aber auch behauptet, er habe es nicht übers Herz gebracht, weil sie gerade in einer schwierigen Lebensphase stecke, und dann wäre vermutlich alles noch eine ganze Weile weiter wie bisher verlaufen.«

Ich holte tief Luft. »Und Robert Eichberger? Nachdem er gestern vor meiner Tür stand, habe ich für möglich gehalten, dass er hinter den Morden steckt. Aber jetzt … Warum war er dort? Was wollte er von mir?«

»Er hat von uns erfahren, dass Sie und sein Sohn ein Paar waren. Er weiß jedoch nicht, dass Sie sich während der Morde in der Wohnung aufgehalten haben. Ob er über Ihre Identität als Elisa Tenzer informiert ist, kann ich nicht sagen. Er müsste Sie nur googeln und sich Fotos von Ihnen ansehen. Aber letztlich wird das für Sie beide keine Rolle mehr spielen.«

»Aber wie hat er meine Adresse herausgefunden? Haben Sie ihm die gegeben?«

»Nein.«

»Meine Adresse ist nicht öffentlich zugänglich. Ich gehe sehr vorsichtig damit um.«

»Ich weiß nicht, wie er daran gekommen ist.«

»Haben Sie ihn nach Biggi gefragt?«

»Das haben wir. Er kennt sie nicht. Allerdings hatte er jahrelang keinen Kontakt zu seinem Sohn. Insofern besagt das nichts.«

Mit einer fahrigen Geste deutete ich auf die Akten auf ihrem Tisch. »Was bedeutet das denn nun alles in Bezug auf die beiden Morde?«

»Das lässt sich noch nicht sagen, Frau Rosin. Wir arbeiten mit Hochdruck daran und verfolgen verschiedene Ansätze.«

»Wenn Alex und seine Arbeit nicht im Fokus standen, was bleibt denn dann noch als Motiv? Rike Jordans eifersüchtiger Mann?«

Corinna Altenburg hob erstaunt die Brauen.

»Ihre Schwester hat mir von ihm erzählt«, erklärte ich. »Außer ihm bleibt nur noch Karen Döring.«

»Wir haben diese beiden Möglichkeiten im Blick, Frau Rosin. Aber wir halten die Tür auch für weitere Ansätze offen, damit wir uns nicht zu früh festlegen und blind für andere Zusammenhänge werden. Nichts ist schlimmer, als voreilige Schlüsse zu ziehen und sich in Spekulationen zu ergehen. Wenn wir uns zu früh eine Meinung bilden, ist die Gefahr groß, dass wir ihr alles unterordnen und unbewusst nur nach Beweisen suchen, die diese Meinung untermauern.«

»Aber was soll es denn noch groß geben außer einem eifersüchtigen Ehemann und einer rachsüchtigen Ehefrau? Alex ist ja wohl aus dem Spiel.«

»So etwas Ähnliches habe ich schon einmal gedacht, nur um dann eines Besseren belehrt zu werden.«

12 Der Mann, der Probleme mit meiner Alibi-Agentur gehabt hatte, mit all den Lügen, die mein tägliches Geschäft waren, hatte mich vom ersten Augenblick an hinters Licht geführt. Ausgerechnet Alex, dessen Metier angeblich die Wahrheit gewesen war, für die er jeden Tag gekämpft hatte. Was für ein Hohn.

Wir hatten uns unsere Lebensgeschichten erzählt. Dabei hatte ich meine abgeschwächt, um ihn nicht zu erschrecken, und ich hatte ihm seine ganz selbstverständlich abgenommen. *Entsetzlich*, hatte ich gedacht, *tragisch*. Keine Sekunde lang hatte ich daran gezweifelt, dass es sich um die Wahrheit handelte. Ich hatte seine Stimme noch im Ohr, als er sagte, nur wer einen schweren Verlust am eigenen Leib zu spüren bekommen habe, könne ihn auch im anderen wirklich nachempfinden und verstehen. Unsere Biografien würden uns zusammenschweißen.

Ich spürte, wie meine Wut all die Trauer und den Schmerz unter sich begrub. Wie Lava. Auf perfide Weise hatte es fast etwas Erlösendes. Wut war um einiges leichter zu ertragen als Trauer. Wobei sich die Frage stellte, um wen ich eigentlich trauerte. Seit dem Gespräch mit Corinna Altenburg wusste ich, dass der Alex, den ich zu kennen glaubte, nie existiert hatte. Er war zu einem Fremden geworden, und er hatte mir eine Lektion erteilt: Das, worauf ich mir etwas eingebildet hatte, nämlich mein untrügliches Gespür für Menschen, war nichts als eine Illusion. Es hatte nur jemand kommen müssen, der die Knöpfe kannte, an denen man drehen musste, um einen Menschen nach allen Regeln der

Kunst zu manipulieren. Und ich war darauf hereingefallen. Als ich mich in ihn verliebte, hatte ich geglaubt, nicht blauäugig zu sein, weil ich der Vernunft immer noch genügend Raum eingeräumt hatte. »Lass es uns langsam angehen und nichts übereilen«, hatte ich zu ihm gesagt. Dass uns nicht viel Zeit bleiben würde und wir niemals eine Chance hatten, konnte ich damals nicht ahnen.

Es gab immer noch so viele Fragen, und ich hatte nicht die leiseste Ahnung, ob ich jemals Antworten darauf finden würde. Alex war tot, er konnte sie mir nicht mehr geben.

Als hätte ich mich verirrt, stand ich um kurz vor zehn vor dem Gebäude, in dem Corinna Altenburg und ihre Kollegen weiter nach Ansätzen suchten, um die Morde aufzuklären. Was mit dem Einbruch in meine Wohnung sei, hatte ich sie noch gefragt. Ob er mit den Morden in Zusammenhang stehe? Auch dazu könnte sie noch nicht viel sagen, hatte sie geantwortet. Zweifelsfrei stehe bisher nur fest, dass er nicht das Werk eines Profis sei. Wieso sie sich da so sicher sein könne? Nur weil nichts gestohlen worden sei? Es habe nichts mit der Beute zu tun, sondern mit der Art des Vorgehens, beispielsweise bei den Schubladenschränken. Es sei ein großer Unterschied, ob die Schubladen alle offen stünden oder nur die unterste. Alle Schubladen stünden nur dann offen, wenn mit der untersten begonnen würde. Professionelle Täter würden so Zeit sparen. Würden sie nämlich oben beginnen, müsste jede Lade erst wieder zugeschoben werden. Bei meinen beiden Schubladenschränken hätte jeweils nur in der Mitte eine Lade offen gestanden. Wie das in ihr Konzept passe? Es passe insofern hinein, als dass sie überzeugt seien, dass der Einbruch bei mir nicht dem Ziel gedient habe, Beute zu machen. Dann sei er nur vorgetäuscht worden? Das sei doch dann aber der Beweis, dass er mit den Morden in Verbindung stehe. Von einem

Beweis könne man nicht sprechen, höchstens von einem Indiz.

Von der Kripo fuhr ich direkt zum *Wunschkonzert* und klopfte am Hintereingang. Die schräg stehende Sonne kämpfte sich durch die verzerrten Föhnwolken. Der Wind fegte getrocknetes Laub über den Hof.

»Was ist passiert?«, fragte Henry, als er mir öffnete. Er trug seinen weißen Kochkittel und hatte sich ein rotes Nickituch um Stirn und Kopf gebunden. Auf seinem Gesicht zeichneten sich Schweißperlen ab.

»Darf ich in der Küche helfen?«

Er forschte in meinem Gesicht, zog dabei die Brauen zusammen und nickte schließlich. »Vorausgesetzt, du mischst niemandem Gift ins Essen.«

»Sehe ich so aus?«

»Ja.«

»Ich möchte einfach nur irgendetwas tun. Vielleicht kann ich etwas schnippeln?«

Er trat einen Schritt zur Seite und ließ mich vorbei. »Du kannst die Schnitzel klopfen.«

Nachdem ich mir ebenfalls einen Kittel übergezogen, die Hände gewaschen und den zweiten Koch und die beiden Küchenhilfen über den normalen Küchenlärm hinweg begrüßt hatte, fragte ich Henry nach einem Schnitzelklopfer. Er reichte mir ein flaches, großes Messer und meinte, mit einem Klopfer würde ich die Fleischfasern zerstören. Ich griff danach, vergaß für Momente alles um mich herum und schlug zu. Wieder und wieder. Bis Henry meinen Arm packte und mir Einhalt gebot.

»Wer muss denn da gerade dran glauben?«, fragte er.

»Alex.«

»Alex ist bereits tot.«

»Du hattest recht, ich hätte die Finger von ihm lassen sollen.«

Behutsam löste er das Messer aus meiner Hand, drehte mich zu sich und sah mich eindringlich an. »Das klingt nach unschönen Wahrheiten.«

»Unschön ist gar kein Ausdruck.«

Er zog mich an sich, hielt mich fest und strich mir über den Kopf. Dann küsste er mich auf die Wange. »Und das an deinem Geburtstag. Was hältst du davon, wenn wir kurz in den Hof gehen und reden?«

»Aber du hast doch zu tun.«

»Die anderen werden das auch ein paar Minuten lang ohne mich hinbekommen. Geh schon mal vor!«

Fünf Minuten später gesellte er sich mit zwei alkoholfreien Fruchtcocktails zu mir. Er hatte mir eine warme Jacke mitgebracht, die er mir um die Schultern legte, bevor er sich auf einen der Campingstühle setzte. Ich erzählte ohne Punkt und Komma, während Henry sich das Tuch vom Kopf nahm und mit beiden Hände durch die Haare fuhr. Meine Worte sprudelten wie ein einziger Sturzbach aus mir heraus, und ich war Henry dankbar dafür, dass er kein einziges Mal die Frage stellte, warum ich von alldem nichts gemerkt hatte.

»Ein Pseudologe, sagst du?«, vergewisserte er sich, als ich geendet hatte.

»So hat ihn sein Vater genannt.«

»Warte kurz!« Er verschwand im Haus und kehrte kurz darauf mit seinem Laptop zurück. Nachdem er ihn aufgeklappt und etwas eingetippt hatte, begann er zu lesen. »Dass es sich um eine ernst zu nehmende Persönlichkeitsstörung handelt, weißt du ja bereits«, sagte er und las weiter.

Der Pseudologe oder Mythomane, wie er auch genannt werde, sei ein zwanghafter Lügner. Er sei psychisch labil und begnüge sich nicht mit Schönfärberei, wie wir alle sie vielleicht hin und wieder praktizierten. Oftmals handle es sich um sehr liebenswerte, empathiefähige Menschen, die hinter ihren Lügen Schutz suchten, weil sie sich ohne sie schwach und angreifbar fühlten – und weil es ihnen ohne dieses Lügengerüst an Aufmerksamkeit fehle. Viele der Pseudologen hätten in ihrer Kindheit unter einem Vakuum gelitten. Sie hätten etwas Elementares entbehrt, seien im Heim aufgewachsen oder hätten eine Mutter gehabt, die sich nicht um sie hätte kümmern können. Sie seien Außenseiter gewesen, gehänselt worden oder hätten lieblose Eltern gehabt. Die Folge sei ein verkümmertes Selbstbewusstsein. Irgendwann hätten diese Menschen dann durch eine zufällige Lüge entdeckt, wie es sich anfühlt, beim Gegenüber Staunen und Bewunderung hervorzurufen. Das sei wie eine Einstiegsdroge für die Betroffenen. Das Lügen sei dann immer häufiger eine Möglichkeit, sich unangenehmen Situationen zu entziehen. Es verberge sich aber auch der Wunsch dahinter, andere glücklich zu machen. Pseudologen wollten sich nicht wie Hochstapler einen finanziellen Vorteil erschleichen, sondern sie würden aus einer inneren Not heraus lügen. Sie bräuchten Aufmerksamkeit und Anerkennung. Sie würden sich in ihrer Wunschwelt verlieren, und sie seien so überzeugend, dass sie nur schwer zu entlarven seien.

Henry hielt kurz inne und nahm einen Schluck von seinem Fruchtcocktail. Aus dem Nachbarhof waren fröhliche Kinderstimmen zu hören und ein Ball, der unablässig gegen die Hausmauer knallte. Ich zuckte bei dem Geräusch zusammen.

»Schreib dir das hinter die Stirn, Dana, hörst du? Wenn du so jemandem auf den Leim gehst, geht es nicht um Gutgläubigkeit oder Naivität, sondern darum, dass du eigentlich keine Chance hast.« Er sah mich prüfend an, ob seine Botschaft angekommen war, bevor er weiterlas. »Hier hat eine Psychoanalytikerin die Pseudologen mit Tagträumern verglichen, die ihre bunten Fantasien ihrer Umwelt als Realität vorgaukeln. Ein Berliner Spezialist sagt, dass sie sich gerne als Opfer darstellen, worauf die Mitmenschen mit Rücksicht, Wärme, Trost und Zuwendung reagieren.« Er stockte.

»Was ist?«, fragte ich.

»Hier steht, dass es einen Menschen aus der Bahn werfen könne, wenn er an einen Pseudologen gerate.«

»Das beschreibt ziemlich genau, wie ich mich gerade fühle. Ich habe ihm wirklich jedes Wort geglaubt und ihn für einen zutiefst aufrichtigen Menschen gehalten. Ist das nicht absurd? *Aufrichtig* … Ich frage mich, wie es weitergegangen wäre, wenn er nicht umgebracht worden wäre.«

»Irgendwann wäre er an seine Grenzen gestoßen.«

Vom *Wunschkonzert* bis zu meiner Wohnung waren es nur knapp fünfhundert Meter. Bevor ich auf die Straße trat, scannte ich wie schon unzählige Male in den vergangenen beiden Tagen meine Umgebung. Erst als ich überzeugt war, dass mich niemand beobachtete, radelte ich los. Trotzdem sah ich mich immer wieder nach möglichen Verfolgern um, bis ich innerlich ein Stück zur Seite trat und mich selbst bei dem beobachtete, was ich da gerade tat. Vor etwas mehr als zwei Tagen war mein Leben noch in Ordnung gewesen. Dann hatte es einen Schlag nach dem anderen getan und mich all meiner Sicherheiten beraubt.

Weil der letzte Abschnitt der Valleystraße durch einen Ausflugsbus blockiert war, der sich offensichtlich verfahren hatte und zurückzusetzen versuchte, kürzte ich ein Stück über den Bürgersteig ab. Auf Höhe meines Hauses wollte ich gerade die Straße überqueren, als plötzlich ein Mann hinter einem geparkten Wagen hervortrat und sich mir in den Weg stellte. Nur durch eine Vollbremsung konnte ich den Zusammenprall gerade noch verhindern. Während ich vom Rad stieg, schleuderte ich Karen Dörings Mann, einem ebenso durchtrainierten wie durchgestylten, schlanken Glatzkopf Mitte fünfzig, einen wütenden Blick entgegen.

»Sind Sie verrückt geworden?«, herrschte ich ihn an. »Was soll das?«

»Ich muss mit Ihnen reden.« Er hatte sich keinen Millimeter von der Stelle gerührt, stand breitbeinig vor mir und stützte die Hände in die Hüften. Seine Augen waren hinter einer dunklen Sonnenbrille verborgen.

»Sie hätten mich im Büro anrufen können. Woher wissen Sie überhaupt, wo ich wohne?«

»Aus dem iPhone meiner Frau. Sie hat Ihre Daten darin gespeichert.«

»Meine Adresse ist nicht so einfach herauszufinden. Außer, man verfolgt mich bis nach Hause.« Ich lehnte mich gegen die Motorhaube eines SUVs. Mein Puls raste immer noch, und ich versuchte, meinen Atem zu beruhigen. »Wissen Sie, dass Ihre Frau mir seit einiger Zeit nachstellt? Dass sie meine Geschäftsaufgabe erzwingen will und mich bedroht?«

»Jetzt übertreiben Sie mal nicht, Frau Rosin! Karen ist lediglich ein wenig neben der Spur, seitdem sie von meiner Affäre Wind bekommen hat, und sie hat sich nun in den Kopf gesetzt, dass es nur so weit hat kommen können, weil Sie Ihre Finger im Spiel hatten. Deshalb wollte ich ja auch mit Ihnen reden. Ich kenne meine Frau, die beruhigt sich bald wieder.«

»Ihre Frau war in meinem Büro und hat sich dort wie eine Furie aufgeführt, und gestern Abend ist sie mir in ein Restaurant gefolgt. Ich habe mich deswegen schon an die Polizei gewandt.«

Hanns Döring wurde blass, schob die Sonnenbrille über die Stirn zurück und verengte seine Augen. »Wegen einer solchen Lappalie? Das ist doch nicht Ihr Ernst!« Mit geballten Fäusten trat er einen Schritt auf mich zu und senkte die Stimme. »Ich kann mir so etwas zurzeit nicht leisten. Verstehen Sie? Ich stecke mitten in einem sehr wichtigen Deal. Meine gesamte Existenz hängt davon ab. Meine Geschäftspartner legen gesteigerten Wert auf einen absolut einwandfreien Leumund. Wenn ausgerechnet jetzt bekannt würde, dass meine Frau mit der Polizei zu tun hat …« Er ließ das Ende seines Satzes offen. »Was kann ich tun? Wollen Sie Geld? Das ist kein Problem.«

»Sorgen Sie dafür, dass Ihre Frau mich in Ruhe lässt!«

»Versprechen Sie mir dafür im Gegenzug, dass …«

»Ich verspreche Ihnen überhaupt nichts, Herr Döring!«, schnitt ich ihm wütend das Wort ab. »Es geht hier nicht um Lappalien. Und auch nicht um Ihren verdammten Leumund. Oder Ihr Geld. Tun Sie sich und mir einen Gefallen und nehmen Sie in Zukunft die Dienste einer anderen Agentur in Anspruch.« Ich schob mein Rad zurück und machte Anstalten, ihn zu umrunden und die Straße an anderer Stelle zu überqueren.

»Das sollte mir nicht schwerfallen, Frau Rosin.« Er zog eine verächtliche Grimasse. »Solche wie Sie gibt es schließlich wie Sand am Meer.«

»Wunderbar! Dann haben Sie ja schon ein Problem weniger«, entgegnete ich und ließ ihn ohne ein weiteres Wort stehen.

Keine Minute später hatte ich die Haustür hinter mir geschlossen und beobachtete ihn durch die Scheibe hindurch. Als er in sein schräg gegenüber geparktes Auto stieg und losfuhr, rannte ich die Stufen zu meiner Wohnung hinauf.

13 Auf meinem Handy waren mehrere Geburtstags-SMS eingegangen, doch anstatt sie zu lesen, öffnete ich die DriveNow-App und suchte mir einen kleinen BMW, der nur ein paar Straßen weiter abgestellt war. Dann packte ich Helm, Handschuhe und Protektoren in eine Tasche für einen Ausflug an den Tegernsee.

Meine Hand lag schon auf der Türklinke, als es läutete und ich zurückzuckte. Wer auch immer unten vor dem Haus stand, gab hoffentlich schnell auf. Gleich darauf klingelte mein Handy. Im Display las ich *Fritz*. Da ich den Anruf nicht entgegennahm, traf wieder ein paar Sekunden später eine SMS von ihm ein: *Stehen vor deinem Haus, um dir zu gratulieren. Ist alles in Ordnung? Mache mir Sorgen!* Es fiel mir alles andere als leicht, ihn nicht augenblicklich von dieser Sorge zu erlösen. Aber ich hätte es nicht ertragen, umarmt und mit Liebe überschüttet zu werden. Nicht heute.

Während ich regungslos hinter der Tür stehen blieb, waren im Treppenhaus Stimmen zu hören, die sich näherten. Dann die Stimme meiner Nachbarin. Allem Anschein nach hatte sie Fritz und Marielu ins Haus gelassen. Als die beiden unser Stockwerk erreichten, bewunderte Gundula Mauss den selbst gebackenen Kuchen und die Blumen und empfahl, beides vor meiner Tür abzustellen, da ich wohl allem Anschein nach nicht zu Hause sei. Ob sie mich denn heute schon gehört oder gesehen hätte, wollte Fritz wissen. Ja, das hätte sie. Es müsse noch vor neun gewesen sein, da hätte sie zufällig gerade aus dem Fenster gesehen, als ich das Haus verließ. Ich hätte es ziemlich eilig gehabt. Die drei unterhielten sich noch einen Moment, dann verabschiedeten sich Fritz und Marielu.

Erst als ich mir sicher war, dass Gundula Mauss sich nicht mehr in der Nähe ihrer Tür aufhielt, öffnete ich leise, trug den bunten Dahlienstrauß in die Küche, wo ich ihn in eine Vase stellte, und schnitt mir ein Stück von Marielus Apfelstreusel ab. Während ich ihn hungrig verschlang und mir noch ein zweites Stück abschnitt, dankte ich ihr im Stillen.

Dann nahm ich meine Tasche, holte mein Downhill Bike aus dem Keller und machte mich auf die Suche nach dem Auto. Als ich zehn Minuten später alles darin verstaut hatte, schrieb ich Fritz eine SMS. *Kein Grund zur Sorge! Es ist alles okay. Bin in die Berge gefahren und heute Abend spät zurück.* Nach einer Minute traf seine Antwort mit einem Pling ein. *Dann sei umarmt, wir denken an Dich!*

Meine Beine steckten tief im Matsch. Beim Versuch, mich zu befreien, sank ich nur noch tiefer. Panik schnürte mir die Kehle zu. Ich wollte schreien, konnte aber nicht. Mein Mund steckte voller Watte. Mein Verfolger kam immer näher, ich konnte ihn hören, aber nicht sehen. Er schien überall zu sein, schien sich Zeit zu lassen, schien zu wissen, dass ich ihm nicht entkommen konnte. Und dann war er ganz nah, packte mich und blies mir seinen Atem in den Nacken. Am Ende meiner Kräfte und zutiefst verängstigt ließ ich den Kopf sinken. So fühlte es sich also an – das Ende. Wenn nichts mehr ging und es kein Entkommen gab. Wenn kein Laut mehr aus der Kehle drang, sondern nur noch Verzweiflung. Als ein unartikuliertes Gurgeln. Und dann dieses Klingeln, von irgendwoher. Immer lauter, immer näher.

Ich riss die Augen auf und starrte in die Dunkelheit. Starrte auf mein Handydisplay, das leuchtete und einen Anruf meldete. Es dauerte ein paar Sekunden, bis mich der

Traum aus seinen Klauen ließ. Zitternd und schweißgebadet setzte ich mich auf, lehnte mich gegen das Kopfende meines Bettes und versuchte, mich zu orientieren.

Ich hatte das Auto auf dem Parkplatz in Riedlern abgestellt und war über die Schwarzentennalm zur Weidbergalm hinaufgeradelt. Von dort aus war ich über sechshundert Höhenmeter in mörderischer Geschwindigkeit downhill gerast, war weitergefahren zur Talstation der Wallbergbahn und hatte unter gewaltiger Anstrengung mit dem Rad in Rekordzeit den Wallberg erklommen. Bergab war es dann über den Winterwanderweg zur Wallbergmooshütte gegangen. Es hatte mich eine ungeheure Konzentration gekostet, keinen der Sonntagswanderer, die dieser ungewöhnlich schöne Novembertag ins Freie gelockt hatte, über den Haufen zu fahren, und ich hatte mir das eine oder andere Schimpfwort eingehandelt.

Die konstant hohe Konzentration und die Anstrengung hatten meinen Kopf in null Komma nichts leer gefegt und keinen anderen Gedanken als den an die jeweilige Strecke zugelassen. Schließlich war ich so erschöpft gewesen, dass mir auf der Rückfahrt im Auto zweimal fast die Augen zugefallen waren. Zu Hause angekommen hatte ich mich nur noch in mein Bett verkrochen und war augenblicklich eingeschlafen.

Wieder klingelte das Handy. Dieses Mal drückte ich die grüne Taste und meldete mich.

»Hast du etwa schon geschlafen?«, fragte Niki gegen lautes Stimmengewirr an. »An deinem Geburtstag? Happy Birthday!«, trällerte sie. »Ich bin zwar etwas spät dran, aber immerhin nicht zu spät. Wo bist du gerade?«

»Zu Hause, in meinem Bett.« Ich blickte auf den Wecker neben mir. Es war kurz vor Mitternacht.

»Mit Alex? Feiert ihr denn gar nicht? Oder habt ihr schon?«

»Niki, ich …«

»Ich muss dir was erzählen.« Sie kicherte ins Telefon. »Hörst du mich? Sag was!«

»Wo bist du? Es ist so laut im Hintergrund.«

»In Köln, in einer Kneipe. Ich hab mich verliebt.«

»Oh.«

»Mehr fällt dir dazu nicht ein?« Niki lachte. Sie hatte eindeutig ein Glas zu viel getrunken.

»Es ist mitten in der Nacht. Zumindest fühlt es sich so an.«

»Es ist kurz vor zwölf. Du klingst furchtbar, Dana. Bist du etwa krank?«

»Ich habe schlecht geträumt«, krächzte ich ins Handy.

»Schlecht geträumt? Na, dann habe ich ja gerade rechtzeitig angerufen.« Wieder kicherte sie. »Eigentlich wollte ich dir nur sagen, dass du recht hattest. Dass es meistens aus heiterem Himmel geschieht. Das mit dem Verlieben, meine ich. Er heißt Piet und ist ein holländischer Kameramann. Und ob du's glaubst oder nicht: Er fand mich als Leiche umwerfend. Jetzt hoffe ich nur, dass …« Sie hatte begonnen zu flüstern, sodass ich sie gegen den Lärm in der Kneipe nicht mehr verstand.

»Was hast du gesagt?«

»Warte kurz, ich gehe raus.«

Auf ihrem Weg nach draußen hörte ich sie hier und da mit jemandem ein paar Worte wechseln. Es schien eine fröhliche, übermütige Runde zu sein.

»So, jetzt!«, sagte Niki und druckste plötzlich herum. »Es ist nämlich so: Weil er mich als Leiche so umwerfend fand, hoffe ich nur, dass er nicht pervers ist.«

»Ist das dein Ernst?«

»Na, es gibt doch diese Typen, die auf Leichen stehen.«

»Niki, du bist quicklebendig, du sprühst vor Lebensfreude.

Würde er auf Leichen stehen, würde er um dich einen riesigen Bogen machen.«

»Sicher?«

»Ganz sicher.«

Sie schwieg einen Moment und gab dann einen zufriedenen Seufzer von sich. »Und du? Ist bei dir alles gut? Du klingst irgendwie komisch.«

»Du hast mich aus dem Tiefschlaf gerissen.«

»Aus einem schlechten Traum. Sei froh. Und jetzt schlaf weiter! Ich gehe wieder rein.«

»Moment, Niki! Ich habe noch eine Frage. Erinnerst du dich an die Frau, die du vor knapp drei Wochen mit Alex zusammen in der *Schwarzreiter Tagesbar* gesehen hast?«

Sekundenlang war es still in der Leitung. »Habt ihr deswegen etwa Zoff? Er hatte nichts mit der, glaub mir! Die war gut zwanzig Jahre älter als er.«

»Wie sah sie aus?«

»Dana, steigerst du dich da gerade in was rein?«

»Bitte! Wie sah sie aus?«

»Wie ein Brigitte-Nielsen-Verschnitt, nur etwas kleiner. Weißblondes kurzes Haar, allerdings gefärbt. Im Gegensatz zu der Schauspielerin wirkte sie aber verbrauchter und wie der Typ Frau, der nicht alt werden kann und sich mit Gewalt auf jung trimmt. Und, Dana, hör mir bitte zu: Alex hat sie nicht wie eine Frau angesehen, an der er interessiert ist. Da war nichts zwischen den beiden. Hattet ihr wirklich keinen Zoff?«

»Nein, hatten wir nicht.«

»Dann schlaf jetzt weiter!«

»Wann kommst du zurück?«

»Spätestens Mittwoch.«

»Gut«, sagte ich tief in Gedanken und drückte die rote Taste.

Wie ein Brigitte-Nielsen-Verschnitt, hallten Nikis Worte in meinem Kopf wider. Alex hatte behauptet, sie sei eine Informantin in der Organhandelssache, aber wie alles andere war auch das eine Lüge gewesen. Wenn sie also keine Informantin gewesen war, wer war sie dann?

Brigitte-Nielsen-Verschnitt … Ich holte Karen Döring vor mein inneres Auge: Anfang fünfzig, kurze blond gefärbte Haare. Das kam hin – ungefähr. Mir lauerte sie ungefähr seit zwei Wochen auf. War es möglich, dass sie schon zuvor Kontakt zu Alex aufgenommen hatte? Nur wozu? Und wieso hätte er mir diese Begegnung verschweigen sollen? Selbst wenn sie über meine Arbeit hergezogen wäre, hätte er mit mir darüber reden können. Nein, das passte alles nicht zusammen.

Und dann durchfuhr es mich wie ein Blitz: Brigitte … Biggi. War die Frau in der *Schwarzreiter Tagesbar* Alex' Freundin gewesen? Die Frau, von der er behauptet hatte, sie sei erst neunundzwanzig, und von der die Polizei annahm, sie würde genauso wenig existieren wie alles andere? Hatte er sie mir gegenüber »Biggi« genannt wegen ihrer Ähnlichkeit mit Brigitte Nielsen?

Um kurz nach acht saß ich im Büro, rieb mir einen Eiswürfel über die Stirn und versuchte, nicht an meine Kopfschmerzen zu denken, die sich beim Aufwachen zu dem Muskelkater gesellt hatten. Ich schluckte eine Schmerztablette und gab mir alle Mühe, nicht in Selbstmitleid zu versinken. Was nicht gerade einfach war. Zwar standen die Grundpfeiler alle noch, aber drum herum war einiges zu Bruch gegangen.

Von Unruhe getrieben öffnete ich eines der Fenster, setzte mich in den Rahmen und atmete tief die kühle Morgenluft ein. Das Wetter hatte über Nacht umgeschlagen. Der Himmel war grau, und es hatte deutlich aufgefrischt.

Ich holte mein Handy und rief Corinna Altenburg an. Sofort schaltete sich die Mailbox ein, und unter ihrer Durchwahl im Kommissariat 11 meldete sich Leo Parsinger. Seine Kollegin sei gerade in einer Befragung. Ob er mir weiterhelfen könne?

Ich erzählte ihm von dem Gespräch mit Niki und von meiner Vermutung, dass es sich bei dem Brigitte-Nielsen-Verschnitt in der *Schwarzreiter Tagesbar* um Biggi gehandelt haben könnte. Ich wisse zwar, dass sie noch mit Niki sprechen würden, aber ich wollte ihnen diese Information schon einmal vorab geben.

Er schien gar nicht richtig zugehört zu haben und gab dann ein eher halbherziges »Aha« von sich, gefolgt von der Frage, ob das alles gewesen sei.

»Woran liegt es, Herr Parsinger?«

»Woran liegt was?«

»Dass Sie mich nicht ernst nehmen. Liegt es daran, dass Sie mich als Person ablehnen?«

»Wieso sollte ich das tun, Frau Rosin?«

»Weil ich einer Arbeit nachgehe, die Ihren moralischen Vorstellungen widerspricht.«

»Sie dürfen mir ruhig zutrauen, dass ich mir meinen Blick davon nicht trüben lasse.«

»Glauben Sie tatsächlich, Sie seien objektiv?«

»Davon bin ich überzeugt.«

Ich atmete tief ein und schluckte hinunter, was mir auf der Zunge lag. »Wann ist Ihre Kollegin wieder zu sprechen?«

»Sie wird Ihnen auch nichts anderes sagen können als ich, Frau Rosin.«

»Vielleicht nicht. Aber selbst wenn es dieselben Worte sein sollten, klingen sie bei ihr einfach anders. Im Gegensatz zu Ihnen hat sie nämlich ein Herz.«

Nachdem ich das Gespräch ohne ein weiteres Wort beendet hatte, kehrte ich zum Schreibtisch zurück und versuchte, mich auf meine Arbeit zu konzentrieren. Zeno hatte die noch unbearbeiteten Anfragen entsprechend ihrer Dringlichkeit mit Klebezetteln versehen. Auf einen dieser Zettel hatte er geschrieben: *Ist das nicht süß?* Ein Mann hatte uns beauftragt, Postkarten aus fünf Kontinenten zu verschicken. Auf jeder dieser Postkarten, die an seine Freundin adressiert waren, stand jeweils nur ein Wort. Zusammen ergaben sie seinen Heiratsantrag: *Willst du mich heiraten, Luisa?* Unsere Aufgabe würde es sein, sie an unsere Kontakte auf den jeweiligen Kontinenten zu schicken, die sie von dort zurücksenden würden. Luisa würde große Augen machen, wenn sie nacheinander und hoffentlich in der richtigen Reihenfolge eintrafen.

Meine Tränen fielen auf die Schreibtischplatte. Warum war mein Blick ausgerechnet daran hängen geblieben? Warum nicht an einer Anfrage für ein Alibi zum Seitensprung? Damit wäre ich an diesem Morgen besser zurechtgekommen.

»Morgen«, rief Zeno von der Tür her, während er seine Turnschuhe akribisch an der Fußmatte abrieb. In seinem Zimmer würde er sie ausziehen und neben der Tür auf Küchenkrepp abstellen, damit der Boden seines Büros nicht mit Spuren von Hunde- oder Katzenpipi kontaminiert würde. Niki und ich müssten es nicht verstehen, hatte er gleich zu Anfang gesagt, es würde ihm reichen, wenn wir es respektierten. Er sei nun einmal so gestrickt und könne nicht aus seiner Haut. Dafür könnten wir, was Hygiene anging, jede Menge von ihm lernen, und davon würden wir ganz sicher profitieren. Denn eines könne er uns versichern: Hygiene werde unterschätzt.

»Hallo, Zeno«, begrüßte ich ihn, nachdem ich mir blitzschnell die Tränen aus dem Gesicht gewischt hatte.

Er steckte den Kopf zur Tür herein, beäugte mich und runzelte die Stirn. »Du siehst nicht gut aus. Ist etwas passiert?« Er kam einen Schritt näher und legte den Kopf schief. »Du hast am Freitag schon so aufgelöst gewirkt. Hast du Sorgen? Ist es wegen dieser Freundin von Alex? Hast du nicht gesagt, sie gehöre der Vergangenheit an? Dana, jetzt sag doch was!«

»Setz dich bitte, Zeno.«

»O nein!« Mit beiden Händen vollführte er eine abwehrende Geste. »Ich will das nicht hören!«

»Was willst du nicht hören?«

»Dass du all das hier hinschmeißt.« Er sah sich im Büro um. »Ich beobachte dich schon seit einiger Zeit. Du magst nicht mehr? Habe ich recht? Seitdem du dich in Alex verliebt hast, hast du zunehmend ein Problem mit den Seitensprüngen. Das kann ich sogar verstehen, Dana, mir stinkt das auch manchmal, aber es finanziert uns alle. Vergiss das nicht!«

Mit großen Augen sah ich ihn an. War mein zunehmender Widerwille in den vergangenen Wochen so offensichtlich gewesen? Ich hatte geglaubt, ihn gut verbergen zu können.

»Stimmt, Zeno, in letzter Zeit habe ich mir tatsächlich manchmal gewünscht, etwas anderes machen zu können. Wenn du verliebt bist, möchtest du dir einfach ein paar Illusionen bewahren, aber darum geht es jetzt gar nicht …«

»Willst du mir etwa kündigen?«, fiel er mir ins Wort.

»Um Gottes willen, nein!«

»Es ist immer dasselbe und nur eine Frage der Zeit: Irgendwann gehe ich den Leuten mit all meinen Macken auf den Keks.« Er schien meine Antwort gar nicht gehört zu haben.

»Zu den Leuten zähle ich nicht. Das solltest du inzwischen wissen. Mich stören deine Eigenheiten nicht. Außerdem habe ich selbst welche.«

»Du bist ein Kontrollfreak.« Er entspannte sich sichtlich und ließ sich in den Stuhl zurücksinken. »Wenn es das nicht ist, was ist es dann? Schieß los! Ich bin ganz Ohr.«

»Das mit dem Schießen lassen wir lieber«, sagte ich und erzählte ihm die ganze Geschichte. Ich ließ nichts aus. Nicht einmal die Tatsache, dass ich während der Morde in der Wohnung gewesen war. Zeno war zutiefst integer, ich vertraute ihm.

Kaum hatte ich das gedacht, wurde mir bewusst, dass ich Alex bis gestern genauso beschrieben hätte. Bis zu dem Gespräch mit Corinna Altenburg hätte ich die Hand für ihn ins Feuer gelegt, und ich hätte mich umfassender nicht irren können. Ich richtete mich auf und drückte das Kreuz durch. Auch wenn so vieles noch ungeklärt, so vieles zu Bruch gegangen war, wollte ich mir von einem Pseudologen nicht diktieren lassen, meinen Mitmenschen in Zukunft voller Misstrauen zu begegnen – und schon gar nicht einem Menschen wie Zeno.

Schweigend ließ er seinen Blick auf mir ruhen, als ich geendet hatte, und sah dann eine ganze Weile aus dem Fenster in das Novembergrau.

»Starker Tobak«, presste er schließlich hervor. »Und du glaubst tatsächlich, diese Karen Döring könnte etwas damit zu tun haben?«

»Es ist eine Möglichkeit, aber eigentlich glaube ich selbst nicht so ganz daran. Sie ist ziemlich durchgeknallt und zieht aus den Seitensprüngen ihres Mannes meiner Meinung nach die völlig falschen Konsequenzen, aber letztlich halte ich sie nicht für eine Mörderin.«

Zeno nickte. »Wenn schon, dann wäre es doch auch viel sinnvoller, ihren Mann umzubringen oder eine seiner Geliebten. Aber dich und deinen Freund? Da erscheint mir die Variante mit dem eifersüchtigen Mann der Nachbarin um einiges plausibler. Vielleicht hat er Alex für ihren Lover gehalten.« Er legte den Kopf in den Nacken und dachte nach. »Alex als eigentliches Ziel können wir ja wohl streichen, nachdem sich die Sache mit den Enthüllungen als Lüge herausgestellt hat. Wer sollte einen Taxifahrer umbringen wollen? Hätte es jemand auf seine Tageseinnahmen abgesehen gehabt, hätte er sich ihn im Taxi geschnappt.«

»Bleiben seine Lügen«, sagte ich nachdenklich. »Vielleicht hat er damit jemanden gegen sich aufgebracht.«

Die Stunden schleppten sich zäh dahin. Während ich Zeno im Hintergrund mit Klienten telefonieren hörte, versuchte ich, ein Konzept für einen Neukunden auszuarbeiten, dem wir zwei Monate lang den Rücken freihalten sollten, damit er in einer Klinik seine Depression auskurieren konnte. Normalerweise flossen mir da die Ideen nur so aus der Feder, aber heute war meine Fantasie blockiert. Es blieb zwar nicht mehr viel Zeit, aber vielleicht reichte es, wenn Niki sich am Mittwoch darum kümmerte. Zeno laborierte an seiner Belastungsgrenze, ihm konnte ich nicht noch mehr aufhalsen.

Das Klingeln meines Handys riss mich aus meiner Erstarrung. Corinna Altenburg bat mich, noch einmal zu ihr ins Kommissariat zu kommen, um mir Fotos anzusehen. Ich gab Zeno Bescheid und radelte durch den einsetzenden Nieselregen in die Hansastraße, wo mir die Beamtin Fotos von verschiedenen Männern vorlegte.

»Kommt Ihnen einer von denen bekannt vor?«, fragte sie.

Wie bereits gestern saßen wir uns an ihrem Schreibtisch gegenüber. Von schräg rechts traf mich Leo Parsingers Blick. Ich versuchte, ihn zu ignorieren und mich auf die Portraitfotos zu konzentrieren. Nacheinander sah ich mir zehn Männer an. Dann tippte ich auf eines der Bilder.

»Den hier erkenne ich. Das ist Jürgen Kunze, der Mann von Rike Jordan. Ich habe ihn gegoogelt.«

»Haben Sie ihn abgesehen von Google schon einmal gesehen?«

»Nein.«

Sie zog weitere Fotos aus einer Akte. Sie zeigten nicht nur das Gesicht des Mannes, sondern auch seine gesamte Erscheinung. »Schauen Sie sich die Bilder bitte genau an, speziell seinen Körperbau.«

Ich tat wie geheißen und scannte seinen Körper Zentimeter für Zentimeter. Er war durchtrainiert und muskulös. Seine Haarfarbe war in etwa so undefinierbar wie die des Täters, aber einen Ton dunkler. Obwohl seine Arme ähnlich stark behaart waren, blieb mein Puls ruhig. Da war kein Wiedererkennen. Die Bilder machten mir keine Angst. Obwohl es Ähnlichkeiten gab, passten sie nicht zu meiner Erinnerung.

»Es ist etwas anderes, jemandem ins Gesicht sehen zu können, ihn quasi als Gesamtbild zu betrachten, als ihn mit einer Maske zu beobachten«, meinte ich zögernd. »Trotzdem bin ich mir ziemlich sicher, dass er nicht der Fuchsmann war.«

»Sie haben den Fuchsmann als muskulös und durchtrainiert beschrieben, seine Haare, seinen ...«

»Seine Haare waren einen Ton heller als die von Jürgen Kunze.«

»Das könnte an den unterschiedlichen Lichtverhältnissen von Fotoaufnahmen und Tatort liegen. Was ist mit der Art, sich zu kleiden?«

»Die ist ähnlich, aber ...« Ich wusste nicht, wie ich es in Worte fassen sollte. »Es macht einfach nicht klick.«

»Ein Foto ist etwas anderes, als jemandem in natura zu begegnen. Ich will nicht vorschnell Entwarnung geben, aber ich denke, dass Sie sich keine Sorgen mehr zu machen brauchen. So, wie es aussieht, war Rike Jordan beziehungsweise Ulrike Kunze das eigentliche Ziel.«

»Sie glauben wirklich, ihr Mann war der Täter?«

»Die Morde könnten auch von ihm in Auftrag gegeben worden sein. In jedem Fall haben sich die Indizien verdichtet, dass er dahinterstecken könnte.«

»Wenn das so ist, warum wurde dann auch Alex umgebracht? Und warum in seiner Wohnung?«

Leo Parsinger, der die ganze Zeit über etwas in seinen PC getippt hatte, hielt inne. Ich sah zu ihm.

»Wir vermuten, dass Frau Jordan in ihrer eigenen Wohnung hätte überfallen werden sollen. Dass der Täter dann aber, als er sie in Herrn Wagathas Wohnung hat gehen sehen, spontan die Chance ergriffen hat, von seinem eigentlichen Ziel abzulenken. Aber wie gesagt, es ist nur eine Vermutung, die es zu verifizieren gilt.«

»Das heißt, Sie haben ihn noch gar nicht befragt? Oder schweigt er sich dazu aus?«

»Wir haben ihn noch nicht befragen können«, antwortete Corinna Altenburg.

»Wie passt das Drogenpäckchen in Ihre Theorie?«

Wieder schaltete Leo Parsinger sich ein. »Über die reine Theorie sind wir längst hinaus. Wir bewegen uns im Bereich einer starken, tragfähigen Vermutung. In die auch das Päckchen passt. Es wird dem Zweck gedient haben, eine falsche Spur zu legen. Es sollte vortäuschen, dass seine Frau etwas mit Drogen zu tun hatte und deswegen sterben musste.«

»Und der Blick in meinen Ausweis?«, hakte ich skeptisch nach.

»Möglicherweise hat der Täter angenommen, Rike Jordan habe sich eine weitere Identität geschaffen«, meinte Corinna Altenburg nach kurzem Zögern. Täuschte ich mich, oder war sie selbst skeptisch, was diese Frage anging?

»Diese andere Identität hätte doch aber nach ihrem Tod gar keine Rolle mehr gespielt. Wozu also damit Zeit verschwenden? Und noch etwas: Wenn der Mörder ihr eigener Mann war, hätte er am Foto erkennen müssen, dass es sich nicht um seine Frau handelt.«

Sie nickte.

»Selbst wenn es sich also um einen gedungenen Mörder gehandelt hätte …« Für einen Moment geriet in meinem Kopf alles durcheinander, und ich musste mich anstrengen, einen klaren Gedanken zu fassen. »Aus Ulrike Kunze war ja bereits Rike Jordan geworden. Das muss der Täter gewusst haben, sonst hätte er sie ja gar nicht gefunden. Warum hätte er annehmen sollen, Rike Jordan habe sich eine weitere Identität geschaffen?«

»Das wissen wir nicht. Wir können nur aus seiner Reaktion, die Sie beschrieben haben, schließen, dass es so oder ähnlich gewesen sein muss. Hätte er den Ausweis nicht auf die Tote bezogen, hätte er annehmen müssen, es befinde sich noch eine weitere Person in der Wohnung. In dem Fall wären Sie mit großer Wahrscheinlichkeit nicht mehr am Leben, Frau Rosin.«

»Beim letzten Mal, als wir darüber sprachen, waren Sie noch überzeugt, der Täter könne angenommen haben, ich hätte meine Tasche bei Alex liegen lassen.«

»Das ist zugegebenermaßen die weniger wahrscheinliche Erklärung.«

Es hätte so gewesen sein können. Sekundenlang spürte ich sogar so etwas wie Erleichterung. Was aber, wenn alles doch ganz anders gewesen war? Wenn der Täter mit dem

Blick in den Ausweis hatte sichergehen wollen, dass die Tote Dana Rosin war?

Ich holte tief Luft, um das Band zu sprengen, das sich um meinen Brustkorb legte. »Was ist mit dem Einbruch bei mir? Wie passt der da hinein?«

»Den halten wir für ein rein zufälliges Zusammentreffen«, kam es von Leo Parsinger. Er beugte sich wieder über seine Tastatur und fuhr fort zu tippen.

Ich wandte mich an seine Kollegin. »Wie oft kommt es vor, dass bei einem Einbruch nichts gestohlen wird?«

Es war nur ein kurzes Aufblitzen in ihren Augen, aber ich hatte es wahrgenommen. Mir kam es vor, als hätte ich mit meiner Frage an einen weiteren leisen Zweifel gerührt. An einen Punkt, der sich ihrer Theorie nicht so ohne Weiteres unterordnen ließ.

»Es kommt vor, wenn der Täter gestört wird.«

»Derjenige, der bei mir eingebrochen ist, hatte genug Zeit, um alle Schränke und Kommoden zu öffnen. Und selbst wenn er kein Profi war, wie Sie sagten, wollen Sie mir allen Ernstes weismachen, dass er sich erst einmal alles ansieht und dann entscheidet, was er mitnimmt?«

»Nein, das will ich nicht, Frau Rosin.«

»Das heißt, Sie sind nicht vollständig überzeugt.«

»Der Einbruch bei Ihnen ist zugegebenermaßen seltsam und fügt sich in kein Muster. Daraus zwingend zu schließen, dass er mit den Morden in Verbindung steht, wäre jedoch falsch. Es könnte eine davon getrennte Geschichte im Hintergrund laufen.«

»Sie meinen Karen Döring.«

»Das ist zumindest nicht völlig auszuschließen.«

Ich betrachtete eines der Ganzkörperfotos von Jürgen Kunze noch einmal genauer. »Er trägt seine Armbanduhr links. Der Täter trug sie an seinem rechten Handgelenk.«

Sie folgte meinem Blick und zog das Foto zu sich heran, um es sich ebenfalls anzusehen.»Wie gesagt: Es ist noch nicht sicher, dass er die Morde selbst begangen hat. Er könnte jemanden damit beauftragt haben. Unsere bisherigen Erkenntnisse lassen aber immerhin schon mal den Schluss zu, dass er tief in die Sache verstrickt ist.«

»Besitzt er eine Rolex Daytona und solch ein Fitnessarmband?«, fragte ich.

»Das ist eine der vielen Fragen, die noch zu klären sein werden.«

»Und Sie sind sich sicher, dass Sie kurz vor der Auflösung stehen und nicht etwa versuchen, die Beweise auf genau diesen Täter zuzuschneiden, weil Sie sich auf ihn eingeschossen haben? In einem unserer ersten Gespräche haben Sie mir gesagt, dass Sie die Tür für weitere Ansätze offen halten, damit Sie sich nicht zu früh festlegen und blind für andere Zusammenhänge werden.«

»Stimmt, das habe ich gesagt, und nach dieser Maxime handeln wir auch.« Sie betrachtete mich eingehend, als versuche sie, sich einmal mehr ein Bild von mir zu machen und zu verstehen, was hinter meiner Stirn vor sich ging. »Aber wenn sich eine Richtung als zielführend herauskristallisiert, müssen wir sie verfolgen.« Sie rieb sich die Nase. »Mordmotive sind oft ganz banal, Frau Rosin. Eifersucht und verletzte Gefühle rangieren dabei ganz weit vorne. Ich kann Sie gut verstehen. Sie haben die beiden Toten vor Augen, die von einer Sekunde auf die andere ihrer Zukunft beraubt wurden. Es ist eine monströse Tat, und verständlicherweise vermutet man dahinter dann auch zwingend etwas Monströses, etwas, das man selbst vielleicht sogar im Extremfall nachvollziehen könnte, aber die Motive sind, wie gesagt, meistens völlig banal. In diesem Fall handelt es sich vermutlich um einen in seinem männlichen Stolz verletzten Ehemann, der Rache genommen hat. Ein Beziehungsdelikt, das noch dazu dem völlig unbeteiligten Alex Wagatha auf tragische Weise zum Verhängnis geworden ist.«

»Und dass es mit Alex zu tun hat, schließen Sie nun doch völlig aus?«

»Wir haben sein Leben akribisch durchleuchtet, und es deutet nichts darauf hin, dass er das eigentliche Ziel gewesen sein könnte.«

»Was ist mit meinem Leben? Haben Sie das auch durchleuchtet?«

»Ich weiß, was Sie hinter sich haben, Frau Rosin. Die aktuellen Ereignisse müssen Sie zutiefst erschüttert haben. Aber vertrauen Sie uns und versuchen Sie, sich nicht weiter zu ängstigen. Ich habe ausführlich mit Frau Döring gesprochen. Außerdem habe ich einen für Stalking zuständigen Kollegen zwecks Gefährderansprache zu ihr geschickt. Deshalb hoffe ich, dass von dieser Seite her jetzt Ruhe einkehrt. Sollten Sie weiterhin von ihr belästigt werden, melden Sie sich bitte bei uns.«

Ich warf Leo Parsinger einen beredten Blick zu. Er wich ihm nicht aus, sondern hielt ihm stand.

»Um seine Arbeit gewissenhaft zu machen, braucht man kein Herz, Frau Rosin«, sagte er. »Manchmal ist das Herz dabei sogar eher hinderlich.«

Corinna Altenburg hatte mich nach unten begleitet und dort verabschiedet. Bevor ich ging, hatte ich sie noch nach der Frau in der *Schwarzreiter Tagesbar* gefragt. Ob sie etwas über sie herausgefunden hätten. Sie hatte den Kopf geschüttelt und gesagt, sie würden diese Spur nicht weiter verfolgen. Ob das bedeute, dass sie meine Freundin Niki nicht, wie geplant, dazu befragen wollten? Das habe sich zwischenzeitlich als überflüssig herausgestellt, bekam ich zu hören. Sie würden Niki Vahlberg nicht behelligen müssen. Was schließlich auch sein Gutes habe, denn eine Befragung bei der Polizei sei schließlich immer mit einer gewissen Aufregung verbunden. Sie hatte mich lange angesehen und gemeint, Alex habe mir unzählige Fragen hinterlassen, auf die ich vermutlich nie Antworten finden würde. Ich solle, wenn möglich, nach vorne schauen und versuchen, all das hinter mir zu lassen. »Und verzeihen?«, hatte ich mit einem wütenden Unterton gefragt. Ihr Blick war mitfühlend gewesen. Man könne jemandem verzeihen, der sich schuldig gemacht habe, hatte sie geantwortet. Aber Schuld setze voraus, dass man die Wahl gehabt habe, so oder auch anders zu handeln. Sie setze die Einsichtsfähigkeit in ein Unrecht voraus. Wie es sich damit bei Alex verhalten habe, könne sie nicht beurteilen. Sie wisse nur, dass er unter einer gravierenden Persönlichkeitsstörung gelitten habe. Mit all seinen Lügen habe er nach einem Heilmittel für seine eigenen Verletzungen gesucht und dadurch anderen sehr wehgetan. Seine Störung habe ihn ganz sicher einsam gemacht. Ob ich jetzt etwa Mitleid mit ihm haben solle, hatte ich gefragt und tief in mir einen gehörigen Groll gespürt. Corinna Altenburg hatte gelächelt. Ich hätte ihrem Kollegen vorgeworfen, kein Herz zu haben. So etwas täten in der Regel Menschen, denen Herzenswärme wichtig sei. Insofern sei sie sich sicher, dass ich eines Tages Alex Wagatha gegenüber einen milderen Standpunkt einnehmen würde. Vielleicht sogar einen mitfühlenden.

Meine Wut kochte noch eine Stunde später in mir, als ich längst wieder im Büro saß. Ich wusste nicht, wohin mit ihr, und so begann ich, Klienten am Telefon anzublaffen, bis Zeno eingriff und vorschlug, ich solle lieber nach Hause gehen.

»Ich kann verstehen, dass du außer dir bist«, sagte er, »aber ich weiß auch, dass du diese Art Telefonate irgendwann bereuen wirst. Manchmal muss man einen Menschen vor sich selber schützen, und das tue ich jetzt.«

»Ich lasse mich nicht von dir nach Hause schicken!«, brüllte ich. »Was bildest du dir überhaupt ein? Das ist meine Agentur, und ich entscheide, wer wann nach Hause geht. Wenn du so weitermachst, kannst du deine Sachen packen und gehen. Ich habe die Nase gestrichen voll!«

»Von wem?«, fragte er völlig unbeeindruckt.

In meiner Verzweiflung schlug ich auf den Tisch und schrie: »Von allem!«

Zeno holte aus der Küche ein Glas Wasser und stellte es wortlos vor mich hin. Dann verschränkte er die Arme vor der Brust und ließ mich nicht aus den Augen.

»Ich kann nicht nach Hause gehen«, sagte ich, nachdem ich mich wieder im Griff hatte. »Es ist viel zu viel zu tun. Wie willst du das alleine schaffen? Niki kommt frühestens am Mittwoch zurück.«

»Kunden zu vertrösten halte ich immer noch für besser, als sie zu verprellen.« Mit einer unmissverständlichen Geste angelte er das Telefon aus meiner Reichweite, als es klingelte.

Im Grunde meines Herzens wusste ich, dass er recht hatte. Deshalb war ich ohne ein weiteres Wort gegangen. Anstatt jedoch nach Hause zu fahren, hatte ich mich schnurstracks auf den Weg zu meinem Onkel gemacht. Er schien erleichtert zu sein, dass ich endlich bei ihm auftauchte und damit signalisierte, dass ich seine Hilfe brauchte. Nachdem er mich in meine Lieblingsecke auf seinem Sofa bugsiert und mir ein Glas Rotwein eingeschenkt hatte, setzte er sich rechts von mir in einen Sessel. Von dort aus sah er mich über sein

Glas hinweg eindringlich an und fragte, wie ich meinen Geburtstag verbracht hätte.

»Ich war in den Bergen, Luft schnappen. Danke für die Blumen und den Kuchen!«

»Ich hoffe, du hast wenigstens ein Stück gegessen. Du bist viel zu dünn.«

»Es ist nur noch die Hälfte übrig«, beruhigte ich ihn.

»Und wie geht es dir?«

»Nicht gut«, gab ich offen zu. »Ich komme damit nicht klar. Alex ist ja nicht nur tot, er war gar nicht er. Ich weiß überhaupt nicht, mit wem ich da eigentlich zusammen war. Die Beamtin von der Kripo sagte vorhin, ich solle nach vorne schauen, aber wie soll denn das gehen, wenn man das, was hinter einem liegt, nicht versteht? Eigentlich sollte ich tieftraurig sein, dass er tot ist, aber im Augenblick bin ich nur wütend und verletzt.«

»Dann finde heraus, wer er war«, entgegnete Fritz.

»Wie denn?«

»Sprich mit seinem Vater. Sprich mit Freunden. Hör dir an, wie sie ihn wahrgenommen und was sie mit ihm erlebt haben.«

»Was glaubst du, könnte ich von einem Vater erfahren, der von seinem Sohn dessen Freundin als Haushälterin untergejubelt bekommen hat?«

»Seine Version der Wahrheit.«

»Du meinst seine Illusionen über Alex.«

»Nein, ich meine tatsächlich seine Wahrheit. Sie wird vielleicht nicht unbedingt mit deiner deckungsgleich sein, aber sie wird ein Mosaikstein sein, um ein wenig mehr zu verstehen.«

14 Um kurz nach zehn am Dienstagvormittag klingelte ich an Robert Eichbergers Tür. Ich kannte seinen fest strukturierten Tagesablauf und wusste, dass er bereits um sieben Uhr frühstückte, danach eine Stunde mit seinem Hund im Nymphenburger Park spazieren ging und zwischen neun und zehn die Süddeutsche las, wobei er nicht gestört werden wollte.

Auf mein Klingeln hin antwortete zunächst Kasper mit durchdringendem Gebell. Erst als er verstummte, hörte ich Alex' Vater durch die Gegensprechanlage.

»Was wollen Sie, Frau Tenzer?«, fragte er barsch.

Er schien nicht zu wissen, dass ich Dana Rosin war. Noch nicht. Solange das so blieb, war ich im Vorteil. Meine Entscheidung fiel innerhalb von Sekunden. Ich hätte nicht sagen können, was ich mir davon versprach oder warum ich intuitiv glaubte, in meiner Rolle als Haushälterin mehr von ihm zu erfahren, und vielleicht irrte ich mich auch, aber ich wollte es wenigstens versuchen.

»Ich würde gerne noch einmal mit Ihnen reden.«

»Wozu? Sie haben gekündigt.«

»Ich habe es mir anders überlegt, Doktor Eichberger. Wenn es Ihnen recht ist, würde ich meine Kündigung gerne zurückziehen. Oder haben Sie bereits einen Ersatz gefunden?«

»Ich kann keine unzuverlässigen Leute gebrauchen. Das habe ich Ihnen beim Einstellungsgespräch klipp und klar gesagt.«

»Sie haben aber am vergangenen Freitag auch gesagt, ich

solle mir meine Kündigung noch einmal überlegen und darüber schlafen.«

»Das war vorschnell. Wie soll ich denn bei jemandem wie Ihnen sicher sein, dass Sie sich nicht zwei Tage später wieder anders entscheiden?«

Ich brachte es nicht übers Herz, ihm zu versprechen, dass es nicht so sein würde. Deshalb schwieg ich. Als ich schon glaubte, er habe unsere Unterhaltung beendet, hörte ich seine Stimme wieder.

»Ich werde eine Nacht darüber schlafen. Sollten Sie nichts von mir hören, dann war es das. In dem Fall möchte ich keinen weiteren unangemeldeten Besuchen von Ihnen ausgesetzt werden. Haben Sie das verstanden?«

»Klar und deutlich.«

Inzwischen hatte der Nieselregen aufgehört, aber die Blätter auf den Straßen waren noch nass. Um nicht in einer Kurve oder beim Bremsen auszurutschen, fuhr ich langsamer als sonst.

Einer plötzlichen Eingebung folgend machte ich einen Umweg und fuhr zu Alex' Mietshaus. Vielleicht hatte ich Glück und würde Gabriele Heckert dort noch einmal antreffen. Rike Jordans Schwester würden die Kripobeamten vermutlich mehr über den Stand ihrer Ermittlungen erzählt haben.

Selbst der Doppelmord im Haus hatte nicht dazu geführt, dass die Haustür verschlossen war. Wie immer war sie nur angelehnt. Mit einem mulmigen Gefühl stieg ich die Treppen hinauf, hielt vor Alex' versiegelter Tür kurz inne und klingelte schließlich ein Stockwerk höher.

Gabriele Heckert freute sich sichtlich, mich zu sehen, und bat mich ohne Umschweife herein. Ich müsse das Chaos entschuldigen, aber sie sei dabei, die Sachen ihrer Schwester zusammenzusuchen und zu verpacken. Danach müsse sie die Wohnung noch putzen. Sie sei froh über eine kleine Ablenkung.

»Wie geht es Ihnen?«, fragte ich sie, als wir uns in der Küche gegenübersaßen.

Sie betrachtete mich mit einem traurigen Lächeln. »Ähnlich wie Ihnen. Wenn ich Sie ansehe, habe ich das Gefühl, in einen Spiegel zu blicken.« Sie stand auf und holte aus einem der Küchenschränke eine geöffnete Tafel Schokolade, die sie in kleine Stücke brach und in die Mitte zwischen uns legte. »Das ist zurzeit das Einzige, was ich essen kann. Von allem anderen wird mir übel.« Sie nahm ein Stück und biss eine kleine Ecke ab.

»Ich war gestern noch einmal bei der Kripo«, begann ich. »Wie es aussieht, deutet vieles auf Ihren Schwager als Täter hin. Angeblich sind die Ermittlungen fast abgeschlossen.«

Sie nickte.

Ich zögerte kurz. »Ist das für Sie denn alles schlüssig?«

»Wie meinen Sie das?«, fragte sie irritiert.

»Sind Sie zufrieden mit dem Ergebnis?«

»Zufrieden?« Ihr Blick sprach Bände. Für einen Moment schien sie auch den Rest ihrer Kraft zu verlieren.

»Entschuldigen Sie! Ich habe mich ungeschickt ausgedrückt. Was ich meine ist: Glauben Sie, dass es sich so und nicht anders zugetragen hat? Dass Ihr Schwager der Mörder ist oder dass er zumindest jemanden für die Morde angeheuert hat?«

»Daran zweifle ich keine Sekunde!«

»Ich weiß, Sie haben gesagt, dass Ihre Schwester sich hier vor ihm versteckt hat, und ich glaube auch, aus unserem Gespräch am Samstag herausgehört zu haben, dass Sie ihm eine solche Tat zutrauen, aber …« Ich wusste nicht recht, wie ich es ausdrücken sollte. »Bleiben für Sie keine Fragen offen?«

»Meinen Sie die Frage, warum auch Ihr Freund hat sterben müssen?«

»Zum Beispiel.«

»Mein Schwager ist extrem besitzergreifend und eifersüchtig. Er wird Alex Wagatha für einen Rivalen gehalten haben, an dem er sich genauso rächen wollte wie an Ulli.« Sie schob sich ein weiteres Stück Schokolade in den Mund und kaute, während sich ihr Blick verdüsterte. »Zwischen den beiden ging es aber längst nicht nur um Gefühle. Bei der Scheidung wäre es um sehr viel Geld gegangen. Jürgen hätte an Ulli ein kleines Vermögen abtreten müssen. Also ging es auch da letztlich um Besitz.« Sie hielt inne. »Ich hege nicht den geringsten Zweifel, dass er es getan hat oder jemanden damit beauftragt hat. Mein Schwager ist ein Waffennarr. Für ihn wird es kein Problem gewesen sein, sich eine Pistole zu besorgen. Außerdem hat er meine Schwester mehrfach vor Zeugen massiv bedroht und gesagt, er werde sie umbringen, sollte sie ihn jemals verlassen.«

»Und was ist mit Drogen? Wäre er ebenso leicht an Drogen gekommen?«

»Davon gehe ich aus. Das nötige Geld dafür hat er zumindest.«

»Stimmt es, dass die Kripo ihn noch nicht hat befragen können?«

Sie sah aus dem Fenster und wischte sich mit der geballten Faust eine Träne aus dem Augenwinkel. »Ja, das stimmt. Er habe sich einer Befragung durch Flucht entzogen, wie man mir sagte.«

»Aber wie will man sich dann so sicher sein, dass er es war? Gibt es denn wirklich eindeutige Beweise?«

»Zum einen ist wohl allein seine Flucht Beweis genug. Wieso hätte er abhauen sollen, wenn er nichts mit den beiden Morden zu tun hat? Zum anderen haben sie sein Haus in Wiesbaden durchsucht und Fotos gefunden, die beweisen, dass er Ulli seit Wochen hat beobachten lassen. Außerdem war sein Handy zum Tatzeitpunkt in einer Funkzelle ganz in der Nähe der Wohnung eingeloggt. Und er hat zwei Mal in den vergangenen Wochen ein paar Tage in einem Hotel in der Nähe verbracht. Er ist zur Fahndung ausgeschrieben worden, und ich bete, dass er ihnen nicht entkommt. Dass er zur Rechenschaft gezogen wird.«

»Diese Fotos, die Sie erwähnt haben …«, hakte ich nach.

»Jürgen hat einen Detektiv damit beauftragt.«

»Was zeigen sie?«

Sie sah auf die Tischplatte. »Ulli hier in München … in ihrem neuen Leben. Er hat gewusst, wo sie zu finden war«, flüsterte sie erschüttert. »Er hat meine Schwester schon Wochen vor ihrer Flucht überwachen lassen. Der Detektiv musste uns nur von Wiesbaden hierherfolgen. Wir waren so vorsichtig, und doch haben wir nichts bemerkt.« Sie atmete schwer. »Ich hatte lange Zeit Angst um sie und große Sorge, dass es nicht gut ausgeht, aber dann war sie hier, und ich war überzeugt, sie hätte es geschafft. Wenn wir telefonierten, war ich die Zuversichtlichere von uns beiden, ich habe versucht, ihr Mut zu machen. Mut rauszugehen, unter Menschen, sich wieder etwas zu trauen. Ulli hat immer wieder dagegengehalten, ich könne mir nicht vorstellen, wozu er fähig sei. Und ich habe dann gesagt: Aber du hast es doch geschafft, du bist ihm entkommen.«

Als ich wieder im Treppenhaus stand, überlegte ich, wie groß die Chance war, dass es auch in Alex' Leben wider Erwarten jemanden gegeben hatte, dem ein Mord zuzutrauen war. Vor dem er sich hätte in Sicherheit bringen müssen, hätte er davon gewusst. Aber nichts in seinem Leben habe dazu Anlass gegeben, hatte die Beamtin gesagt.

Und in meinem Leben? Bis auf Karen Döring, von der ich nicht wusste, zu was sie in letzter Konsequenz fähig sein würde, gab es auch niemanden. Nahm ich Eifersucht und Rache als mögliche Motive, dann hätte ich oberflächlich betrachtet vielleicht zu einem beliebten Angriffsziel werden können, aber Niki, Zeno und ich leisteten gute Arbeit. Wir schufen Alibis, die nicht so leicht auszuhebeln waren. Die einzige Schwachstelle waren diejenigen, die unsere Alibis nutzten. Ließ ihre Vorsicht zu wünschen übrig, kamen unweigerlich die Geheimnisse dahinter ans Licht. Aber selbst wenn das geschah, handelte nur ein Bruchteil der um die Wahrheit Betrogenen wie Karen Döring. Sie war zum Glück die Ausnahme. Allerdings eine Ausnahme, die mir nach wie vor ein mulmiges Gefühl machte.

Ich war schon auf halbem Weg die Treppe hinunter, als ich es mir anders überlegte, auf dem Absatz kehrtmachte, in den vierten Stock stieg und an Annaluise Eisensteins Tür klingelte. Es dauerte, bis drinnen Schritte auf dem Parkett zu hören waren, gefolgt von einer leisen, zittrigen Stimme.

»Wer ist da?«, fragte die alte Frau.

»Eine Freundin von Alex Wagatha.«

Die Tür öffnete sich gerade so weit, wie die von innen davorgelegte Kette es zuließ. Ein schmales, eingefallenes Gesicht, übersät mit Altersflecken, schob sich in den Spalt. »Sie sind das? Mein Sohn hat mir von Ihnen erzählt. Sie sind ihm begegnet, nicht wahr?« Sie blinzelte durch dicke Gläser hindurch, die auf eine starke Kurzsichtigkeit hindeuteten.

»Ja, das bin ich, Frau Eisenstein.«

»Was …?« Sie schien nicht zu wissen, wie sie ihre Frage formulieren sollte, ohne dass es unhöflich klang.

»Ich würde gerne mit Ihnen über Alex reden.«

Sie seufzte und sah mich traurig an. »Er war noch so jung. Es ist eine verkehrte Welt, wenn die Jungen vor den Alten gehen. In meinem Alter sollte ich die Welt eigentlich verstehen, aber ich begreife sie immer weniger.« Sie schüttelte den Kopf. »Immer weniger.«

Ich wollte mich schon verabschieden und sie in Ruhe lassen, als sie wider Erwarten die Kette zurückschob und mich hereinbat. Ich folgte der höchstens ein Meter sechzig großen, zarten Frau, deren runzelige Haut wie ein Kleidungsstück wirkte, das zu groß geworden war für ihren Körper. Sie geleitete mich durch einen dunklen, mit Schränken und verstaubten Regalen vollgestellten Flur. Während ich den Duft ihres Kölnisch Wassers einatmete, kam es mir vor, als wären die Uhren stehen geblieben.

Annaluise Eisenstein ging mir voraus in ein Wohnzimmer, das großzügig gewesen wäre, hätte es etwas weniger beherbergen müssen. Ich ließ meinen Blick über die Sammlung verblichener Fotos in angelaufenen Silberrahmen schweifen. Viel ließ sich nicht erkennen, denn die Gardinen waren zugezogen und tauchten den Raum in dämmriges Licht.

»Sie waren also seine Freundin.« Sie zog sich ihr gehäkeltes Tuch enger um die Schultern. »Ich komme ja nicht mehr raus, sonst wären wir uns womöglich früher schon mal begegnet.«

In diesem Moment ertönte zweimal hintereinander ein kurzer Klingelton und kurz darauf eine männliche Stimme, die nach der alten Frau rief.

»Mein Sohn«, erklärte sie und drehte den Kopf, sodass sie ihn sehen konnte, als er hereinkam.

»Du hast Besuch?«, fragte er freudig überrascht. Seiner Reaktion nach zu urteilen kam das nicht allzu häufig vor. Dann erkannte er mich und begriff, dass der Anlass meines Besuches weniger erfreulich war. »Hallo, Frau Rosin.« Er ging zu seiner Mutter, drückte ihr einen Kuss auf den Scheitel und zog sich einen Stuhl neben ihren Sessel. Als er sich darauf niederließ, spannte das Hemd über seinem Bauch. »Wie geht es Ihnen? Haben Sie sich ein wenig gefangen? Ich meine, soweit das in dieser kurzen Zeit überhaupt möglich ist.« Er nahm die Hand seiner Mutter und strich liebevoll darüber.

»Ich versuche, das alles zu begreifen.«

»So etwas lässt sich doch gar nicht begreifen. Es liegt so weit außerhalb dessen, was unser Leben ausmacht.«

Wenn ich Corinna Altenburg Glauben schenken durfte, war es Bestandteil dessen, was unser Leben ausmachte. »Sie haben gesagt, dass Alex sich hin und wieder um Ihre Mutter gekümmert hat.« Ich sah zwischen beiden hin und her. »Demnach kannten Sie sich bestimmt ganz gut.«

»Sehr gut«, kam Annaluise Eisenstein ihrem Sohn zuvor. »Der Junge hat ja seit zehn Jahren hier im Haus gewohnt. Wobei ich mich nie daran gewöhnen konnte, ihn Alex zu nennen.« Sie sah zu ihrem Sohn auf. »Dir ist das leichter gefallen, aber für mich war er immer Adrian. Das ist der Name, den seine Eltern ihm gegeben haben. Ein sehr schöner Name.«

»Hat er Ihnen erklärt, warum er sich für Alex entschieden hatte?«

»Ihnen etwa nicht?«, fragte sie erstaunt, um sich gleich darauf an den Kopf zu fassen. »Entschuldigen Sie, das war eine dumme Frage. Es gab ja wirklich Wichtigeres. Er hat mir davon erzählt.« Sie legte einen Finger vor die Lippen. »All das ist gut bei mir aufgehoben. Machen Sie sich keine Sorgen.« Sie sah zu ihrem Sohn. »Was hatte ich gerade sagen wollen? Ach ja. Warum der Name Alex? Das geschah aus Verbundenheit zu seiner verstorbenen Mutter, die Alexandra hieß.« Sie blies Luft durch die Nase. »Auch so ein Schicksal.«

»Kannten Sie seine Mutter?«

Wendelin Eisenstein setzte zu einer Antwort an, aber seine Mutter legte ihm die Hand auf den Arm. Ihre leise, zittrige Stimme täuschte darüber hinweg, dass noch viel Kraft in ihr steckte. »Adrians Mutter war eine geborene Wagatha. Sie ist vor vielen, vielen Jahren mit ihren Eltern hier ins Haus gezogen. Sie haben damals die Wohnung gekauft. So wie wir. Wir sind kurz nach den Wagathas hierhergezogen.«

»Alexandra und ich sind zusammen zur Schule gegangen«, warf Wendelin Eisenstein dazwischen.

»Alex' Mutter lebt nicht mehr – ist das richtig?«

Beide nickten. »Sie ist gestorben, als Adrian zwölf war«, sagte die alte Frau. »Es hat damals Gerüchte gegeben, sie sei betrunken auf die Autobahn gefahren und dort verunglückt.« Sie nestelte an ihrem Häkeltuch herum. »Aber ob das wahr ist? Ich habe es nie glauben wollen. Aber wie auch immer es sich zugetragen hat, Adrian scheint nicht damit zurechtgekommen zu sein. Jedes Mal, wenn wir in den vergangenen Jahren über seine Mutter sprachen, hat er behauptet, sie sei umgebracht und ihr Mörder nie gefasst worden.« Sie wechselte einen Blick mit ihrem Sohn.

»Das war eine fixe Idee von ihm«, erklärte Wendelin Eisenstein. »Er hat sich da in etwas verrannt. Ich vermute einfach mal, dass er mit Alexandras Tod nicht fertiggeworden ist. Das ist ja auch schwierig in dem Alter, in dem er damals war.«

»Und sein Vater?«, fragte ich.

»Soweit ich weiß, ist er zum dritten Mal verheiratet und lebt die meiste Zeit des Jahres auf Mallorca.«

Wieder eine Geschichte, und wieder eine andere. Wieso war Alex dieses Risiko eingegangen? Wieso war er nicht wenigstens bei einer Geschichte geblieben? Weil er sich darauf verlassen hatte, dass seine Eltern nicht Bestandteil eines Gesprächs zwischen mir und den Eisensteins sein würden, sollte ich einem von ihnen jemals im Treppenhaus begegnen? Oder hatte er womöglich gar nicht über Konsequenzen nachgedacht?

»Kennen Sie eigentlich den einen oder anderen von Alex' Freunden?«, nahm ich den nächsten Punkt in Angriff. »Wir hatten so wenig Zeit miteinander und haben die Treffen mit Freunden immer auf später verschoben. Weil wir …« Ich ließ das Ende des Satzes in der Luft hängen.

Beide nickten verständnisvoll, und wieder ergriff die alte Frau Eisenstein das Wort. »Kennengelernt habe ich keinen seiner Freunde. Wir haben uns nur mal ganz generell über das Thema unterhalten. Adrian hatte wissen wollen, ob ich viele Freundinnen hätte. Da habe ich ihn ein wenig korrigieren müssen. In meinem Alter reduziert sich die Anzahl auf natürliche Weise. Er meinte, er habe auch nur ganz wenige. Bei ihm liege es daran, dass er so hohe Ansprüche an andere Menschen stelle. Ihm sei Aufrichtigkeit sehr wichtig, und damit hätte manch einer ein Problem. Es klang, als sei er in dieser Hinsicht schon oft enttäuscht worden. Armer Junge.« Dabei strich sie ihrem Sohn über den Arm. »Manchmal verstehe ich die Menschen nicht. Da bekommen sie es mit so einem feinen Kerl zu tun und wissen seine Qualitäten gar nicht zu schätzen. Adrian war hilfsbereit und verlässlich, und er war von Grund auf ehrlich. Wenn er für mich eingekauft hat, hat das Restgeld immer bis auf den letzten Cent gestimmt.« Sie zog ein Papiertaschentuch aus einer Packung, zerknüllte es zwischen den Fingern und tupfte sich damit auf die Augenwinkel. Dann schloss sie mit einem tiefen Seufzer die Augen und ließ den Kopf zurück gegen die Lehne fallen. Sekunden später war sie eingenickt.

Ich machte Anstalten aufzustehen, aber Wendelin Eisenstein bedeutete mir zu bleiben. »Sie wird fuchsteufelswild, wenn sie aufwacht und feststellt, dass sich die Runde in der Zwischenzeit aufgelöst hat.«

»Kennen Sie eigentlich Alex' Freundin Biggi?«, ergriff ich flüsternd die Chance.

»Wir brauchen nicht leise zu reden. Wenn sie schläft, weckt sie so schnell nichts auf.« Er lächelte. »Biggi kenne ich nur vom Hörensagen über meine Mutter. Alex hat des Öfteren von ihr erzählt.«

»Wissen Sie auch, was?«

Er forschte in meinem Gesicht, als ließe sich dort der Grund für meine Frage finden, die er offensichtlich seltsam fand.

»Alex war mit uns beiden gleichzeitig zusammen«, beeilte ich mich zu erklären. »Es war keine so glückliche Konstellation.«

»Und Sie haben erst jetzt von ihr erfahren?«, fragte er mitfühlend.

»Nein, im Gegensatz zu Biggi wusste ich es von Anfang an.«

Er runzelte die Stirn. »Aber Sie wollen es ihr doch wohl nicht jetzt im Nachhinein …?«

»Nein, nein, auf keinen Fall«, winkte ich ab. »Eigentlich kann ich gar nicht so richtig erklären, warum ich wissen möchte, wer sie ist. Es ist einfach …«

»Verstehe«, unterbrach er mich und warf einen Seitenblick auf seine Mutter, die immer noch schlief. »Soweit ich weiß, ist sie Ärztin und macht an der Uniklinik gerade ihren Facharzt in Neurologie. Meine Mutter hat Alex immer gerne zugehört, wenn er von ihr erzählte. Er habe stets voller Bewunderung von ihr gesprochen. Allerdings hat er wohl sehr darunter gelitten, dass sie kaum Zeit füreinander hatten. Deshalb hat er die Verbindung ja auch vor Kurzem beendet. Und natürlich weil er Ihnen begegnet war.« Er betrachtete mich mitfühlend. »Die meisten Menschen glauben, es sei am schwersten, einen langjährigen Partner zu verlieren. Als fielen ausschließlich die Zeit und die gemeinsamen Erinnerungen ins Gewicht. Aber es kann auch verdammt schwer sein, wenn man zu wenig Zeit miteinander hatte, dann verliert man zwar nicht die gemeinsame Vergangenheit, dafür aber all das, was hätte sein können. All die Hoffnungen und Wünsche an die Zukunft.«

»Ist es Ihnen so ergangen?«

»Einmal.« In diesem Wort klang eine ganze Geschichte mit. Sie erzählte von zerstörter Sehnsucht und einer einmaligen Chance. Er fuhr sich über seine von dem dämmrigen Licht umschatteten Augen, als ließe sich die Erinnerung damit zurückdrängen. »Aber lassen Sie uns nicht von mir reden. Sie haben es selbst schwer genug. Im Gegensatz zu Ihnen hatte ich nur diesen einen Verlust.«

»Hat Alex Ihnen erzählt ...?«

»Nicht mir, meiner Mutter. Sie war, noch Tage nachdem sie von Ihrer schicksalhaften Begegnung erfahren hat, völlig davon eingenommen.«

»Was hat er denn erzählt?«, fragte ich und war mir nicht sicher, ob ich noch mehr Lügen ertragen würde. Unsere erste Begegnung war vielleicht ungewöhnlich gewesen, aber schicksalhaft sicher nicht.

Wendelin Eisenstein war meine Frage sichtlich unangenehm. »Vermutlich ist es Ihnen gar nicht recht, dass er so offen darüber geredet hat, aber vielleicht können Sie es ihm verzeihen, wenn Sie bedenken, dass er meine Mutter schon so lange kannte und ihr vertraute.«

Ich sah ihn abwartend an.

»Meine Mutter hat es nur mir erzählt. Sonst hat sie ja auch so gut wie keine Kontakte. Und bei uns ist Ihre Geschichte gut aufgehoben.« Er schien zu glauben, mich beschwichtigen zu müssen.

»Welche hat er Ihnen denn erzählt?«

»Gibt es denn verschiedene?«, fragte er überrascht.

Kurz fragte ich mich, ob es nicht besser wäre, Wendelin Eisenstein reinen Wein einzuschenken. Aber was sollte das bringen? Ich würde das Bild, das er und seine Mutter von Alex hatten, zerstören und den beiden wehtun. Sollten Sie ihn so in Erinnerung behalten, wie sie ihn wahrgenommen hatten.

»Ich habe sehr viel erlebt«, sagte ich.

»Und durchlitten«, meinte er mit einem Nicken. »Alex hat erzählt, dass es eine sehr schlimme Phase in Ihrem Leben gab, nachdem Ihr kleiner Sohn an Krebs gestorben war. Dass Sie damals nicht mehr leben wollten und dass Alex Sie zu dieser Zeit im Krankenhaus kennengelernt hat. Er hatte ja damals all seine Nachsorgeuntersuchungen. Dass Sie beide viel zusammen gesprochen haben und er Sie schließlich vom Leben überzeugen konnte.«

Inzwischen war ich mir nicht mehr so sicher, ob es wirklich fair war, ihn in dem Glauben zu lassen, all das würde der Wahrheit entsprechen. Er brachte mir so viel Mitgefühl entgegen, dass ich mir schäbig vorkam, ihn im Dunkeln zu lassen, aber es war nicht der Moment für die Wahrheit.

»Alex hat Ihnen sogar von seinen Nachsorgeuntersuchungen erzählt?«

Er nickte. »Wenn ich denke, wie viel Glück er hatte, dass der Krebs rechtzeitig genug bei ihm erkannt wurde, um ihn zu heilen …« Er ließ den Blick durch den Raum schweifen. »Da springt er dem Krebstod von der Schippe, nur um dann so grausam ermordet zu werden.«

15 Als mein Wecker um halb acht am Mittwoch-
morgen klingelte, war ich bereits seit drei Stunden
wach und grübelte über die Frage, wieso ich Alex
so bereitwillig geglaubt hatte. Die einzige Antwort, in der
ich mich wiederfand, war die: Weil all das, was er mir erzählt
hatte, möglich und plausibel war. Ich hatte ihn nie bei einer
Unwahrheit ertappt, und ich hatte nur ein einziges Mal das
Gefühl gehabt, er würde übertreiben. Es war um seine
Arbeit gegangen. Ich hatte ihn darauf angesprochen, und er
hatte meinen Zweifel ausgeräumt. Warum hätte ich das infrage stellen sollen, was er mir über seine Vergangenheit erzählte? Ich selbst hatte eine außergewöhnliche und traurige
Familiengeschichte. Mit welchem Recht hätte ich seine an-
zweifeln sollen? Inzwischen war mir bewusst, dass ein solches Schicksal die Lüge wie eine unüberwindliche Mauer
schützte.

Henry hatte mir bereits einiges über Pseudologen vorge-
lesen, trotzdem hatte ich in den vergangenen Stunden selbst
recherchiert. Doch was wie ein Trost daherkam, fühlte sich
nicht so an: Menschen, die unter dieser Persönlichkeitsstörung litten, hieß es in einem Artikel, täuschten selbst ausge-
bildete Profis wie Psychologen und Therapeuten. Sie seien
sozial kompetent, manipulativ und würden eine enorme
intellektuelle Leistung vollbringen, um ihre Lügen aufrechtzuerhalten. Die Wurzeln dieser Störung lägen vorwiegend
in der Kindheit. Es war von Missachtung und Misshandlung
die Rede, von mangelnder innerer Sicherheit. Und davon,
dass das Leid sehr groß sein müsse, damit jemand diesen lüg-

nerischen Aufwand betreibe, um psychisch zu überleben. Dass diese Menschen Tag und Nacht allein seien mit dem Geheimnis ihrer Lüge.

Hatte Alex das so empfunden? Hatte er sich einsam gefühlt? Als Mitgefühl in mir aufkeimte, schob ich es weg. Ich wollte nicht, dass er mir leidtat. Schon allein deshalb nicht, damit mich die Trauer nicht überschwemmte und lahmlegte. Es gab noch so viele Fragen, auf die ich eine Antwort suchte. Allen voran die, warum Alex mich zu seinem Vater geschickt hatte.

Dieser Frage würde ich heute vielleicht ein Stück näher kommen. Robert Eichberger hatte keine Nacht lang darüber nachdenken müssen, ob er mich wieder einstellte. Er hatte sich noch gestern Nachmittag dazu entschieden und mich aufgefordert, heute Morgen pünktlich um neun Uhr meinen Dienst bei ihm anzutreten. Sollte ich mich auch nur um fünf Minuten verspäten, würde ich vor verschlossener Tür stehen.

Also traf ich überpünktlich vor seinem Haus ein und wartete im kalten, schneidenden Wind vor seiner Tür, bis die Glocke der Herz-Jesu-Kirche neunmal schlug. Beim neunten Schlag drückte ich die Klingel.

Als er mir Sekunden später öffnete, erschrak ich bei seinem Anblick. Er hatte sich tagelang nicht gekämmt, sah grau und eingefallen aus und schien kaum geschlafen zu haben. Er machte nicht viele Worte, sondern bedeutete mir mit einer fahrigen Geste, hereinzukommen und die Tür zu schließen. An den Abläufen hätte sich seit meiner Abwesenheit nichts geändert. Zumindest nicht für mich. Ich solle alles so machen wie seinerzeit besprochen und ihm Bescheid geben, bevor ich ging. Er werde sich zurückziehen und wolle nicht gestört werden.

Zehn Tage lang hatte ich beobachten können, wie er sich

ab neun Uhr zum Zeitungsstudium in sein Arbeitszimmer zurückgezogen hatte. Heute verzog er sich mit schleppenden Schritten ins Wohnzimmer, wo er sich mit einem Stöhnen, als tue ihm jeder Knochen weh, aufs Sofa sinken ließ und ins Leere starrte. Sein Hund Kasper legte sich dicht neben seine Füße.

Ich ging zuerst in die Küche, da ich dort in Anbetracht der Umstände das größte Chaos vermutete. Robert Eichberger hatte einen der schlimmsten Schläge überhaupt erlitten und würde ganz bestimmt nicht das Geschirr der letzten Tage weggeräumt haben. Wider Erwarten war dort jedoch alles blitzsauber. Nirgends stand etwas herum, nicht einmal eine Tasse. Ich berührte die Kaffeemaschine, sie war kalt. Er hatte also weder etwas gegessen noch etwas getrunken. Diesem Mann, der mir in einem unserer wenigen Gespräche gesagt hatte, dass er nie von seinen Routinen abweiche, weil sie für ihn wie ein Stützkorsett seien, und dass er nie eine Mahlzeit auslasse, um seinen Organismus nicht zu stören – diesem Mann hatte der Tod seines Sohnes die Kehle zugeschnürt.

Ich warf einen Blick ins Wohnzimmer. Er bemerkte mich gar nicht und wirkte unendlich verloren auf seinem Sofa. Auch bei ihm war dieses Davor und Danach zu spüren. Die scharfe Trennlinie, die der Tod eines Menschen zog. Das Davor war für immer verloren und das Danach wie ein Haus, in das man zwangsweise umgesiedelt wurde – in dem es einem schwerfiel, sich einzurichten, und das lange kein Zuhause sein würde, in dem man sich geborgen fühlte. Für mich war dieses Haus ein Ort, an dem ich schon einmal gewesen war, mit einem Raum, den ich nie wieder hatte betreten wollen und in den ich jetzt – fünfundzwanzig Jahre später – doch wieder mit Gewalt hineingestoßen worden war.

Ich löste mich von seinem Anblick und nahm endlich das in Angriff, wofür er mich bezahlte. Zwei Stunden lang strich ich mit Putzeimer und Staubsauger durch das stille Haus, in dem die Musik, die sonst immer hindurchgeweht war, verstummt war. Ich warf Wäsche in die Maschine und zwischendrin immer wieder einen Blick ins Wohnzimmer, wo mein Arbeitgeber in unveränderter Position verharrte und wie eingefroren wirkte. Weder zuckte er zusammen, wenn der Wind Zweige und Laub gegen die Fensterscheiben wehte, noch reagierte er auf das Klingeln des Telefons. Als es zum vierten Mal läutete, fragte ich ihn, ob ich an seiner Stelle drangehen solle. »Nein«, lautete seine einsilbige Antwort. Dabei sah er nicht einmal auf.

Beim Staubwischen stieß ich wieder auf die Fotos der attraktiven Blondine, Alexandra Eichberger, Alex' Mutter, wie ich inzwischen wusste. In aller Ruhe betrachtete ich ihre Gesichtszüge und meinte, Ähnlichkeiten zwischen Mutter und Sohn erkennen zu können. Ähnlichkeiten, die mir erst jetzt auffielen, nachdem ich von ihrer Verbindung wusste.

Ich hatte Alex einmal gefragt, warum es keine Fotos von seinen Eltern in seiner Wohnung gab, und er hatte geantwortet, es gebe schon welche, aber er würde sie nicht aufstellen. Er würde es nicht ertragen, sie anzusehen, der Schmerz sei immer noch zu groß.

Um Viertel nach elf machte ich mich in der Gästetoilette frisch, wechselte mein verschwitztes T-Shirt gegen eine Bluse, zog einen warmen Wollpulli darüber und kämmte mir die Locken. Dann kochte ich Kaffee und holte aufgebackene Croissants aus dem Ofen. Ich stellte alles auf ein Tablett und legte die Zeitungen dazu, die Robert Eichberger an diesem Morgen achtlos auf dem Küchentisch hatte liegen lassen. Auf der Titelseite des Münchner Merkurs stand, dass der Doppelmord im Westend kurz vor der Aufklärung stünde.

Im Wohnzimmer deckte ich den Couchtisch und setzte mich auf einen der Sessel.

»Darf ich?«, fragte ich, ohne seine Zustimmung abzuwarten.

Doch er schien mich gar nicht wahrzunehmen.

»Sie müssen etwas essen und vor allem etwas trinken«, sagte ich behutsam.

»Lassen Sie mich in Ruhe.«

»Als Sie mich eingestellt haben, haben Sie gesagt, meine Aufgabe sei es, für Ihr leibliches Wohl zu sorgen. Sie sind in einem besorgniserregenden Zustand, wenn ich das sagen darf.«

»Mein Sohn ist tot.« Er zog die Zeitung heran und deutete mit dem Zeigefinger auf den Artikel, den ich bereits entdeckt hatte. »Er wurde ermordet.« Seine Stimme klang blechern.

Ich zog den Merkur heran und tat so, als würde ich lesen. »Und dieser Adrian E. war Ihr Sohn?«

Er nickte und starrte weiter ins Leere.

»Das tut mir sehr leid«, sagte ich leise und legte einen Panzer um mein Herz.

»Er sei zur falschen Zeit am falschen Ort gewesen, haben sie mir gesagt. Es sei eigentlich um die Frau gegangen, um seine Nachbarin, nicht um ihn. Ich möchte mal wissen, wie man in seiner eigenen Wohnung am falschen Ort sein kann.«

»Ich wusste gar nicht, dass Sie einen Sohn haben.«

Er schwieg.

»Sie haben keine Fotos von ihm aufgestellt.«

»Geht Sie das etwas an?«, fragte er mit überraschend scharfem Ton.

»Nein, sicherlich nicht.«

»Aus Ihrem Mund klingt es wie ein Vorwurf. Als würden Kinder nur dann existieren, wenn überall Bilder von ihnen stehen. Das ist eine Unart«, sagte der Mann, der bestimmt zehn Fotos seiner Frau im Haus verteilt hatte. »Sie haben keine Kinder. Sie wissen nicht, wie das sein kann.«

»Wie kann es denn sein?«

Er zog sich die Kaffeetasse heran. »Schwierig. Sehr schwierig sogar. Deshalb hatten wir viele Jahre lang keinen Kontakt.« Er nahm einen Schluck und dann noch einen.

Während er trank, machte ich mir bewusst, was ich hier tat. Ich fragte ihn unter Vorspiegelung falscher Tatsachen aus und nutzte dabei das Phänomen, dass traumatische Erlebnisse Schleusen öffneten, die sonst Fremden gegenüber geschlossen blieben. Sollte er jemals davon erfahren – und das war sogar ziemlich wahrscheinlich –, würde er es mir nicht verzeihen. Aber jetzt war es ohnehin schon zu spät, um die Wahrheit zu sagen.

»Mein Sohn war das, was man einen Pseudologen nennt«, fuhr er fort. »Wissen Sie, was das ist?«

»Ein Geschichtenerzähler?«

»Ein Lügner. Aber ich habe es lange nicht gemerkt und ihm jedes Wort geglaubt, bis mir eines Tages meine langjährige Vertraute schweren Herzens reinen Wein eingeschenkt und den Blick für die Wirklichkeit geöffnet hat. Das war schlimm und sehr schmerzhaft, kann ich Ihnen sagen. Ich wollte es erst nicht glauben. Aber sie hat mir Stück für Stück Adrians Lügengebäude enthüllt.« Er fuhr sich über seinen Vollbart und sah in den Garten, wo zwei Amseln nach Würmern pickten. »Adrian war sehr intelligent und begabt, aber er hat aus alldem nichts gemacht. Aus ihm ist nichts geworden. Nichts als ein Lügner, der Leute durch die Gegend kutschiert hat.«

»Wie ist er so geworden?«, fragte ich. »Was ist passiert?«

»Nichts Außergewöhnliches. Eigentlich nur das, was in vielen Familien an der Tagesordnung ist, in denen der Vater für den Lebensunterhalt sorgt. Ich hatte nicht viel Zeit für Adrian, mein Veterinärlabor hat mich sehr beansprucht. Aber meine Frau war ja zu Hause, wieso hätte ich mir also Sorgen machen sollen? Wir hatten eine klare Arbeitsteilung: ich draußen, sie drinnen. Ich dachte, es würde funktionieren und käme uns beiden entgegen, Alexandra genauso wie mir. Sie hatte kein Interesse an einer beruflichen Karriere, sie hatte immer Mutter sein wollen und war überglücklich, als Adrian zur Welt kam. Dieses Glück muss schon ziemlich bald nach seiner Geburt Risse bekommen haben. Ich weiß nicht wodurch. Sie konnte es mir nicht erklären. Sie hat nur immer wieder gesagt, sie sei unglücklich und habe das Gefühl, ein falsches Leben zu führen. Aber das war viel später.« Er schlug die Hände vors Gesicht und legte den Kopf in den Nacken. »Alexandra muss jahrelang getrunken haben, ohne dass ich etwas davon gemerkt habe. Ich hatte nicht einmal den Schimmer einer Ahnung«, sagte er mit rauer Stimme. »Auch nicht davon, dass sie Adrian tagsüber vernachlässigte und ihn sich weitgehend selbst überließ.« Er atmete schwer und wich meinem Blick aus. »Mein Sohn war ein schwieriges und nerviges Kind. Ich war damals oft froh, dass er schon schlief, wenn ich abends nach Hause kam. Ich hielt das für normal. Meinen Vater habe ich als Kind während der Woche auch nicht zu Gesicht bekommen. Ich dachte, Kinder wären so, und hielt es für wahrscheinlich, dass ich selbst so gewesen war, es nur anders wahrgenommen hatte. Und dann …« Er schüttelte den Kopf und verfiel in Schweigen.

»Und dann?«, holte ich ihn nach einer Weile behutsam aus seinen Gedanken.

»Dann kam der Tag, an dem Adrian zwölf Jahre alt wurde.

Ich hatte meiner Frau am Vortag versprochen, sein Geschenk – ein neues Fahrrad – abzuholen und mit nach Hause zu bringen. Aber ich hatte es vergessen. In meinem Labor war zu dem Zeitpunkt die Hölle los, alles ging drunter und drüber, weil zwei Mitarbeiterinnen krank geworden waren und wochenlang ausfielen. Ich wusste damals nicht, wo mir der Kopf stand, und ich verstehe bis heute nicht, wieso sie sich in ihrem Zustand ins Auto gesetzt hat und losgefahren ist. Vielleicht wollte sie mich damit bestrafen und mir zeigen, was für ein schlechter Vater ich war. Ich war extra früher von der Arbeit gekommen, aber sie hat mich angeschrien und mir schwere Vorwürfe gemacht, weil das Fahrrad nicht da war. Was für ein Vater ich sei, dass ich es nicht einmal fertigbrächte, am Geburtstag meines Sohnes zu funktionieren. Es sei nicht viel, was sie von mir verlange, nur das. Sie hatte wie immer getrunken, und Adrian hat unseren Streit mitangehört. Nachdem sie ihre Stimme wund geschrien hatte, ist sie hinausgerannt, hat gerufen, dann hole sie es eben selbst, hat sich ins Auto gesetzt und Gas gegeben.«

»Und ist verunglückt?«

Er nickte. »Die Fahrt endete an einem Brückenpfeiler auf der Autobahn. Adrian hat mir die Schuld gegeben und mir nie verziehen. Die Jahre, bis er achtzehn war und aus dem Haus ging, waren für uns beide die Hölle. Ich hätte ihn am liebsten auf ein Internat geschickt, aber ich hatte den Eindruck, er würde nur auf so etwas warten, um mir dann ein weiteres Mal vorwerfen zu können, dass er nicht geliebt werde. Dass der einzige Mensch, der ihn jemals geliebt hätte, seine Mutter gewesen sei. Die auch der einzige Mensch sei, den ich jemals geliebt hätte.«

»Und als er dann schließlich auszog, hat er den Kontakt zu Ihnen abgebrochen?«

»Nein, es war umgekehrt. Ich habe mich zurückgezogen,

nachdem er vier Ausbildungen abgebrochen hatte und mir ständig fadenscheinige Begründungen dafür auftischte. Ich dachte, dann müsse er eben mal ins kalte Wasser springen und ohne meine finanzielle Unterstützung zurechtkommen. Ich hatte gehofft, das würde ihn zur Vernunft bringen und seinen Ehrgeiz anstacheln. Aber Leistung hat mein Sohn nur gebracht, wenn es darum ging, Lügen zu erzählen.« Er stockte und betrachtete mich, als sei er gerade aus einer Art Betäubung aufgewacht. »Ich sollte Ihnen das alles gar nicht erzählen. Sie kannten ihn ja nicht einmal.« Er atmete schwer. »Hätten Sie ihn kennengelernt, wären Sie vermutlich auch auf ihn hereingefallen. Alle sind das. Adrian konnte sehr charmant und liebenswert sein. Und er war voller Ideen. Hätte er doch nur etwas daraus gemacht, er …« Seine Stimme versiegte.

»Heißt das, Sie haben ihn nie wiedergesehen?«

Er nahm einen Schluck Kaffee, schob jedoch den Teller mit dem Croissant zur Tischmitte, als würde ihm allein bei dem Anblick schlecht. »In den vergangenen Monaten hatten wir uns wieder ein wenig angenähert. Ich selbst habe das betrieben. Immerhin war ich es ja auch, der den Kontakt abgebrochen hatte. Ich wusste zwar, ich würde ihn niemals ändern können, aber er war mein Sohn. Und er war Alexandras Sohn und damit letztlich das Einzige, was mir von ihr geblieben war.«

»Hat Ihr Sohn in all den Jahren nie versucht, wieder mit Ihnen ins Gespräch zu kommen?«

»Nein, das hat er nicht.«

»Aber es hat Ihnen beiden sicher gutgetan, wieder zusammenzukommen.«

Er lächelte traurig. »Adrian hat sich ganz offensichtlich darüber gefreut, und er hat mir stolz erzählt, was er in den vergangenen Jahren alles erreicht habe. Er würde für ein

IT-Unternehmen arbeiten, das Softwareprogramme für die Luftfahrt entwickle. Alles streng geheim. Als ich mich skeptisch zeigte, brachte er mir beim nächsten Mal einen Arbeitsvertrag und eine Urkunde von einer Elite-Uni in England mit. Außerdem die Kopie eines Empfehlungsschreibens eines seiner Professoren, der ihm die allerbesten Referenzen bescheinigte. Er gab vor, ein Crack auf den Golfplätzen dieser Welt geworden zu sein, erzählte, welche Turniere er gewonnen hatte, und zeigte mir auch diese Urkunden. Aber all meine Versuche, ihn zu einem gemeinsamen Spiel zu bewegen, scheiterten, weil ihm stets etwas dazwischenkam. Ich konnte mir das nicht erklären. Das Golfspiel wäre etwas gewesen, das wir beide hätten teilen können. Ich habe früher viel Golf gespielt, und wie er sagte, hatten wir das gleiche Handicap.« Robert Eichberger stöhnte und schüttelte unglücklich den Kopf. »Und dann stellte sich heraus, dass diese Urkunden gefälscht waren. Meine Freundin hat das herausgefunden. Sie hat ein wenig recherchiert und ist ihm auf die Schliche gekommen. Als ich Adrian damit konfrontierte, hat er behauptet, das sei ein Test gewesen und ich hätte ihm unwissentlich als Versuchskaninchen gedient. Er arbeite für eine Agentur, die mit solchen Dokumenten und mit Alibis handeln würde. Seine Aufgabe sei es, das Angebot seines Arbeitgebers an der Realität zu testen. Das beinhalte auch herauszufinden, wie Leute darauf reagierten, wie sie damit umgingen. Durch diese Reaktionen ließe sich das Angebot verbessern. Es sei ein gut bezahlter Job.«

Ich hatte alle Mühe, nicht überrascht nach Luft zu schnappen. »Stimmte das denn?«

»Es gibt tatsächlich solche Alibi-Agenturen, und Adrian behauptete, seine neue Freundin betreibe eines dieser *Unternehmen*. Zunächst habe ich es natürlich für eine seiner Lügen gehalten, bis die Kripobeamtin es mir bestätigt hat.« Mit einem Fingerknöchel rieb er sich über die Stirn. »Mein Sohn ist in den letzten Jahren wirklich tief gesunken.«

Da ich den Schlag nicht hatte kommen sehen, traf er mich völlig unvorbereitet und dadurch mit voller Wucht. Seit Alex' Tod hatten sich meine Schutzschilde aufgeweicht. Robert Eichberger bemerkte nichts davon, denn er war in den Anblick seiner Hände versunken.

»Haben Sie diese Freundin kennengelernt?«, fragte ich und war plötzlich froh, ihm doch nicht die Wahrheit über mich gesagt zu haben.

»In einem ersten Impuls habe ich es versucht, aber ich habe sie zum Glück nicht angetroffen. Die Kripobeamtin hatte mich nach ihr gefragt, und ich konnte nur sagen, dass Adrian auch sie mit allen möglichen herausragenden Eigenschaften ausgeschmückt hat, von denen vermutlich keine einzige zutrifft. Wie ich erfahren habe, soll es aber noch eine zweite Frau im Leben meines Sohnes gegeben haben.« Er krümmte die Schultern und schlang die Arme um den Körper. »Adrian hatte sich keinen Deut geändert. Sein Leben war eine einzige Luftblase. Er hat seinen Lebensunterhalt als Taxifahrer verdient und daran sein Potenzial verschwendet. Hätte er Tiermedizin studiert, hätte er mein Labor übernehmen können. Ich habe ihm das mehrfach angeboten, aber er zeigte keinerlei Interesse.« Kasper erhob sich mühsam und legte Robert Eichberger den Kopf aufs Knie. Tief in Gedanken strich er darüber.

»Wie haben Sie das mit dem Taxifahren herausgefunden?«, fragte ich. »Hat Ihr Sohn das offen zugegeben?«

»Etwas offen zuzugeben lag ihm nicht. Nein, Barbara, meine Vertraute, hat das durch einen Zufall herausgefunden. Sie ist in der Innenstadt in sein Taxi gestiegen und hat mir dann schweren Herzens von ihrer Entdeckung erzählt. Sie hat sich sehr darüber aufgeregt. Sie wusste zwar, wie Adrian gestrickt ist, hat aber nicht damit gerechnet, dass er unsere Wiederannäherung mit weiteren Lügen gefährden würde. Nachdem sich seine angebliche Tätigkeit in der Luftfahrttechnik und sein Studium in England als Schall und Rauch herausgestellt hatten, war sie davon ausgegangen, dass mein Sohn ein Einsehen haben und zur Wahrheit übergehen würde. Ihre Reaktion hat mir noch einmal bewusst gemacht, dass Wahrheit nach all den Jahren das Letzte war, was ich von meinem Sohn erwarten konnte. Ich war nicht überrascht, als immer noch mehr Lügen ans Licht kamen. Erstaunt hat mich nur, dass es mich nach wie vor verletzen und enttäuschen konnte, obwohl ich doch eigentlich wusste, woran ich war. Aber letztlich gewöhnt man sich nie daran.«

»Wie hat Ihr Sohn reagiert?«

Einen Moment lang sah er mich irritiert an, dann begriff er, worauf ich hinauswollte. »Ich habe ihn nicht mehr damit konfrontiert, sondern mich auf sein Spiel eingelassen. Unsere vorsichtige Annäherung war ja schon durch das Aufdecken der ersten Lügengeschichten gefährdet, ich habe nicht gewagt, auch noch die nachfolgende zu entlarven. Obwohl natürlich Adrian derjenige war, der mit seinen Lügen alles gefährdet hat. Aber ich habe eingesehen, dass er gestört war. Und niemand kann sagen, wie groß mein Anteil daran ist. *Die Ursachen für diese Störung liegen in der Kindheit*, zitierte er – was ich auch gelesen hatte. Und für seine Kindheit war unter anderem ich verantwortlich. Ich kann mich da nicht herausreden und von aller Schuld freisprechen.« Er lehnte sich zurück und zog die Stirn in Falten. »Wissen Sie, Frau Tenzer, ich habe immer befürchtet, dass es kein gutes Ende mit ihm nehmen würde, dass er womöglich auf die schiefe Bahn geraten würde. Mit einem solchen Ende habe ich jedoch nicht gerechnet.«

Im Gegensatz zu ihm hatte ich gar nichts befürchtet, ich

war völlig ahnungslos gewesen. Eine Tatsache, die mir nach wie vor zu schaffen machte. Da half mir auch die Tatsache nichts, dass selbst Fachleute Pseudologen auf den Leim gingen. Das, was mir zu schaffen machte, betraf nicht die rationale Ebene, sondern die emotionale. Ich hatte mich Alex sehr nahe gefühlt, und jetzt kam es mir vor, als hätte ich mich an einer Luftblase gewärmt.

Nach einer Weile des Schweigens bestand ich darauf, dass Robert Eichberger noch ein paar Schlucke trank. Ich drohte ihm, nicht eher von seiner Seite zu weichen, bis er meiner Bitte nachgekommen war. Schließlich gab er nach, aber nur, um mich endlich loszuwerden. Auf dem Weg in die Küche rief ich ihm zu, dass ich ihm etwas kochen würde, bevor ich ginge. Seinem Einwand, er werde nichts herunterbringen, begegnete ich mit der Prophezeiung, Brühe ginge immer. Eine Stunde später ließ ich ihm den Topf auf dem Herd stehen und legte ihm alles bereit, sollte er wenigstens probieren wollen.

Dann überließ ich ihn schweren Herzens sich selbst. Es war nicht etwa so, dass ich meine Zuneigung für ihn entdeckt hatte. Er war nicht der Mensch, der einem solch ein Gefühl leicht machte. Aber ich war der Überzeugung, dass ein Vater mit dem Tod seines Sohnes nicht allein sein sollte. Selbst wenn es keinen Trost gab, konnten doch menschliche Wärme und Nähe in solch einer Situation einen Rettungsring bedeuten. Und wie dringend er den brauchte, hatte mir die Tatsache gezeigt, dass er mich mit ihm am Tisch hatte sitzen lassen. Für eine Weile schien es ihn erleichtert zu haben, reden zu können. Ich war mir jedoch sicher, dass er seine Offenheit früher oder später bereuen würde.

Eine Frage hätte ich ihm gerne noch gestellt, aber da er mich für Elisa Tenzer hielt, verbot sie sich von selbst. Dennoch: Wie hatte er meine Adresse herausgefunden?

16 Am Nachmittag brauten sich wieder düstere Wolken zusammen, und das allem Anschein nach nicht nur am Himmel. Als ich ins Büro kam, befand Zeno sich in einem völlig aufgelösten Zustand. Mit hängendem Kopf saß er auf einem Küchenstuhl und starrte auf seine nackten Füße. Seine Hände lagen kraftlos in seinem Schoß. Sie wiesen rote Striemen und blutige Kratzer auf. Im ganzen Raum roch es nach Desinfektionsmittel.

»Was ist passiert?«, fragte ich.

Er atmete stoßweise, sodass ich schon befürchtete, er würde hyperventilieren.

»Zeno, was ist passiert?«

Er sah auf und schlang die Arme um den Brustkorb, als müsse er sich schützen. Tränen liefen ihm über die Wangen. »Das Zeug war überall«, stammelte er verzweifelt, »an meinen Händen, an meinen Schuhen.« Er drehte seine geschundenen Hände vor meinen Augen und starrte darauf.

Im ersten Moment dachte ich an Säure, die seine Haut verätzt hatte, aber seine Wunden sahen eher nach Kratzern aus. »Welches Zeug?«

»Scheiße«, presste er hervor, »Hundescheiße. Jemand hat sie unten in unseren Briefkasten getan, nachdem die Post ausgeliefert worden war. Er war voll davon. Ich habe es erst viel zu spät gerochen. Als ich aus meiner Mittagspause kam, habe ich den Kasten im Vorbeigehen geöffnet und, ohne hinzugucken, hineingegriffen. Das Zeug ist mir auf die Schuhe gefallen, und meine linke Hand war voll davon. Das war bestimmt diese Durchgeknallte, die Freitag hier im Büro war.«

»Karen Döring?«

»Ich glaube, sie hat dem gesamten Büro den Krieg erklärt.«

In Gedanken ging ich den Hausflur ab und erinnerte mich, dass ich Putzmittel gerochen hatte. »Wer hat unten so schnell sauber gemacht?«

»Die Leute von der Treppenhausreinigung waren gerade da, als es passierte. Sie haben mir geholfen. Ich habe meine Schuhe weggeworfen und die Post auch. Tut mir leid, Dana.«

»Mir tut es leid für dich, Zeno. Schlimm, dass es ausgerechnet dich getroffen hat. Wäre ich da gewesen, hätte ich den Postkasten geöffnet.« Ich sah auf seine Hände und deutete auf die Kratzer. »Hast du dir mit einer Bürste die Hände geschrubbt?«

Er nickte. »Aber ich habe den Geruch immer noch in der Nase. Es ist entsetzlich. Ich habe das Gefühl, dass dieses Zeug durch jede Pore meiner Haut gedrungen ist und dass ich nie wieder sauber werde.« Er verrenkte sich und versuchte, sich mit dem Oberarm die Tränen aus dem Gesicht zu wischen.

»Was hältst du davon, wenn du nach Hause gehst und dich unter die Dusche stellst? Ich spendiere dir ein Taxi und selbstverständlich auch ein paar neue Schuhe.«

»Warum passiert so etwas ausgerechnet mir? Ich will damit nicht behaupten, dass es Leute gibt, denen es nichts ausmachen würde. Aber für mich ist es …«

»Ich kann mir vorstellen, wie schlimm das für dich sein muss, Zeno«, unterbrach ich ihn, »und ich verspreche dir, dass ich versuchen werde herauszufinden, wer dafür verantwortlich ist.«

»Wir wissen doch beide, wer es war.«

»Nein, das wissen wir nicht, wir vermuten es nur. Es kann aber auch jemand anderes gewesen sein, der an dem, was wir hier tun, Anstoß nimmt.«

»Ist so etwas schon mal vorgekommen? Ich meine, bevor ich hier angefangen habe?«

»Nein. Es ist das erste Mal, und es wird hoffentlich das einzige Mal bleiben.« Vorsichtig strich ich ihm über seine malträtierte Hand. »Meinst du, es wird dir gelingen, das irgendwie wegzustecken und morgen oder in den nächsten Tagen wiederzukommen?«

Er sah mich immer noch voller Verzweiflung an. »Ehrlich, Dana? Ich weiß es nicht.«

Ein paar Stunden später stand ich in meinem Bad unter der heißen Dusche und dachte an Zeno, dem es hoffentlich mit ganz viel Wasser und Seife gelingen würde, die schreckliche Erfahrung dieses Tages abzuwaschen. Von ihm wanderten meine Gedanken zu Alex. Während das Wasser auf mich niederprasselte, fragte ich mich einmal mehr, wieso er mich zu seinem Vater geschickt hatte. Was hatte er damit bezweckt?

Ich rief mir ins Gedächtnis, worum er mich gebeten hatte. Ich solle Augen und Ohren nach etwas Ungewöhnlichem offen halten, Robert Eichbergers Besucher notieren, seine Gespräche mithören und ihm dann darüber berichten. Zehn Tage lang hatte ich genau das getan und dabei nur die eingefahrenen Routinen eines Siebzigjährigen kennengelernt, dessen Leben in überaus ruhigen, ereignislosen Bahnen verlief. Die einzige Besucherin, die ich in dieser Zeit zu Gesicht bekommen hatte, war Barbara Burkart, seine »Vertraute«, wie er sie mir gegenüber stets nannte.

Die um einiges jüngere Witwe seines besten Freundes kam einmal in der Woche, um Tee mit ihm zu trinken. Zweimal hatte ich sie bei ihm erlebt, hatte den beiden Earl Grey und selbst gebackenen Käsekuchen serviert und dabei einen Eindruck von ihren Gesprächen bekommen. Sie drehten sich um Musik, um Arztbesuche, ums Älterwerden und die Einschränkungen, die damit einhergingen, und immer wieder um Barbara Burkarts verstorbenen Mann. Einen Mann, mit dem es mein Arbeitgeber offensichtlich nicht aufnehmen konnte. Obwohl er seiner schwarz gekleideten Besucherin immer wieder verstohlene Blicke zuwarf, schien sie nichts davon zu bemerken. Sie lebte ganz offensichtlich in der Vergangenheit und übersah dabei die Chancen, die sich mit dem guten Freund ihres Mannes für sie hätten auftun können. Es war ein Trauerspiel gewesen, die beiden dabei zu beobachten, und es hatte mir fast wehgetan. Es war eine dieser Situationen, bei der man als Außenstehender gerne als gute Fee fungiert und den Zauberstab geschwungen hätte.

Ich hatte Alex davon erzählt, und er hatte sich lustig über mich gemacht. Alte, wohlhabende Männer bräuchten in der Regel keine Fee, die ihnen zu Hilfe eilte. Ihr Geld sei Hilfe genug. Ich hatte ihm gesagt, dass dieser Fall anders gelagert sei. Diese Barbara Burkart hätte gar keinen Blick für Robert Eichberger. Sie gehöre zu jenen Menschen, die ihrer großen Liebe begegnet seien und diese wieder verloren hätten. Und für die es niemanden anders gebe als ebenjenen Menschen. Alex hatte wieder gelacht und gemeint, ich würde gerade von verklärten romantischen Vorstellungen eingeholt. Diese angeblich so großen Lieben würden häufig genug ziemlich schnell in Vergessenheit geraten.

Hatte er da insgeheim von seiner Mutter und seinem Vater gesprochen? Hatte sein Vater die Mutter für seinen Geschmack zu schnell vergessen? Aber wie ließen sich dann die Bilder von Alexandra Eichberger erklären, die von nichts anderem als von liebevoller Erinnerung sprachen?

Was hatte Alex an all den kleinen Alltäglichkeiten im Leben seines Vaters so brennend interessiert? Was hatte er überhaupt damit anfangen können? Hatte er womöglich herausfinden wollen, ob sein Vater seinen Lügen auf die Schliche gekommen war?

Gedanklich ging ich alles noch einmal durch und hoffte, dabei auf eine Kleinigkeit zu stoßen, die mich vielleicht weiterbrachte. Ich ließ die Gespräche mit der Kripo Revue passieren und stockte bei Corinna Altenburgs Frage nach einem Zweithandy. Meines Wissens hatte Alex keines besessen. Wann immer sein Akku leer gewesen war, hatte er sich stets mein Handy ausgeliehen. Angeblich hatte es sich dabei um berufliche Gespräche gehandelt, und ich hatte nie nachgesehen, welche Nummern er angerufen hatte. Das holte ich jetzt nach, als ich aus der Dusche stieg, nur um feststellen zu müssen, dass die Nummern aus dem Anrufprotokoll gelöscht worden waren. Verdammt! Tief in mir spürte ich eine unbeschreibliche Traurigkeit, die von Wut und Enttäuschung in Schach gehalten wurde.

Als das Handy in meiner Hand vibrierte, hätte ich es beinahe fallen lassen. Fritz rief an, um mich zum Abendessen einzuladen. Marielu habe eine köstliche Gazpacho vorbereitet, die für ein ganzes Bataillon reiche. Sie würden auf meine Hilfe zählen. Wenn ich um sieben vorbeikäme, wäre es perfekt. Ich versprach, pünktlich zu sein.

Kaum hatte ich aufgelegt, erhielt ich eine SMS von Niki. Sie sei auf dem Rückweg von Köln und würde sich riesig freuen, wenn wir uns um neun herum bei ihr treffen könnten. Sie hätte viel zu erzählen und einen Bärenhunger. Und ich hätte einen Riesengefallen bei ihr gut, wenn ich etwas zu essen einkaufen könnte.

Ich überschlug meinen Zeitplan, stellte fest, dass ich alles unter einen Hut bekommen würde, wenn ich gleich aufbrach, und sagte per SMS zu.

Im Hinausgehen rechnete ich damit, dass sich die Tür

meiner Nachbarin Gundula Mauss öffnete. Hin und wieder passte sie mich an der Tür ab, um einen kleinen Schwatz zu halten, aber der letzte war schon ein paar Tage her. Wenn ich mich nicht täuschte, hatte ich sie zuletzt am Samstag gesehen, als sie mich gebeten hatte, für sie einzukaufen. Sonntag hatte ich sie mit Fritz und Marielu im Hausflur reden hören, seitdem aber kein Lebenszeichen mehr von ihr vernommen. Erst jetzt wurde mir bewusst, wie ungewöhnlich das war.

Ich klingelte, um sicherzugehen, dass mit ihr alles in Ordnung war. Als nichts geschah, klingelte ich ein zweites Mal und horchte auf ihre vertrauten Schritte und ihr Rufen. Dann rief ich durch die Tür nach ihr. Nichts. Ich zückte mein Handy, wählte ihre Nummer und hörte drinnen ihr Telefon.

Es hätte jede Menge plausibler Erklärungen geben können, warum sie nicht öffnete. Keine davon konnte mich beruhigen. Ich holte aus meiner Wohnung den Schlüssel, den sie mir für den Notfall gegeben hatte, und hoffte inständig, dass es keiner war und dass ich einfach nur überreagierte. Nachdem ich die Tür geöffnet hatte, rief ich nach ihr, bekam jedoch keine Antwort. Am Ende des Flurs, neben dem Eingang zur Küche, sah ich ihren Rollator stehen. Ohne ihn konnte sie das Haus nicht mehr verlassen. Wenn er sich hier befand, musste sie auch irgendwo sein. Laut rufend ging ich mit klopfendem Herzen von Zimmer zu Zimmer, bis ich sie im Bad fand. Sie lag auf der Seite und rührte sich nicht. Ihre Hände und ihr Gesicht waren voller Blut.

Ich kniete mich hin und drehte sie vorsichtig auf den Rücken. Dann fühlte ich ihren Puls. Er war zwar schwach, aber er war da. Als ich sie ansprach, zeigte sie jedoch keinerlei Reaktion. Ihre Augen blieben geschlossen. Ich schnappte mir ein Handtuch, rollte es zusammen und schob es ihr unter den Kopf. Dann rief ich die 112 an, meldete einen Notfall und setzte mich auf den Badezimmerboden neben meine Nachbarin. Mit der einen Hand hielt ich ihre, mit der anderen rief ich Corinna Altenburg an. Im Telegrammstil erzählte ich ihr, dass Gundula Mauss vermutlich überfallen worden sei. Sie liege blutüberströmt in ihrer Wohnung. Seit wann, wisse ich nicht, das Blut sei bereits geronnen. Ich flehte die Beamtin an zu kommen.

Es schien eine Ewigkeit zu dauern, bis ich die Klingel hörte. In der Zwischenzeit hatte ich unablässig auf die betagte Frau eingeredet. Was immer auch geschehen sei, sie solle sich nicht sorgen, jetzt sei sie in Sicherheit. Wer immer ihr das angetan habe, sei längst über alle Berge.

Corinna Altenburg kam in Begleitung von Leo Parsinger. Die beiden mussten irgendwo in der Nähe gewesen sein, denn sie trafen vor dem Rettungswagen ein. Dann schien alles gleichzeitig zu geschehen. Ehe ich michs versah, lag meine Nachbarin auf einer Trage und wurde mit Flüssigkeit aus einem Infusionsbeutel versorgt. Während die Notärztin ihre Sachen zusammenpackte und mit Leo Parsinger sprach, trugen zwei Sanitäter Gundula Mauss zum Rettungswagen.

Corinna Altenburg lotste mich in die Küche. »Wieso glauben Sie, dass Ihre Nachbarin überfallen wurde?«, fragte sie mich mit einem besorgten Unterton.

»Sie hatte eine Kopfwunde und rührte sich nicht.«

»Es gibt keinerlei Einbruchspuren.«

»Die gab es bei Alex auch nicht«, entgegnete ich. »Er hat seinen Mörder in die Wohnung gelassen.«

Sie musterte mich eingehend. »Warum, glauben Sie, sollte jemand der alten Frau etwas tun?«

»Weil sie vielleicht doch etwas beobachtet hat, als bei mir eingebrochen wurde. Vielleicht hat derjenige aber auch nur angenommen, sie könne etwas gesehen haben, und wollte auf Nummer sicher gehen.« Ich lehnte mich mit dem Rücken gegen die Wand und legte meine Handflächen auf die Kacheln.

Leo Parsinger, der die Notärztin zur Tür gebracht hatte, kam in die Küche. »Frau Mauss war stark dehydriert. Die Ärztin vermutet, dass sie gestolpert ist und sich dabei den Kopf am Waschbecken aufgeschlagen hat. Sie wird sich dabei eine Gehirnerschütterung zugezogen haben und eben diese stark blutende Wunde. In ein paar Tagen, meinte sie, wird sie wieder nach Hause können.« Er warf seiner Kollegin einen beredten Blick zu. »Ich gehe schon mal runter und warte im Auto auf dich.« Und an mich gewandt: »Auf Wiedersehen, Frau Rosin.«

»Sie halten mich für überspannt«, sagte ich, nachdem die Tür ins Schloss gefallen war.

»Das tun weder mein Kollege noch ich. Wir wissen, was es bedeutet, wenn man erlebt, was Sie am vergangenen Freitag erlebt haben, und wir wissen, was das mit einem Menschen anstellen kann. Es wird einige Zeit dauern, bis sich Ihr Nervenkostüm nicht mehr im Alarmzustand befindet.«

»Und wenn nun doch jemand …?«

»Ich kann es nicht ausschließen, aber ich halte es für wenig wahrscheinlich. Ihre Nachbarin hat wie viele ihrer Altersgenossen auch zu wenig getrunken, dann ist ihr schwindelig geworden, und sie ist gestürzt. Sie kann von Glück reden, dass Sie sie rechtzeitig gefunden und den Notarzt gerufen haben.«

»Haben Sie Jürgen Kunze in der Zwischenzeit festnehmen können?«

Sie nickte mit Nachdruck. »Ja, das haben wir.«

»Und? Hat er die Morde gestanden?«

»Er wurde erst vor einer Stunde gefasst, Frau Rosin. Morgen beginnen wir mit den Vernehmungen.«

Nachdem sie gegangen war, rief ich meinen Onkel an, sagte ihm für das gemeinsame Essen ab und bat ihn, mich bei Marielu zu entschuldigen.

Niki trug einen ihrer selbst gestrickten Pullis über einer durchlöcherten Jeans und dicke Wollsocken. Ihre dunkelblonden Haare hatte sie zu einem undefinierbaren Gebilde verschlungen und am Hinterkopf mit einer großen Haarnadel befestigt.

»Ich bin am Verhungern«, begrüßte sie mich, nahm mir die Einkaufstüte aus der Hand und trug sie in ihre winzige Küche, wo sie sofort damit begann, sie auszupacken. »Verliebtsein macht hungrig«, meinte sie mit einem Lächeln. »Piet ist einfach umwerfend. Sobald das Essen auf dem Tisch steht, zeige ich dir ein Foto von ihm. Du wirst ihn mögen.«

Ich nahm ihr die Tüte mit den Tomaten aus der Hand und umarmte sie, als käme sie von einer sechswöchigen Expedition zurück.

Niki hielt mich von sich und forschte in meinem Gesicht. »Was ist denn nur passiert? Habt ihr zwei etwa doch Ärger? Sag bloß nicht, dass es wegen dieser Frau in der *Schwarzreiter Tagesbar* ist. Das wäre wirklich der größte Blödsinn, Dana! Die Frau …«

»Alex ist tot«, unterbrach ich ihren Redeschwall.

»Sollte er dir nur ein Haar gekrümmt haben, ist er das für mich auch!«

»Er wurde vergangenen Freitag in seiner Wohnung umgebracht. Erschossen. Genauso wie seine Nachbarin Rike Jordan.«

Niki schnappte nach Luft und musterte mich, als wolle sie sichergehen, dass sie sich nicht verhört hatte. Die Nachricht schien ihr die Sprache zu verschlagen.

»Tot?«, fragte sie schließlich. »Erschossen?«

»Ja.«

»Und seine Nachbarin auch?« Niki hielt ihren Blick unablässig auf mich gerichtet.

»Ja, sie auch.«

»Kanntest du sie?«

Ich schüttelte den Kopf. »Sie hat noch nicht so lange dort gewohnt.«

»Aber … wieso denn die beiden? Hatten die etwas …?« Sie schluckte. »Ich meine, wie hängt denn das zusammen?«

»Die Leute von der Kripo haben den Mann der Nachbarin verhaftet. Angeblich soll er dahinterstecken. Rike Jordan hatte sich von ihm getrennt und war in einer Nacht-und-Nebel-Aktion von Wiesbaden hierhergeflohen. Sie vermuten, er hat angenommen, seine Frau würde ihn mit Alex betrügen.«

»Und? Hat sie?«, fragte sie vorsichtig.

»Nein, die beiden hatten nichts miteinander. Trotzdem hat Alex mich nach Strich und Faden belogen. Er war gar kein Journalist, sondern hat sich als Taxifahrer durchgeschlagen. Auch was seine leiblichen und seine Adoptiveltern betrifft, hat er gelogen. Letztere gab es gar nicht. Seine leibliche Mutter ist gestorben, als er zwölf war. Sein Vater lebt hier in München. Bei ihm handelt es sich um den Mann, zu dem Alex mich als Haushälterin geschickt hat – um etwas über seine angeblichen üblen Machenschaften herauszufinden.«

»Du spinnst«, rutschte es Niki heraus. »Das war alles gelogen?« Sie starrte mich entgeistert an. »Dass einer sich seinem neusten Date gegenüber vielleicht nicht gleich als Taxifahrer outen will, könnte ich ja gerade noch verstehen, aber wieso denn dieses ganze Drama über verunglückte Familien?«

»Es heißt, er sei ein Pseudologe gewesen, jemand, der

krankhaft lügt.« Ich lehnte mich gegen den Tisch und stützte mich mit den Händen ab. »Ich habe nichts davon gemerkt, Niki. Hattest du irgendwann mal einen Verdacht? Du hast ihn doch auch ein paarmal erlebt.«

»Ich war nur anfangs ein bisschen skeptisch, weil es für meinen Geschmack einen Hauch zu geschmeidig anfing. Zu schnell.«

»Das sagst ausgerechnet du?« Niki war diejenige von uns beiden, die am liebsten zügig zur Sache kam.

»Ja, und zwar bezogen auf dich. Bis Alex auftauchte, warst du immer sehr zurückhaltend und skeptisch, was Typen betraf, die ein Auge auf dich geworfen hatten. Bei ihm war es, als hättest du alle Vorsicht fahren lassen.«

»Ich war mir so sicher, ihm vertrauen zu können. Er hat von Anfang an betont, wie wichtig ihm Wahrheit ist. Dass man sich als Lügner hinter so einer Aussage wunderbar verstecken kann, ist mir nicht in den Sinn gekommen. Nicht bei ihm. Ich hätte auch nicht gedacht, dass er sich solche traumatischen Geschichten ausdenkt. Schließlich gibt es Menschen, denen genau das widerfahren ist. Die so viel Leid hinter sich haben, dass man es nicht fassen kann. Und dann hätte ich daherkommen sollen und das infrage stellen?«

»Nein, hättest du nicht! Viel schlimmer, als eine Lüge zu glauben, ist, finde ich, eine Wahrheit anzuzweifeln.«

»Mittlerweile zweifle ich alles an. Jedes Wort, das er gesagt hat. Du hast mir doch von dieser Frau in dem Restaurant erzählt.«

Sie nickte. »Der Brigitte-Nielsen-Verschnitt.«

»Alex hat behauptet, sie sei eine Informantin. Aber das kann nicht stimmen. Welchen Eindruck hattest du von ihr?«

»Sie hat ziemlich tough gewirkt und fast die meiste Zeit geredet. Über irgendetwas, das sie sagte, hat Alex sich ziemlich aufgeregt.«

»Mir gegenüber hat er behauptet, das sei gewesen, weil sie Geld für Informationen von ihm gefordert habe. Ist dir noch irgendetwas aufgefallen?«

»Ich habe später kaum auf die beiden geachtet, weil ich mit meinem Vater dort war. Als ich nach einer Weile noch einmal zu ihrem Tisch hinübergesehen habe, waren sie weg. Ich fand es ein wenig seltsam, dass Alex sich nicht wenigstens kurz verabschiedet hat.«

»Hast du irgendetwas von der Unterhaltung der beiden mitbekommen?«

Niki dachte angestrengt nach und verneinte dann. »Ich habe nur beobachtet, wie Alex versucht hat, mit seinem Handy ein Foto von ihr zu machen. Sie hat ihm das Ding wortlos aus der Hand genommen und neben ihren Teller gelegt.«

»Hast du zufällig mitbekommen, wie er sie genannt hat? Könnte es ›Biggi‹ gewesen sein?«

»Bei ›Biggi‹ hätten sich doch sofort meine Antennen aufgestellt. Wer auch immer die Frau war, sie war ganz sicher nicht seine Freundin. Für so etwas habe ich einen Blick. Da waren weder Sex noch Liebe im Spiel.«

17 In der Nacht rissen mich heftiger Wind und Regen aus dem Schlaf. Eine Weile sah ich vom Fenster aus dabei zu, dann zog ich mich warm an, stülpte mein Regencape über und lief nach unten.

Vorm Haus setzte ich mich auf die Treppenstufen und ließ mir den Regen ins Gesicht peitschen, wo er sich mit meinen Tränen vermischte. Sekundenlang wurde ich blind für alles um mich herum und spürte nur noch. In diesen Sekunden war das Wetter so elementar wie das Gefühlschaos in meinem Inneren, beides schien sich anzugleichen und dadurch auf seltsame Weise in eine Balance zu gleiten.

Als sich von hinten eine Hand auf meine Schulter legte, zuckte ich zusammen und fuhr herum. Hinter mir stand Rudi Meinhold in Regenjacke und Gummistiefeln. Er nickte mir wortlos zu, setzte sich neben mich und hielt sein Gesicht in den nachlassenden Regen. Nachdem wir ein paar Minuten geschwiegen hatten, zog er einen Flachmann aus der Tasche und reichte ihn mir.

»Trinken Sie, Frau Rosin!«

»Was ist das?«

»Medizin, die wärmt.«

Ich setzte die Flasche an und nahm vorsichtig einen Schluck. Es war Wodka. Schon sehr viel mutiger ließ ich weitere folgen und gab ihm den Flachmann zurück. »Danke!«

»Ist es schlimm?«

Ich lächelte ihn an. »Ziemlich.«

Gemeinsam sahen wir den Sturzbächen dabei zu, wie sie die Straße unter Wasser setzten, da die Gullys überliefen.

Neben mir setzte Rudi Meinhold den Flachmann an. Dann räusperte er sich. »Wissen Sie, Frau Rosin … manchmal erscheint es einem verführerisch, sich einfach in den Abgrund fallen zu lassen, weil einem alles andere viel schwerer vorkommt. Aber wenn das Schwere erst einmal hinter einem liegt, ist der Abgrund keine Option mehr.«

»Mache ich den Eindruck auf Sie, als stünde ich vor einem Abgrund?«

»Ein wenig schon.«

Ich schüttelte den Kopf und schwieg. »Standen Sie schon mal vor einem Abgrund?«, fragte ich ihn schließlich.

»Einmal. Damals hat meine Frau mich gerettet. Das vergesse ich ihr nie.«

»Gehen Sie wieder zu ihr. Sie wird sich sonst Sorgen machen.«

»Ich gehe erst, wenn Sie auch wieder in Ihre Wohnung gehen. Es ist viel zu kalt hier draußen.«

Sekundenlang sah ich einem Pappbecher bei seinem Tanz auf dem Wasser zu, dann erhob ich mich. »Danke für die Medizin.«

Er steckte den Flachmann zurück in die Jackentasche, öffnete die Tür und hielt sie mir auf. Als ich schon auf halber Treppe war, räusperte er sich. »Ich habe mal gelesen, dass in der Mitte der Nacht ein neuer Tag beginnt. Ich finde, das ist ein tröstliches Bild.«

Mein nächtlicher Ausflug ins Freie war nicht ohne Folgen geblieben. Während ich Robert Eichbergers Haushalt auf Vordermann brachte, kämpfte ich mit einer beginnenden Erkältung. Ich nieste in einem fort, schluckte Unmengen von Vitamin C, trank Tee mit Honig und fragte mich, was ich hier eigentlich noch tat. Alex' Vater hatte mir gestern vermutlich alles erzählt, was er wusste – oder zumindest alles, was er preiszugeben bereit war. Viel mehr würde ich von ihm nicht erfahren. Schon gar nicht an diesem Tag, an dem er nur das Allernötigste mit mir sprach.

Er wirkte in sich gekehrt und abwesend und bewegte sich kaum von seinem Sofa weg. Von der Suppe, die ich gestern für ihn gekocht hatte, hatte er nichts angerührt. Und auch sonst schien sich in der Küche nichts getan zu haben. Ich brachte ihm Tee und ein belegtes Brötchen und drohte damit, das Haus erst dann zu verlassen, wenn der Teller leer sei. Nichts einfacher als das, meinte er und hielt den Teller kurzerhand Kasper hin. Der Hund ergriff seine Chance und schnappte nach dem Leckerbissen. Fünf Minuten später hatte ich für Nachschub gesorgt und ihn wortlos auf den Tisch gestellt. Kasper lockte ich mit einem Leckerchen zu mir in die Küche.

Keine Minute später tauchte Robert Eichberger mit dem Tablett in der Küche auf und knallte es auf den Tisch. Dabei kippte das Glas mit dem Tee um, und das Brötchen hüpfte auf dem Teller. »Ich hasse Bevormundung«, sagte er barsch.

»Und ich schätze es, wenn meine Arbeitgeber überleben. Aber wenn Sie sich zu Tode hungern wollen, bitte! Allerdings werde ich nicht dabei zusehen.« Ich band mir die Schürze ab und warf sie neben das Tablett auf den Tisch. Dann machte ich Anstalten zu gehen.

»Warten Sie, Frau Tenzer!«

»Worauf?«

Mit einem Seufzer ließ er sich am Tisch nieder, nahm das Brötchen und biss widerwillig ein Stück ab. »Ich brauche Ihre Hilfe«, sagte er, als er den Bissen nach mehrmaligem Kauen endlich heruntergeschluckt hatte. »Jemand muss in der Wohnung meines Sohnes nach dem Rechten sehen, vor allem nach der Post. Ich bin dazu im Augenblick nicht imstande. Können Sie das bitte übernehmen? Ich schreibe Ihnen die Adresse auf.«

»Auf keinen Fall!«

»Die Wohnung ist inzwischen von der Polizei wieder freigegeben worden. Man hat mich vorhin benachrichtigt.« Er zog den Kopf zwischen die Schultern und wand sich. »Ich kann nicht dorthin. Noch nicht. Es ist einfach zu belastend.«

Das war es zweifellos. Abwartend sah ich ihn an.

»Können Sie das nicht für mich übernehmen?«

»Gibt es niemanden in Ihrem Umfeld, der das machen könnte? Vielleicht Ihre Vertraute?«

»Barbara? Auf keinen Fall. Sie ist viel zu zartbesaitet. Das kann ich ihr nicht zumuten.«

Aber mir konnte er es zumuten. »Hat das nicht noch Zeit? Ich habe hier im Haus alle Hände voll zu tun und …«

»Bitte! Hier brennt nichts an. Außerdem habe ich noch etwas gut bei Ihnen. Immerhin habe ich Ihnen eine zweite Chance gegeben.« Er stand auf, holte Zettel und Stift aus einer Schublade und schrieb die Adresse auf. Dann zog er einen Schlüssel aus seiner Hosentasche und legte ihn mir in die geöffnete Hand.

Es war Alex' Schlüssel, ich erkannte seinen Anhänger. Vermutlich war er seinem Vater von der Kripo ausgehändigt worden. »Sie wollen mich allen Ernstes allein in eine Wohnung schicken, in der es einen Doppelmord gab?«

»Sie brauchen keine Angst zu haben, Frau Tenzer, Ihnen wird dort nichts geschehen.«

»Woher wollen Sie das wissen?«

»Der Mörder wurde zwischenzeitlich verhaftet. Fahren Sie hin, holen Sie die Post aus dem Briefkasten und machen Sie sich ein Bild, was weiter zu geschehen hat. Dann erstatten Sie mir morgen Bericht.«

Von unterwegs rief ich Henry an und bat ihn, morgen Abend nach Restaurantschluss mit mir auszugehen. Ich wollte mit ihm die Bar besuchen, in der er Alex mit dem Mann beobachtet hatte, den er mir als schlechten Umgang beschrieben hatte. »Wozu?«, fragte Henry.

»Vielleicht war er ein Freund von Alex.«

»Reicht es nicht, was du über Alex erfahren hast? Wozu willst du den windigen Freund eines Schaumschlägers treffen?«

»Weil der Schaumschläger tot ist und ich ihn nur über seine Freunde ein bisschen besser kennenlernen kann.«

»Ich könnte mir wirklich bessere Formen der Trauerbewältigung für dich vorstellen.«

»Trauer kann man erst dann bewältigen, wenn man sie empfindet! Im Augenblick spüre ich nur eine Mischung aus Entsetzen und Wut. Gib dir einen Ruck … Bitte!«

»Aber beklag dich später nicht, wenn der Schuss nach hinten losgeht.«

»Du bist ein Schatz! Ich hole dich um halb zwölf ab.«

Henrys Stimme und das Bewusstsein, ihn zum Freund zu haben, trugen mich bis zu Alex' Haus. Dann war es mit der inneren Stärke allerdings schlagartig vorbei. Durchs Treppenhaus zu laufen und Alex' Nachbarn zu besuchen war eine Sache, seine Wohnung, die er in einem Sarg verlassen hatte, noch einmal zu betreten, eine völlig andere.

Gleich hinter der Hauseingangstür leerte ich den Briefkasten, der zwei Rechnungen und fünf Werbesendungen enthielt. Ich warf die Prospekte in einen Eimer, den jemand vermutlich genau dafür dort aufgestellt hatte. Dann stieg ich mit bleiernen Beinen die Treppenstufen hinauf.

Vor Alex' Tür, von der das amtliche Siegel entfernt worden war, verließ mich sekundenlang mein Mut. Ich trat ein paar Schritte zurück, lehnte mich an das Geländer und überlegte, wen ich bitten konnte, mit mir hineinzugehen. Henry würde keine Sekunde zögern und Niki auch nicht. Aber beide würden gleichzeitig protestieren und mich fragen, was ich dort wollte. Robert Eichbergers Bitte nachzukommen reichte nicht einmal mir als Argument. Das Einzige, das mich bewegte, Alex' Wohnung noch einmal zu betreten, war die Hoffnung auf Antworten. Wobei die Chance, etwas zu finden, das der Polizei bisher nicht aufgefallen war, gegen null tendierte.

Es kam mir wie eine Ewigkeit vor, bis ich mir ein Herz fasste. Im Geiste hüllte ich mich in einen schützenden Panzer, schob den Schlüssel ins Schloss und sperrte auf. Dann tat ich einen Schritt auf das knarzende Parkett, und dann noch einen, bis ich hinter mir die Tür zufallen ließ. Alles, was geschehen konnte, war bereits geschehen, redete ich mir ein. Die einzige Gefahr, die mir hier drohte, rührte von dem Bild, das sich mir bot. Ich atmete gegen den Druck auf meiner Brust, sah mir alles ganz bewusst an und stellte nach einer Weile fest, dass nichts hier an den Schrecken vom vergangenen Freitag heranreichte.

Es herrschte immer noch Chaos, im Flur war der Boden mit allen möglichen Gegenständen übersät. Die Blutlachen waren getrocknet, ebenso die Spritzer an der Wand. Das Bild von Alex, wie er dort gelegen hatte, drängte sich vor mein inneres Auge. Ich schob es fort, stellte eines der Flurregale wieder auf, sammelte die Teile von Alex' Kameraausrüstung vom Boden und legte sie vorsichtig zurück ins Regal. Genauso verfuhr ich mit den Büchern, die auf dem Boden gelandet waren. Dann schärfte ich meinen Blick für die Suche nach Fotos, nach irgendwelchen Hinweisen, die auf Biggi deuteten. Ich suchte im Wohnzimmer, sammelte die Unterlagen zusammen, die der Fuchsmann vom Tisch und aus den Schubladen gefegt hatte, setzte mich damit aufs Sofa und sah sie durch. Nichts.

Auf dem Weg zum Schlafzimmer kam ich an dem Raum vorbei, den ich für Alex' Arbeitszimmer gehalten und der sich als Abstellkammer herausgestellt hatte. Er enthielt drei alte Kommoden, zwei Fahrräder, ein ausrangiertes Regal für Weinflaschen, einen Sessel mit nur drei Beinen, eine Skiausrüstung, leere Kartons und Kisten voller alter Bücher sowie mehrere Plakatrollen. An den Griffspuren in der dicken Staubschicht war zu erkennen, dass die Kripobeamten jeden Gegenstand in die Hand genommen hatten.

Ich ging weiter ins Schlafzimmer, stieg gleich vorne über die Blutlache, die Rike Jordan hinterlassen hatte, und verdrängte das Bild ihrer Leiche. Auch hier herrschte ein gewaltiges Durcheinander. Ich sah auf das Bett, in dem Alex und ich so viele Nächte verbracht hatten und das wir nie wieder teilen würden. Nach einer kleinen Ewigkeit gelang es mir, mich von dem Anblick zu lösen.

Auf einer Kommode stand ein geöffneter Schuhkarton mit Fotos. Die Frau, die sie allesamt zeigten, erkannte ich sofort. Es handelte sich um Alexandra Eichberger. Es gab auch Fotos von Alex als Baby und als kleinem Jungen im Arm oder an der Hand seiner Mutter. Der Deckel des Kartons war abgegriffen. Ich stellte mir vor, wie Alex ihn immer mal wieder hervorgeholt und geöffnet hatte, um die Fotos zu betrachten. Warum hatte er keines davon aufgestellt? Hatte es ihm tatsächlich zu sehr wehgetan oder hatte er damit vermeiden wollen, dass seine Lügengeschichten ans Licht kamen? Dabei hätte es ihm doch ein Leichtes sein müssen, welche zu erfinden, die sich um diese Frau rankten. Aber vielleicht hatte er sie allein für sich haben und nicht mit den Blicken der anderen teilen wollen.

Ich suchte nach weiteren Schachteln mit Fotos, musste aber feststellen, dass es keine gab. Sollte Biggi in seinem Leben existiert haben, dann zumindest nicht auf Fotopapier.

Inzwischen war ich versucht zu glauben, dass es sie gar nicht gegeben hatte. Dass sie Alex als eine Art Schutzschild gedient hatte. Und als er feststellte, dass er diesen Schutzschild bei mir nicht brauchte, weil ich ihm genügend Raum ließ, hatte er behauptet, sich von ihr trennen zu wollen. Das würde auch am schlüssigsten erklären, warum er behauptet hatte, Rike Jordan sei Biggi. Seine Nachbarin hatte ihm unwissentlich bei der Untermauerung seiner Lügengeschichten geholfen. Lügengeschichten, die ohnehin irgendwann ans Licht gekommen wären. Vielleicht nicht unbedingt diese, aber einige andere schon. Je näher ich Alex gekommen wäre, je enger unsere Bindung geworden wäre, desto schwieriger wäre es für ihn gewesen, seine Trugbilder aufrechtzuerhalten. Zumindest das hatte der Tod ihm erspart. Aber er hatte uns auch die Möglichkeit genommen, Abschied voneinander zu nehmen.

Bevor ich die Wohnung verließ, ging ich noch einmal in jedes Zimmer und vergewisserte mich, dass ich nichts übersehen hatte. Bei diesem zweiten Durchlauf fiel mir im Schlafzimmer ein zusammengeknülltes Päckchen auf, das neben der Schachtel mit den Fotos lag und das ich übersehen hatte. Es sah aus wie ein Geschenk, das ausgewickelt und nur wieder notdürftig verpackt worden war. Ich öffnete es und nahm die kleine Glückskatze aus gebranntem bemaltem Ton heraus, die Alex mir, wie es aussah, zum Geburtstag hatte schenken wollen und die von den Leuten von der Spurensicherung offensichtlich ausgepackt worden war. Einem ersten Impuls folgend wollte ich sie in den Mülleimer werfen, dann entschied ich mich anders, schlug sie wieder ins Papier ein und steckte sie in meine Tasche.

Nachdem ich die Wohnung zugesperrt hatte, rief ich im Büro an. Niki war am Apparat, erzählte mit übernächtigter

Stimme, dass sie noch immer einen Kater habe von dem einen Glas Rotwein, das sie gestern Abend zu viel getrunken habe, dass ich aber trotzdem nicht auf die Idee kommen solle zu kommen. Sie und Zeno hätten alles im Griff.

»Zeno?«, fragte ich. »Ist er da?«

»Wieso sollte er nicht da sein?«

»Gib ihn mir bitte mal!«

Ich hörte Niki nach ihm rufen und gleich darauf seine Stimme.

»Dana?«

»Danke, dass du dich überwunden hast. Ich kann mir vorstellen, wie schwer das für dich war.«

»Ich hatte nicht wirklich eine Wahl«, sagte er leise. »Jemand mit meinen Macken wird auf dem Arbeitsmarkt nicht gerade gesucht.«

»Du würdest von mir das allerbeste Zeugnis bekommen, Zeno, das weißt du.«

»Was nützt mir so ein Zeugnis, wenn die Leute kein Verständnis haben? Du hast es und Niki auch. Ich hab übrigens Duftkerzen aufgestellt und heute ganz früh noch mal alles gründlich gewischt. Den Briefkasten habe ich mit Desinfektionsmittel ausgesprüht. Und sollte diese Karen Döring es wagen, hier nochmals aufzutauchen, dann …«

»Dann gibst du mir Bescheid«, unterbrach ich seinen aufgebrachten Redeschwall. »Lass dich bloß nicht von ihr zu irgendetwas hinreißen, zumal wir nicht wissen, ob sie es wirklich war.«

»Wenn, dann werde ich darauf achten, dass es keine Zeugen gibt.«

»Ich kenne solche Fantasien, Zeno. Sie sind nicht gut. Sollte sie sich tatsächlich noch mal ins Büro wagen, ruf direkt die Polizei.«

Gundula Mauss teilte ihr Krankenhauszimmer mit einer in etwa Gleichaltrigen, die allem Anschein nach über ähnliche Interessen verfügte. Die beiden betagten Frauen – die eine mit einem Verband über dem weißen schütteren Haar, die andere mit einem gegipsten Bein – starrten gebannt auf den Fernseher. In ihren Ohren steckten Kopfhörerstöpsel.

Meine Nachbarin löste ihren Blick vom Bildschirm erst, als ich direkt neben ihrem Bett auftauchte. Als sie mich erkannte, lächelte sie und zog sich die Stöpsel aus den Ohren. In Anbetracht der Umstände wirkte sie relativ entspannt.

»Gerade läuft eine meiner Lieblingsserien«, setzte sie zu einer Erklärung an.

»Dann bleibe ich nicht lange.« Ich stellte ihr die Blumen, für die ich bei einer der Schwestern zuvor eine Vase besorgt hatte, auf den Nachttisch. »Ich wollte mich nur erkundigen, wie es Ihnen geht.«

Sie griff nach meiner Hand und zog mich auf den Bettrand. »Lieb, dass Sie nach mir sehen.« Sie zeigte auf den Kopfverband. »Ich habe viel Glück gehabt. Ich bin haarscharf an einer Gehirnerschütterung vorbeigeschrappt, sagt der Arzt.«

»Wie ist das denn überhaupt passiert? Im ersten Moment hatte ich Sorge, jemand könnte Sie in Ihrer Wohnung überfallen haben. Deshalb habe ich auch gleich die Polizei gerufen.«

»Die waren gestern Nachmittag schon hier. Aber ich konnte sie beruhigen. Mir war nur einen Moment schwindelig geworden, und dann war mir auch schon schwarz vor Augen.« Sie fasste sich vorsichtig an den Kopf. »Das ging alles so schnell, dass ich mich nicht mal mehr hinsetzen konnte. Ich darf gar nicht darüber nachdenken, was alles hätte passieren können. Ich wäre nicht die Erste, die auf diese Weise zu Tode kommt. Nur gut, dass Sie mich noch rechtzeitig gefunden haben.« Sie tätschelte meine Hand. Wie immer hatte sie kalte Finger. »Sie waren meine Rettung, Kindchen. Und dann bringen Sie mir auch noch Blumen. Damit wollte ich mich eigentlich bei Ihnen bedanken, wenn ich wieder daheim bin.«

»Wann dürfen Sie denn nach Hause?«

»Das Wochenende über wollen sie mich zur Sicherheit noch beobachten, aber wenn alles gut geht und ich stabil genug bin, darf ich Montag nach der Visite heim.« Sie musterte mich von oben bis unten. »Sie müssen aber auch wieder stabiler werden. Um die Nase herum sind Sie immer noch ziemlich blass. Und insgesamt viel zu dünn.« Sie betrachtete ihre eigene Leibesfülle. »Schauen Sie mich an: Ein paar zusätzliche Pfund auf den Hüften können in der Not ein Segen sein. Zum Glück kann ich aber immer essen, mir schlägt so schnell nichts auf den Magen. Nur mit dem Trinken hapert es hin und wieder. Daran muss ich noch arbeiten.« Sekundenlang horchte sie in sich hinein, um ihren Faden wiederzufinden. »Ich kann ja verstehen, dass Ihnen der Einbruch immer noch zu schaffen macht, aber Sie müssen essen, Kindchen. Sie brauchen doch Kraft. Schon allein, um sich zu wappnen, um vorbereitet zu sein. Man weiß nie, was noch so alles auf einen zukommt.«

Das Leben sei manchmal so, fügte sie hinzu. Wenn es erst einmal aus dem Tritt geraten sei, brauche es Zeit, bis alles wieder in geordneten Bahnen verlaufe. Da spreche sie aus Erfahrung.

Von geordneten Bahnen fühlte ich mich meilenweit entfernt.

18 Am Freitagvormittag pünktlich um zehn Uhr hielt die silbergraue, wie immer von einem Chauffeur gelenkte BMW-Limousine auf dem knirschenden Kies direkt vor dem Haus. Ich hörte durch das geöffnete Küchenfenster, wie der Motor ausgeschaltet und gleich darauf eine Autotür geöffnet wurde. Nur Sekunden später lauschte ich den Schritten von Robert Eichberger, der zur Tür eilte. Er erwartete Barbara Burkart, die ihn um elf zum Bestattungsinstitut begleiten würde, um für Alex' Beerdigung einen Sarg, Blumen und Musik auszusuchen. Ein schwerer Gang, wie er mir gleich am Morgen gestanden hatte. Einer, den er zum Glück nicht allein würde gehen müssen.

Ich hörte, wie sich die beiden im Eingang begrüßten, wie er ihr dankte, dass sie gekommen war, um ihn zu unterstützen, und wie sie antwortete, dass es doch ganz selbstverständlich sei, in der Not füreinander einzustehen. Durch den Türspalt sah ich, wie die beiden sich wortlos umarmten und so eine kleine Weile stehen blieben, während Kasper versuchte, sich dazwischenzudrängen, schließlich aufgab und sich direkt neben Alex' Vater auf den Boden plumpsen ließ. Er sprang erst wieder auf, als die beiden sich voneinander lösten und ins Wohnzimmer gingen. Ich ließ ihnen ein paar Minuten Zeit, dann brachte ich ein Tablett mit Earl Grey und Croissants hinein und verteilte alles auf dem Tisch, während ihr flüsterndes Gespräch verstummte.

Robert Eichberger nahm mich kaum wahr. Wie immer hatte er nur Augen für Barbara Burkart. Er war froh, sie zu sehen, und ich freute mich für ihn, dass er so jemanden an seiner Seite hatte. Selbst wenn dieser Jemand ihm vielleicht nie das geben würde, was er sich so offensichtlich ersehnte. Hauptsache, er war jetzt nicht allein und konnte auf freundschaftliche Nähe zählen.

Die Mittfünfzigerin, die wie immer Schwarz trug und sehr blass aussah, hielt seine Hand und strich unablässig darüber. Mit ihren kinnlangen braunen Haaren und dem Hang zu biederer Kleidung, die so ziemlich jede Rundung verbarg, war sie ein völlig anderer Typ als Alexandra Eichberger, wie ich sie von den Fotos kannte. Aber vielleicht war genau das ihr *Pfund*. Letztlich konnten beide nicht von den Toten lassen, er nicht von seiner Frau und sie nicht von ihrem Mann. Aber wer wusste schon, was die Zukunft bringen würde? Vielleicht würde Alex' Tod die beiden einander noch ein Stück näher bringen.

Ich war bereits an der Tür, als ich mich noch einmal umwandte. »Möchten Sie, dass ich Ihrem Chauffeur etwas zu trinken nach draußen bringe, Frau Burkart? Einen Kaffee vielleicht?«

Sie räusperte sich, als müsse sie erst ihre Stimme wiederfinden. »Nett, dass Sie fragen, Frau …«

»Tenzer«, kam ich ihr zu Hilfe.

»Frau Tenzer, ja natürlich. Machen Sie sich bitte keine Sorgen, er hat alles Nötige dabei.« Sie wandte sich an Robert Eichberger. »Jetzt weiß ich, warum du dich so gut umsorgt fühlst. Das ist wirklich ein Segen in deiner gegenwärtigen Situation.« Ihr Blick huschte zurück zu mir. »Robert hat mir von Ihren anfänglichen Schwierigkeiten erzählt. Wie gut, dass das jetzt alles überwunden ist.«

»Ja, das ist es«, pflichtete ich ihr bei und sah Alex' Vater an. »Brauchen Sie noch etwas, Doktor Eichberger?«

»Danke, wir haben alles. Wir werden auch gleich aufbrechen, um es hinter uns zu bringen. Es wäre schön, wenn Sie während meiner Abwesenheit eine Runde mit Kasper gehen könnten.« Er sah kurz zu Barbara Burkart, als müsse er sich bei ihr rückversichern, und dann wieder zu mir.»Ich denke, wir sehen uns dann heute nicht mehr. Machen Sie Schluss, wenn Sie mit allem fertig sind.«

Zurück in der Küche begann ich, den Kühlschrank mit Essigwasser auszuwischen. Ich ließ mir Zeit damit, bis die beiden das Haus verlassen hatten und abgefahren waren. Dann zog ich Kasper das Halsband über und ging mit ihm im Schneckentempo einmal um den Block.

Ich wollte mich gerade vergewissern, dass mir niemand folgte oder mich beobachtete, als ich mir bewusst machte, dass Jürgen Kunze inzwischen in Untersuchungshaft saß. Von ihm ging keine Gefahr mehr aus. Blieb lediglich Karen Döring. Allerdings schien sie mittlerweile aufgegeben zu haben. Nach ihrem Auftritt am Samstagabend im *Wunschkonzert* hatte es nur noch die Briefkastenattacke im Büro gegeben, und da war nicht einmal klar, ob sie dafür verantwortlich war. Vielleicht war es Zeit aufzuatmen.

Nach der Gassirunde fütterte ich Kasper und nutzte die Gunst der Stunde. Robert Eichberger hatte vermutlich nicht nur Alex' Schlüssel von der Kripo ausgehändigt bekommen, sondern auch sein Handy und seinen Laptop.

Nach relativ kurzer Suche entdeckte ich beides im Arbeitszimmer. Zuerst nahm ich mir den Laptop vor, nur um darauf all das bestätigt zu bekommen, was ich bereits von der Kripo wusste. Ich hatte Corinna Altenburgs Worte noch im Ohr: *Wer immer Zugriff auf diese beiden Geräte bekommen hätte, hätte annehmen müssen, es mit einem stinknormalen, trendbewussten Durchschnittsbürger zu tun zu haben. Es gibt nicht einen einzigen Hinweis auf seine Arbeit.* Alex hatte das Gerät nur zum Surfen genutzt, er hatte weder Fotos noch Textdateien darauf gespeichert. Ich klappte es zu und konzentrierte mich auf sein iPhone. Drei Minuten später hatte ich alle Nummern herausgeschrieben, die Alex gewählt hatte, von denen er angerufen worden war und die er gespeichert hatte. Es waren erschreckend wenige.

Zeno sei bereits gegangen, weil er dringend etwas zu erledigen hatte, sagte Niki, die selbst im Aufbruch begriffen war. Ich bat sie, mich noch schnell auf den neuesten Stand zu bringen.

Sie setzte sich auf ihre Schreibtischkante und drapierte das Haargebilde auf ihrem Kopf zu einer neuen undefinierbaren Form.

»Heute waren es fast ausschließlich Frauen, die ein Alibi haben wollten. Ich finde es immer wieder erstaunlich, wie organisiert und durchdacht sie dabei vorgehen. Vermutlich werden sie deswegen auch viel seltener erwischt.«

»Und weil sie diskreter sind.«

Immer wieder machten wir die Erfahrung, dass Männer, die beabsichtigten, unsere Dienste in Anspruch zu nehmen, am Telefon so klangen, als würden sie einen Hilferuf absetzen. Sie legten ihr Schicksal vertrauensvoll in unsere Hände und erwarteten ein Lösungspaket für ihr *Problem*. Frauen hingegen kamen mit einem fertigen Konzept und beauftragten uns lediglich damit, es durchzuführen. Da war keine weitere Kreativität gefragt.

»Einer unserer Klienten hat heute übrigens ganz verzweifelt angerufen, weil ihn ein Freund bei seiner Frau verpfiffen hat. Er konnte es wohl nicht lassen und hat vor ihm mit seinem Seitensprung geprahlt.« Sie schmunzelte. »Dieser *gute Freund* hat ihm die Affäre offensichtlich nicht gegönnt.«

Ich seufzte. »Da kannst du dir vorher den Mund fusselig reden und ihnen abraten, jemanden aus dem eigenen Um-

feld einzuweihen – sie wollen es einfach nicht wahrhaben.«
Dabei waren es nicht selten die besten Freunde, die einen
auffliegen ließen. »Hängt dir das nicht auch manchmal zum
Hals raus?«

»Du bist angeschlagen, Dana. Bei dem, was du hinter dir
hast, ist es kein Wunder, wenn du …«

»Aber du sagst doch selbst, dass es heute fast nur um Seitensprünge ging«, fiel ich ihr ins Wort.

»Genau dafür hast du die Agentur gegründet.«

»Nicht nur dafür. Ich möchte, dass Menschen, die sich
eingeengt fühlen, Freiräume bekommen. Dass die, die krank
oder arbeitslos sind, Unterstützung von uns bekommen.«
Ich raufte mir die Haare und lauschte meinen eigenen Worten nach, die sich wie auswendig gelernt anhörten.

»Und«, sagte Niki leise, »du möchtest verhindern, dass
Menschen sterben, weil sie bei einem Seitensprung erwischt
wurden. O-Ton Dana Rosin, wenn ich dich daran erinnern
darf.«

»Daran muss mich niemand erinnern. Ich habe mal geglaubt, dass die Wahrheit töten würde. Aber das ist falsch.
Nicht die Wahrheit tötet, sondern die Menschen, die sie
nicht ertragen und deshalb zu Mördern werden.«

»Weißt du noch, was du zu mir gesagt hast, als du mich
eingestellt hast? Und was du auch Zeno eingeimpft hast?
Moralisch müsse es jeder unserer Klienten mit sich selbst
ausmachen. Das ginge uns nichts an. Es sei nicht unsere
Aufgabe zu urteilen. Zumal gar nicht sicher sei, dass die
Leute uns überhaupt die Wahrheit sagen würden. Schließlich strebe jeder nach Anerkennung. Außerdem könnten
wir gar nicht beurteilen, ob all die Lügen, die wir anderen
auftischten, eine Wendung zum Besseren verhinderten oder
doch eher jemanden schützten, der die Wahrheit nicht ertrage.«

Mein Blick wanderte über unsere Schreibtische. »Ich glaube, ich ertrage all diese Lügen nicht mehr, Niki. Inzwischen zuckt es mir manchmal in den Fingern, einem betrogenen Partner reinen Wein einzuschenken. Würde einer von euch das machen, würde ich ihn rauswerfen.«

Niki wechselte von ihrer auf meine Schreibtischkante. »Wir machen hier unseren Job, lügen für die anderen, und dann gehen wir nach Hause und glauben, all das hinter uns lassen zu können. Wir sind überzeugt, dass wir zu Experten für die Lüge schlechthin geworden sind und dass wir sie jederzeit enttarnen können. Wir begegnen Menschen mit einer gehörigen Portion Misstrauen, weil uns hier in der Agentur Tag für Tag die Augen geöffnet werden. Aber dieses Misstrauen schützt uns nicht, Dana. Es ist eine Illusion zu glauben, wir könnten nicht selbst zu Opfern von Lügnern werden.« Sie holte tief Luft. »Sobald das jedoch geschieht, bekommen wir am eigenen Leib zu spüren, was es bedeutet, wenn ein Lügengebäude in sich zusammenbricht. Dann stehen wir plötzlich auf der anderen Seite, nämlich auf der der Betrogenen. Bis dahin haben wir uns immer nur vorstellen können, wie das ist. Aber die Vorstellung hat relativ wenig mit der Realität zu tun. Die tut viel mehr weh.« Sie beugte sich vor und strich mir mit einer liebevollen Geste eine Locke aus der Stirn. »Was dir mit Alex passiert ist, ist schlimm. Aber du hattest deine Gründe, ihm zu vertrauen. Wirf diese Gründe nicht über Bord. Dazu waren sie viel zu gut. Alex war gestört, aber ich weigere mich zu sagen, dass es Pech war, an ihn zu geraten, denn ich sehe dich noch vor mir, wie du gestrahlt hast. Ich höre dich noch, wie du mir von seiner liebevollen, zärtlichen Art erzählt hast. Von seinen Fragen, die dich zum Lachen und zum Nachdenken gebracht haben. Alex war nicht nur Lüge.«

Alleine in meiner Wohnung war es, als hätten Nikis Worte Dämme gebrochen. Dämme, die mich in den vergangenen Tagen vor dem Schmerz geschützt hatten – dem Schmerz, den ich so tief unter Alex' Lügengeschichten begraben hatte. Jetzt hatte ich plötzlich das Gefühl, er würde mich in Stücke reißen.

Von weit her hörte ich eine Stimme, die etwas auf meinen Anrufbeantworter sprach. Sie schwebte eine Weile im Raum, um dann abrupt zu verstummen. Meine Tränen vermischten sich mit Schweiß und tropften auf den Schreibtisch.

Als sie endlich versiegten, ging ich ins Bad, wusch mir das Gesicht und holte mir ein Glas Wasser aus der Küche. Dann setzte ich mich mit der Liste der Nummern aus Alex' iPhone ans Telefon. Ich sprach mit zwei Taxikollegen, mit einem Typen, dem Alex ein Fahrrad hatte verkaufen wollen, ich erkannte die Nummer von Robert Eichberger gerade noch rechtzeitig, bevor ich sie wählte, und schließlich landete ich bei einem weiteren Anruf auf der Mailbox von Barbara Burkart.

Interessant wurde es erst, als ich es unter der letzten Nummer mit einem gewissen Sven Uhlig zu tun bekam, der vorgab, Alex' bester Freund gewesen zu sein. Ich sagte ihm, wer ich war, und bat ihn, sich mit mir zu treffen. Er schien darüber nachdenken zu müssen, denn sekundenlang war es still in der Leitung, bis er vorschlug, am Samstag um zwölf zu *Fisch Witte* auf den Viktualienmarkt zu kommen. Dort würde ich ihn an jedem Samstag um diese Zeit treffen. Erkennungszeichen sei eine Flasche Champagner der Marke Ruinart Rosé.

Pünktlich um halb zwölf traf ich im *Wunschkonzert* ein. Henry bat mich, noch kurz zu warten. Nach dem stundenlangen Knochenjob in der Küche sehne er sich nach einer Dusche. Zehn Minuten später tauchte er gut duftend in Jeans, weißem Hemd und Lederjacke wieder auf, nahm meine Hand und meinte fröhlich, jetzt könne es losgehen.

Wir parkten in der Altstadt und eilten die paar hundert Meter zu Fuß zur *Bar Herzog*. Ein kalter Wind pfiff um die Ecken und ließ uns mit geröteten Wangen dort ankommen. Drinnen empfing uns wohlige Wärme.

Der stylishe Raum mit viel Messing, Holz und dunklen Wänden war erfüllt von Stimmengewirr, das sich mit Musik der Siebzigerjahre vermischte. Wir hatten gerade noch zwei Plätze an der Bar ergattert und bestellten zwei *Overnight*, eine Mischung aus Schlehen-Gin, Bourbon, Beeren, Tonkabohne und Vanille, serviert in einem pechschwarzen Glas. Ich nippte an dem fruchtig-herben Drink und sah Henry über das Glas hinweg an. Er wirkte nicht gerade glücklich.

»Zu laut? Zu viele Menschen?«, fragte ich dicht neben seinem Ohr.

»Das trifft es ziemlich genau. Aber es dient ja einem guten Zweck.«

»Du machst dich über mich lustig.« Ich legte meine Hand auf seine Wange. »Sobald ich diesen Mann gesehen habe, können wir gehen. Versprochen.«

»Es ist überhaupt nicht gesagt, dass er heute Abend hier auftaucht.«

»Aber es ist einen Versuch wert.«

»Wenn ich dich anschaue, dann gehörst du nach Hause auf dein Sofa. Das sage ich dir als Arzt.«

»Zu Hause überfallen mich nur ungute Bilder.« Ich sah mich im Raum um und entdeckte eine junge Blondine, die versuchte, Henrys Aufmerksamkeit zu erlangen. »Ich habe dich das noch nie gefragt, und du musst auch nicht antworten, aber warum bist du eigentlich allein?«

»Allein?«

»Single.«

»Ach so.« Er lachte. »Weil …« Dann schüttelte er den Kopf.

»Sag schon!«

»Du wirst mich für völlig bescheuert halten.«

»Schon vergessen? Ich betreibe eine Alibi-Agentur. Mir ist nichts fremd.«

»Nach einer längeren Beziehung war ich jahrelang allein und habe mich dann in die falsche Frau verliebt.«

»Was war falsch an ihr?«

»Dass sie bereits vergeben war.«

»Und da hast du nicht um sie gekämpft?«

»Ich breche nicht in Beziehungen ein.«

»Wenn du wüsstest, wie es in vielen Beziehungen aussieht, hättest du da weniger Skrupel.«

»Wenn ich mich recht entsinne, hattest du auch welche, als es darum ging, in Alex' Beziehung einzubrechen.«

»Der Punkt geht an dich. Andererseits habe ich es letzten Endes dann doch getan.«

»Dann schlage ich vor, dass wir jetzt das Thema wechseln.«

»Okay! Konzentrieren wir uns auf diesen Typen. Vielmehr konzentriere du dich. Wie sieht er überhaupt aus?«

»Rötlich-blonde längere Haare, Kinnbart, tätowierte Arme«, zählte Henry auf, während er seine Blicke bis in die hintersten Winkel der Bar schweifen ließ.

»Und wie alt schätzt du ihn?«

»Mitte dreißig.«

»Warum rangiert er bei dir eigentlich als schlechter Umgang?«

»Weil er selbst nichts auf die Reihe bekommt, sich von seiner Frau aushalten lässt und sie mit mehreren anderen betrügt.«

»Und woher weißt du das, wenn du nicht einmal den Namen von dem Typ kennst?«

»Ich bin hier mal mit einer seiner Freundinnen ins Gespräch gekommen.« Henry schaute sich weiter um. »Er ist heute Abend nicht hier, Dana. Tut mir leid.«

»Heute ist Freitag. Erinnerst du dich, an welchen Wochentagen du Alex hier mit ihm beobachtet hast?«

»Es kann an einem Freitag, es kann aber auch an einem Samstag gewesen sein. So genau weiß ich das nicht mehr.«

»Dann kommen wir morgen wieder!«

Zehn Minuten später machten wir uns auf den Weg zu Henrys Auto. Wir liefen dieselbe Strecke zurück, die wir gekommen waren. Ich war mit meinen Gedanken schon ein ganzes Stück weiter, als Henry mich zurückhielt.

»Hörst du?«

Irritiert sah ich mich um.

Mit dem Finger deutete er erst auf die Kneipe, neben der wir stehen geblieben waren, dann auf sein Ohr. »Norah Jones.«

Jetzt hörte ich es auch. »Come away with me in the night«, meinte ich lächelnd.

Henry lehnte sich neben die halb geöffnete Kneipentür an die Hauswand und zog mich an sich. Ich legte meinen Kopf an seine Schulter und ließ mich von ihm zu dem sanften Rhythmus der Musik leicht wiegen.

»Warum habe ich mich nicht in dich verlieben können?«, flüsterte ich.

»Sag du es mir!«

19 Trotz des trüben Wetters und der wenigen Grad über null drängten sich am Samstagmittag die Touristen auf dem Viktualienmarkt. Es dauerte ein paar Minuten, bis ich mich in die Nähe von *Fisch Witte* durchgeschlängelt hatte. Aus ein paar Metern Entfernung scannte ich die Menschen, die unter dem Wärmeschild der Heizpilze draußen an den Tischen standen oder saßen. Selbst ohne die Champagnerflasche vor sich hätte ich den Mann sofort erkannt. Ich hatte ihn schon einmal gesehen, und zwar an dem Abend im *Rüen Thai*, als ich Alex zum ersten Mal begegnet war. Ich war mit Niki dort verabredet gewesen, Alex mit diesem Mann. Er war es auch, den Henry mir gestern Abend in der *Bar Herzog* beschrieben hatte.

Seine rötlich-blonden Haare waren im Nacken zu einem Zopf gebunden. Über sein Kinn verlief senkrecht eine schmale Bartlinie, die ihm einen exzentrischen Anstrich verlieh. Seine Augen waren hinter einer getönten Brille verborgen. Er war lässig und teuer gekleidet, wirkte aber unruhig und sah sich ständig um.

»Guten Tag, Herr Uhlig«, begrüßte ich ihn schließlich.

Mit einer einladenden Geste deutete er auf den Stuhl, den er für mich frei gehalten hatte. Ich war mir nicht sicher, ob ich es bei dieser Kälte draußen länger als zehn Minuten aushalten würde. Da ich meinen Erkältungsanflug über Nacht erfolgreich bekämpft hatte, wollte ich nicht gleich den nächsten riskieren. Andererseits war ich froh, dass er sich überhaupt mit mir traf.

»Danke, dass Sie sich die Zeit nehmen«, sagte ich.

»Kein Problem. Aber das *Sie* lassen wir gleich mal weg. Ich bin Sven.«

»Dana.«

Er griff nach der Champagnerflasche. »Du auch?«

»Gerne.«

Nachdem er mein Glas gefüllt hatte, hob er seines und prostete mir zu. »Auf Alex!«

Ich tat es ihm gleich, nippte an dem Champagner und beschloss, gleich zum Punkt zu kommen. »Wie lange kanntet ihr euch?«

»Seit fast zwei Jahren. Er war ein ziemlich guter Kumpel. Mit ihm war es nie langweilig. Aber das weißt du ja bestimmt.« Er ließ seinen Blick über die Köpfe der anderen Gäste hinweg schweifen. »Es ist ein Jammer. Er wird mir fehlen.«

»Hat die Polizei mit dir gesprochen?«

»Gesprochen ist gut. Die haben mich gelöchert. Aber was hätte ich denen schon sagen können? Alex war eben Alex. Ein bisschen durchgeknallt, aber völlig harmlos.«

»Hat er Drogen genommen?«

Er lachte. »Der hat nichts nehmen müssen, um drauf zu sein. Seine Geschichten waren auch so legendär.«

»Welche hat er dir denn erzählt?«

Er winkte ab und lehnte sich in seinem Stuhl zurück. »Spielt das jetzt noch eine Rolle?«

»Für mich schon.« Ich nahm die Decke, die über der Stuhllehne hing, und wickelte mich hinein.

»Alex hat sich gerne als Multitalent gesehen und immer so getan, als würde er auf mehreren Hochzeiten gleichzeitig tanzen. Angeblich hat er ja als Enthüllungsjournalist gearbeitet.« Er malte Gänsefüßchen in die Luft. »Und Taxi fahren, um Kohle ranzuschaffen? Das mussten nur die anderen. Ihm ging es um die Erfahrungen, um irgendwann ein

Buch darüber zu schreiben. Was vielleicht gar keine schlechte Idee gewesen wäre. Alex hatte eine geniale Gabe, alles bis ins Detail auszuschmücken. Wie gesagt: Mit ihm ist es nie langweilig gewesen. Allerdings war es manchmal gar nicht so leicht herauszufinden, was jetzt wahr ist und was er sich ausgedacht hat. Letztlich hat es aber nicht wirklich eine Rolle gespielt. Wenn man seine Geschichten nicht allzu ernst genommen hat, ist man mit Alex prima klargekommen.« Er leerte sein Glas zur Hälfte.

»Woher wusstest du überhaupt, dass es nur Geschichten waren?«

Er musterte mich. »Oha! Du hast es nicht gewusst?«

»Woher wusstest du es?«

»Das haben doch die Spatzen von den Dächern gepfiffen. Alex hatte mit seinen Flunkereien über die Jahre jede Menge Leute verprellt. Es war bekannt, dass man bei ihm Abstriche machen musste.«

»Hat dich das nicht gestört? Oder zumindest irritiert?«

Er zuckte die Schultern. »Wie gesagt: Es hat für mich keine Rolle gespielt. Eigentlich war es mir egal. Ich lasse mich selbst nicht so gerne festlegen.«

»Hat er dir mal von Biggi erzählt?«

In diesem Moment rempelte ihn ein Passant von der Seite an. Sven Uhlig rief ihm ein »Pass doch auf, du Pfeife!« hinterher. »Wo waren wir?«

»Hat er dir mal von Biggi erzählt?«, wiederholte ich meine Frage.

»Schon möglich. Nur kann ich mir Frauennamen generell nicht so gut merken. Der Einfachheit halber nenne ich sie alle ›Süße‹. Das habe ich Alex auch empfohlen. Es ist der beste Weg, um Fettnäpfchen zu vermeiden.«

»Damit es nicht zu Verwechslungen kommt … Verstehe.« Mir fiel es schwer, mir diesen Typen mit Alex zusammen vorzustellen. Was hatte die beiden verbunden? Oder war Sven Uhlig für Alex vielleicht nur die Notration an Freund gewesen, bei der man nicht so genau hinsah? Weil die Alternative gar kein Freund gewesen wäre?

»Hast du denn in letzter Zeit überhaupt mal irgendeine Freundin von Alex kennengelernt?«

»Warum willst du das wissen?«

»Ich möchte Biggi finden, weil ich gerne gemeinsam mit ihr etwas für die Beerdigung vorbereiten würde. Alex hat sehr an ihr gehangen, und ich könnte mir vorstellen, dass er ihr auch wichtig war.«

Sven Uhlig sah mich skeptisch an. »Also, ehrlich gesagt, sind die Weiber nie sehr lange bei ihm geblieben. Ein paar Monate, und dann war es das meistens. Alex hatte kein Problem damit, eine aufzureißen, er konnte sie nur nicht halten.« Geräuschvoll zog er die Nase hoch. »Aber Frauen sind sowieso biestiger, wenn's um die Wahrheit geht. Nimm es mir nicht übel, aber die meisten nehmen es damit viel zu genau und verstehen da überhaupt keinen Spaß. Die sind so unentspannt, wenn du weißt, was ich meine.« Er sah nicht mich an, sondern ließ seinen Blick wieder über die Menschen um uns herum huschen, als gelte es, in jedem Moment den Überblick zu behalten. Dann fixierte er wieder mich. »Du hättest ihm doch bestimmt auch den Laufpass gegeben, wenn du ihm auf die Schliche gekommen wärst. Zumindest siehst du so aus.«

Als ich nicht darauf einging, fuhr er fort. »Vielleicht hat er es aber auch manchmal mit seinen Geschichten übertrieben und zu dick aufgetragen. Du glaubst gar nicht, wie oft ich ihm geraten habe, ein bisschen alltäglicher zu lügen, glaubhafter eben. Zumindest dann, wenn mal eine etwas länger bei ihm bleiben sollte. Aber er hat ja nicht auf mich gehört und ist immer viel zu hart am Wind gesegelt.«

»Das heißt, du konntest mit ihm darüber reden, dass es Lügen waren?«

»Anfangs nicht, da wurde er fuchsteufelswild, wenn ich ihn erwischt habe. Aber mit der Zeit hat er mir geglaubt, dass es mir wurscht war und er mir nichts beweisen musste.«

»Hat er selbst eigentlich unter dieser Störung gelitten? Hat er dazu mal was gesagt?«

Er sah mich an, als sei ich schwer von Begriff, und schüttelte dann den Kopf über mich. »Wo lebst du denn? Keiner lügt nur, weil's ihm Spaß macht. Er wird seine Gründe gehabt haben. Und an denen wird er wohl kaum seine Freude gehabt haben.«

Nur zu gerne hätte ich ihm ein paar meiner Klienten vorgestellt, und zwar die, für die das Lügen ein Sport war. Insgeheim schwor ich ihm jedoch Abbitte. Sven Uhlig war anders, als ich mir einen Freund für Alex gewünscht hätte, aber vielleicht war er gerade deswegen gut für ihn gewesen.

Ich holte tief Luft und wappnete mich innerlich. »Hat er mal von mir erzählt?«

»Du bist doch diese Alibi-Tante, oder?«

Ich nickte.

»Dass du auf seine Geschichten reingefallen bist, wundert mich echt. Ich hätte ja gewettet, dass jemand wie du ihm eher auf die Schliche kommt. Andererseits hatte er ein gutes Gespür für Menschen. Er wusste meist ziemlich schnell, wie sie ticken und was ihnen wichtig ist – und dann hat er ihnen genau das geboten. Er war gut darin, an den richtigen Knöpfen zu drehen.«

»Ja, das war er.«

»Von ihm konnte man das Lügen lernen«, schwärmte er. »Ich hab ihn mal gefragt, wie er das macht. Er meinte, es sei gar nicht schwierig, man müsse nur von der einen Sache ablenken, indem man auf eine andere zeigt. Deshalb hat er immer betont, wie wichtig ihm die Wahrheit ist.« Er interpretierte meinen Gesichtsausdruck richtig. »Ach, komm! Mach dir nichts draus! Alex ist tot. Es bringt doch nichts, in dem Dreck zu wühlen, den jemand hinterlässt. Erinnere dich an die schönen Sachen!«

»Hattest du mal den Eindruck, dass er dir gegenüber Frauen erfindet?«

»Wie gesagt, bei Alex wusste man nie so genau, woran man ist, aber dich gibt es doch auch.« Wieder scannte sein Blick die Umgebung.

Plötzlich stieß er einen Unmutslaut aus und machte einen Hechtsprung. Im ersten Moment wusste ich überhaupt nicht, was geschah, weil alles so schnell ging. Dann begriff ich: Sven Uhlig hatte Karen Döring, die plötzlich wie aus dem Nichts neben uns auftauchte, ihr Smartphone aus der Hand gerissen. Während er sich die unflätig schimpfende Frau mit der einen Hand vom Leib hielt, scrollte er mit der anderen hindurch und drückte schließlich ein paar Tasten.

»So«, sagte er zufrieden, »die sind gleich mal wieder gelöscht.« Allem Anschein nach hatte sie uns fotografiert.

Um die beiden herum bildete sich im Nu eine Traube. Eine Gruppe von Frauen fragte Karen Döring, ob sie Hilfe bräuchte. Der Mann habe sie bestohlen, ereiferte sie sich und deutete auf ihr Handy.

»Ich hole mir nur, was mir gehört«, konterte Sven Uhlig ungerührt. »Wir können das aber auch gerne bei der Polizei klären. Ich hab kein Problem damit. Hier geht's um das Recht am eigenen Bild. Schon mal was davon gehört?«

Die Frauen waren sich unsicher, wie sie die Situation interpretieren, wem sie glauben sollten.

Ich stand auf, ließ die Decke auf dem Stuhl zurück und stellte mich neben Sven Uhlig. »Es stimmt, was er sagt.«

Alex' Freund wollte Karen Döring gerade ihr Handy zurückgeben, als ich es mir schnappte, mir meinen Weg durch die Marktbesucher bahnte, in das Lokal gegenüber rannte und mich dort in einer der Toiletten einschloss. Es dauerte keine Minute, bis Karen Döring im Vorraum Krawall machte, alle Türen aufstieß und kräftig an meiner rüttelte.

»Kommen Sie sofort da raus! Was wollen Sie mit meinem Handy?«

»Ich will wissen, ob es stimmt, dass Sie von meinem Freund doch keine Fotos gemacht haben.« So schnell wie möglich scrollte ich durch ihre Bildergalerien. »Hat man Ihnen bei der Kripo eigentlich gesagt, dass er ermordet wurde?«

Sekundenlang war es still. »Ja.« Es klang trotzig. »Die haben mein Handy dort bereits durchforstet und nichts gefunden. Nichts, verstehen Sie? Also geben Sie es mir verdammt noch mal zurück!«

»Der mutmaßliche Mörder ist inzwischen gefasst worden.«

»Was geht mich das an?«

»Wenn es stimmt, dass Sie Fotos von meinem Freund gemacht haben, dann müssen Sie mir gefolgt sein, um ihn zu finden – und Sie müssen ihn beobachtet haben.«

Als ich jemanden den Vorraum betreten hörte, entriegelte ich die Tür und ging an Karen Döring vorbei zu den Waschbecken.

Ich wartete, bis die Besucherin in einer der Toiletten verschwunden war, dann senkte ich meine Stimme. »Sie wollten meinen Freund in flagranti ertappen, um mich dann mit dieser Information zu verletzen.«

Unverwandt starrte sie mich an. Ihr Blick hatte etwas Verstörendes, gleichzeitig wirkte sie, als sei tief in ihr etwas vernichtet worden.

»Frau Döring«, sagte ich leise und lehnte mich gegen das Waschbecken, »vielleicht haben Sie durch Zufall etwas be-

obachtet, das wichtig sein könnte, um den Täter zu über-
führen. Irgendetwas, das Sie vielleicht sogar zunächst nicht
einordnen konnten, das sich im Nachhinein aber zu einem
Bild zusammenfügt.«

»Was glauben Sie, wer Sie sind?«, fragte sie verächtlich.
»Eine Miss Marple für Arme? Reicht Ihnen Ihr mieses Geschäft nicht?«

Sie war eindeutig eine von denen, denen ich in der Schule
gerne mal gegens Schienbein getreten hatte.

»Ich bin mir nicht sicher, dass der Mörder wirklich geschnappt wurde. Sollte es ein anderer gewesen sein, dann
läuft der immer noch frei herum«, versuchte ich, ein wenig
Angst zu schüren. »In dem Fall könnten ihm Fotos, die Sie
gemacht haben, gefährlich werden. Verstehen Sie, was ich
damit sagen will?«

»Meinen Sie, weil ich so blöd bin, mich betrügen zu lassen, könnte ich Ihren ach so intelligenten Ausführungen
nicht folgen?« Sie ließ sich nicht beirren, als die Frau aus der
Toilette kam und sie befremdet musterte, bevor sie sich
neben mich stellte, um in aller Eile ihre Hände zu waschen.

Ich wartete, bis sie gegangen war. »Das meine ich nicht«,
versuchte ich, sie zu besänftigen.

Sie kniff die Augen zusammen. »Wissen Sie, was ich glaube?
Sie wollen von mir wissen, was Ihr Freund in seinen letzten
Tagen und Wochen getrieben hat. Wohin er gegangen ist,
mit wem er sich getroffen hat. Weil er Sie betrogen hat.« Sie
stieß einen verächtlichen Laut aus. »Und jetzt ist er tot, und
Sie bleiben mit all den nagenden Fragezeichen zurück. Ob
er Sie genauso hintergangen hat wie all die Männer, für die
Sie arbeiten. Ist es nicht so?«

Die Fragezeichen nagten an mir, da hatte sie recht, aber
sie wiesen in eine völlig andere Richtung. »Wenn es stimmt,
was die Kripo sagt, dann wurden mein Freund und seine

Nachbarin aus Eifersucht umgebracht. Es soll eines der häufigsten Motive für solche Taten sein. Ihnen muss dieses Gefühl sehr vertraut sein, Frau Döring. Wäre es nicht manchmal besser zu gehen, als das über Jahre hinweg auszuhalten?«

»Was soll das werden? Eine kostenlose Beratung?« Ihr hartes Lachen hallte durch den Raum. »Wenn ich so etwas brauche, suche ich mir jemand Kompetenteren.«

»Sie versuchen die ganze Zeit über, sich an mir zu rächen. Meinen Sie wirklich, dass Ihr Mann Sie dann nicht mehr betrügt?«

»Was wissen Sie denn schon? Sie verdienen mit dem Unglück der anderen Ihr Geld. Das ist das Einzige, was für Sie zählt. Was Sie damit anrichten, ist Ihnen völlig egal. Sie zerstören Beziehungen, Frau Rosin, und kassieren dafür. Können Sie nachts eigentlich noch schlafen?«

Diese Frau würde nie zur Besinnung kommen. »Warum verlassen Sie ihn nicht? Wollen Sie allen Ernstes behaupten, dass Sie das starke Band der Liebe davon abhält? Oder geht es genau um das, was Sie mir unterstellen. Um Geld?«

In ihren Augen funkelte der Hass. Sie trat von einem Fuß auf den anderen und hatte die Fäuste geballt. Dann holte sie blitzschnell aus und schlug mir mit der flachen Hand ins Gesicht.

Meine Wange brannte, aber ich rührte mich keinen Millimeter. »Wissen Sie was, Frau Döring? Hätten Sie Informationen über meinen Freund gehabt, mit denen Sie mir hätten wehtun können, hätten Sie sie mir voller Genugtuung präsentiert. Es war also doch alles nur ein einziger Bluff.« Ich zog ihr Handy aus meiner Hosentasche, machte zwei schnelle Schritte zur nächstgelegenen Toilette und ließ es hineinfallen. »Schönen Tag noch!«

Ehe sie sichs versah, war ich draußen und auf dem Weg zurück zu Sven Uhlig.

Zum Glück hatte er auf mich gewartet. »Du hast eine rote Wange«, sagte er und deutete darauf. »Am besten kühlst du sie gleich.«

Ich drückte das Glas Champagner dagegen. »Warum hast du das getan?«

»Was?«

»Das mit dem Handy. Kennst du die Frau?«

Er schüttelte den Kopf. »Meine schickt mir manchmal jemanden hinterher, weil sie glaubt, ich würde sie betrügen. Ich dachte, die Frau eben sei eine ihrer dienstbeflissenen Freundinnen. Und worum ging es dir? Du hast dich ja wohl kaum für mich so ins Zeug gelegt.«

»Die Frau verfolgt mich seit einiger Zeit. Schade, dass du die Fotos von uns beiden gelöscht hast. Ich hätte gerne etwas gegen sie in der Hand gehabt. Sie hat übrigens einmal behauptet, Alex und seine Geliebte fotografiert zu haben. Ich wollte wissen, ob es stimmt.«

»Und?«

»Fehlanzeige. Entweder hat sie geblufft oder die Fotos längst gelöscht. Ich tippe auf Ersteres.« Ich wickelte mich wieder in die Decke und rückte ein Stück näher an den Tisch. »Hat Alex dir eigentlich etwas über seine Familie erzählt?«, nahm ich den Faden wieder auf.

»Nicht viel. Nur dass seine Mutter umgebracht und der Täter nie gefasst wurde.« Er trommelte mit seinen Nägeln auf die Tischplatte. Erst jetzt fiel mir auf, dass sie an der rechten Hand länger waren. Vermutlich spielte er Gitarre. »Findest du das nicht auch krass? Erst wird die Mutter umgebracht und später dann auch der Sohn? Als läge so was wie ein Fluch auf der Familie.« Er zog die Schultern hoch, nur um sie gleich wieder sinken zu lassen. »Aber seinen Mörder haben sie ja immerhin gefunden. Wenigstens etwas …«

»Hat Alex dir auch mal von seinem Vater erzählt?«

»Nur dass der Typ stinkreich sein muss, es aber nicht zu schätzen weiß. Angeblich macht er sich nichts aus Geld. Ist das zu fassen?« Er stieß Luft durch die Nase. »Er würde es nur hüten und so wenig wie möglich davon ausgeben. Wenn du mich fragst, sind das viele Worte, die nur auf eines hinauslaufen: auf einen Geizhals.«

»Könnte es sein, dass Alex' Vater kriminell ist?«

»Der Typ ist um die siebzig. Wenn, dann hat er das hinter sich. Aber Alex hat nichts in der Richtung angedeutet. Er hat nur gesagt, er habe mit seinem Vater noch eine Rechnung offen.«

»Was meinte er damit?«

Er zuckte die Schultern und wedelte den Zigarettenrauch, der vom Nachbartisch herüberzog, in die andere Richtung.

»Wusstest du, dass die beiden sich in letzter Zeit wieder öfter getroffen haben?«

»Das hat er erzählt. Er meinte, sein Vater sei völlig verpeilt und habe eine Riesendummheit begangen. Alex wollte ihn deshalb ein bisschen unter Druck setzen.«

»Wie meinte er das – unter Druck setzen?«

»Keine Ahnung.«

»Und worum ging es bei dieser Dummheit?«

»Worum es immer geht, nehme ich mal an: um Geld.« Er grinste. »Na ja, oder um Frauen … Was weiß ich.« Er goss sich den Rest Champagner ins Glas und leerte es in einem Zug.

»Hast du das der Polizei gesagt?«

»Ja, habe ich.«

»Und?«

»Die meinten, sie würden der Sache nachgehen.« Dann winkte er der Kellnerin und machte ihr ein Zeichen, dass er zahlen wollte. »War's das?«

»Gleich. Eine Frage habe ich noch: Hat Alex dir mal von

einer Frau erzählt, die ein bisschen so aussieht wie Brigitte Nielsen?«

»Wer soll das sein?«

»Okay, anders gefragt: Gab es da eine Frau so um die fünfzig, mit weißblonden kurzen Haaren, schon leicht verbraucht und mit Gewalt auf jung getrimmt?«

Sven dachte nach. »An so eine würde ich mich erinnern«, meinte er und zwinkerte mir wieder zu. »Alex hat mir nur kurz vor seinem Tod von einer Bekannten erzählt, die Dreck am Stecken hat. Sie sei eine ganz Ausgefuchste, Knallharte, und sie hätte ihm bei einem gemeinsamen Essen gedroht.«

»Könnte das an einem Samstag im Oktober gewesen sein? Genauer gesagt am siebzehnten Oktober?«

Er schien mit seinen Gedanken bereits ganz woanders zu sein und zuckte desinteressiert die Schultern. »Möglich, aber leg mich jetzt nicht drauf fest!«

»Weißt du zufällig, worum es in dem Gespräch ging?«

»Was bringt dir das?«, stöhnte er und reichte der Kellnerin ein paar Geldscheine.

»Es ist ein bisschen wie Stochern im Nebel. Ich möchte verstehen, was passiert ist.«

»Was passiert ist? Geht's noch? Alex ist abgeknallt worden. Das ist passiert. Und der Typ, der's getan hat, sitzt in U-Haft. Was interessiert dich da noch irgend so eine Tusse, die ihn in Rage gebracht hat?«

»Bitte, Sven, tu mir den Gefallen, versuche bitte, dich zu erinnern. Worüber haben die beiden gesprochen?«

»Keine Ahnung«, antwortete er sichtlich genervt. »Ich war an dem Abend schon ziemlich angetrunken. Ich weiß nur noch, dass Alex immer wieder gesagt hat, er müsse dringend etwas recherchieren.« Sven lachte auf. »Der Herr Enthüllungsjournalist. Vermutlich hatte er einfach einen schlechten Tag und wollte sich nur mal wieder ein bisschen wichtigmachen.«

Als er bereits im Gehen begriffen war, fragte ich ihn nach weiteren Kontakten von Alex, aber er konnte mir niemanden nennen. »Auch keine Taxikollegen, mit denen er sich angefreundet hatte?«, hakte ich nach.

»Auch die nicht«, bekam ich zu hören. In Gruppen hätte Alex sich stets zurückgehalten. Da sei die Gefahr zu groß gewesen, dass doch einmal jemand misstrauisch würde.

Zum Abschied hatte Sven Uhlig gelacht. Er könne sich ziemlich genau vorstellen, was Alex seinen Fahrgästen gegenüber zum Besten gegeben hätte, und er sei sich sicher, dass er ihnen damit kurzweilige Fahrten beschert hätte. Wenn es einen Himmel für Lügner gebe, dann würde Alex jetzt dort ganz sicher mitmischen.

Nachdem er gegangen war, blieb ich noch sitzen und machte mir Notizen über unser Gespräch. Dann sah ich sie noch einmal im Schnelldurchlauf durch. Gerade beim raschen Durchsehen sprang einem manchmal etwas ins Auge, das man vorher übersehen hatte. Aber auch so konnte ich nur Teile des Ganzen erkennen.

20 Ab Sonntag sollten die Temperaturen weiter fallen. Da der erste Frost vorausgesagt wurde, beschloss ich, die liegen gebliebene Arbeit im Büro auf morgen zu verschieben, und mich mit Niki auf der Parzelle zu treffen. Eines der Gemüsebeete musste noch umgegraben und die angrenzende Buchenhecke geschnitten werden. Da Niki sich verspätete, nutzte ich die Zeit, um die Nistkästen zu reinigen und für den Winter mit frischem Stroh zu befüllen.

Obwohl sich zum ersten Mal seit Tagen die Sonne wieder zwischen den Wolken zeigte, war die Anlage an diesem Tag weitgehend verwaist. Ich genoss die Stille, beobachtete zwei Amseln, die versuchten, sich gegenseitig das Terrain streitig zu machen, und schnitt mir ein paar Astern ab, die ich mit nach Hause nehmen wollte.

Nach einer Weile setzte mir die Kälte so zu, dass ich mir einen Tee kochte, einen weiteren Pulli überzog und mich schließlich in eine dicke Decke unter den Vorbau kuschelte, von wo aus ich den Blick zum Himmel wandern ließ. Ich musste an Sven Uhligs Worte denken, an den »Himmel für Lügner«.

Er hatte gesagt, Alex habe dringend etwas recherchieren müssen. Womöglich war das der Grund gewesen, aus dem er mich zu seinem Vater geschickt hatte. Zu dem Mann, mit dem er angeblich noch eine Rechnung offen gehabt hatte. Einmal mehr beschlich mich das Gefühl, eine Rolle in einem Stück gespielt zu haben, dessen Titel ich nicht kannte. Und ob Robert Eichberger der einzige Mitspieler war, lag ebenso im Dunkeln. Außer ihm kannte ich aus Alex' Umfeld nur Sven Uhlig und die alte Frau Eisenstein. Blieb die Frage, was mit der Unbekannten aus der *Schwarzreiter Tagesbar* war.

Corinna Altenburg hatte diese Spur sicherlich nicht weiterverfolgt, nachdem sich Jürgen Kunze als mutmaßlicher Täter herausgestellt hatte, aber vielleicht war sie bei ihren Ermittlungen über andere Kontakte von Alex gestolpert. Ich rief sie an, um sie danach zu fragen. Es dauerte, bis sie endlich an ihr Telefon ging. Allem Anschein nach hatte ich sie geweckt. Nach einer anstrengenden Woche habe sie heute endlich einmal frei, stöhnte sie leicht genervt. Ich rechnete es ihr hoch an, dass sie sich trotzdem auf mein Anliegen einließ.

Nach allem, was sie herausgefunden hätten, habe Alex nur sehr wenige Kontakte gehabt. Dabei sei Sven Uhlig der engste gewesen. Danach komme gleich die alte Frau Eisenstein. Und dann könne man noch den losen nachbarschaftlichen Kontakt mit Rike Jordan hinzuzählen. Unter seinen Taxikollegen habe es niemanden gegeben, mit dem er mehr als ein paar Worte gewechselt hätte. Für einen Menschen in seinem Alter eine traurige Bilanz, schickte sie hinterher und versuchte, ein Gähnen zu unterdrücken.

»Und Jürgen Kunze?«, fragte ich sie. Hatte er inzwischen gestanden? Es sei eine zähe Angelegenheit mit ihm, bekam ich zu hören. Noch streite er ab, die beiden Morde begangen oder in Auftrag gegeben zu haben, aber Corinna Altenburg zeigte sich zuversichtlich. Es sei nur noch eine Frage der Zeit.

Sie wollte schon auflegen, als ich sie zurückhielt und fragte, ob sie etwas über einen Streit zwischen Alex und seinem Vater wüsste und dass Alex ihn unter Druck hatte setzen wollen. Möglicherweise habe ja Robert Eichberger bei seiner Befragung etwas darüber gesagt. Dazu könne sie mir keine Auskunft geben, antwortete sie reflexhaft. Mir würde schon ein Ja oder ein Nein reichen, bohrte ich weiter. Wozu? Ob ich mich noch an ihre Worte vom vergangenen Sonntag erinnere? Ich solle wenn möglich nach vorne schauen und versuchen, all das hinter mir zu lassen. Das sei leicht gesagt, fuhr ich sie an. Schließlich sei es nicht ihr Freund gewesen, der umgebracht worden sei und unlösbare Rätsel hinterlassen habe. Dennoch wisse sie, was das bedeute, konterte sie. Bei ihr ginge es manchmal um Fälle, in die sie ihr Herzblut stecke und die sich ebenfalls als unlösbar herausstellten. Damit müsse man lernen zu leben. Und je eher ich loslassen würde, desto besser wäre es für mich.

Als zwanzig Minuten später Niki kam, schüttete ich ihr mein Herz aus. Pragmatisch wie immer meinte sie, ich müsse dringend auf andere Gedanken kommen. Sie wickelte mich aus der Decke und zog mich hinter sich her zu einer der Nachbarparzellen, wo Glühwein ausgeschenkt und Maroni geröstet wurden.

Über Nacht waren die Temperaturen unter null gesunken. Am liebsten wäre ich noch mal zum Tegernsee hinausgefahren und auf mein Downhill Bike gestiegen, um die Unruhe loszuwerden. Stattdessen fuhr ich mittags zu Fritz und Marielu, aß mit ihnen selbst gemachten Kaiserschmarrn, der sich positiv auf mein Nervenkostüm auswirken sollte, und blockte anfangs jeden ihrer Versuche ab, mit mir über Alex und die »Gesamtsituation« zu reden, wie mein Onkel es nannte.

Kaum hatte Fritz sich jedoch zu einem Nickerchen hingelegt, nahm Marielu mich ins Gebet. »Mir kannst du nichts vormachen, Dana. Du wirkst, als stündest du massiv unter Strom.«

»Das stündest du an meiner Stelle auch.«

»Fritz macht sich Sorgen um dich.«

»Das tut er seit fünfundzwanzig Jahren.«

Sie lehnte sich im Sofa zurück, strich ihr dunkelblaues Wollkleid über den Knien glatt und betrachtete mich schweigend. »Er hat mir erzählt, was damals passiert ist.«

»Alles?«

»Ich denke schon.«

»Ändert das etwas für dich?«

»Für mich ist und bleibt er der Mann, den ich liebe. Es ist tragisch, was damals passiert ist.« Wieder schwieg sie. »Weißt du, warum Fritz und ich uns so gut verstehen?«

»Weil ihr euch schon so lange kennt?«

Sie lächelte. »Weil es in unser beider Leben einen Punkt gab, der eine tiefe Wunde gerissen hat. Der die Macht gehabt hätte, ein ganzes Leben zu überschatten. Wenn wir das zuließen.«

»Fritz hat es zugelassen. Irgendwie lebt er immer noch damit, als hätte es sich in seine DNA gebrannt. Für ihn war es noch schwerer als für mich – weil er glaubt, er hätte etwas ändern können.«

»Ich hatte damals das Glück, an einen Traumatherapeuten zu geraten. Von ihm habe ich gelernt, dass es wichtig ist, den Punkt zu überwinden, an dem alles schiefgegangen ist. Zu akzeptieren, dass mir etwas Entsetzliches widerfahren ist. Er hat mir beigebracht, dass es nichts bringt, immer wieder darüber zu grübeln, was hätte sein können, wenn ich zu dieser Zeit an einem anderen Ort gewesen wäre. Keiner von uns kann die Zeit zurückdrehen.«

»Was ist dir passiert?«, fragte ich leise.

»Ich habe vor vielen Jahren beim Zurücksetzen mit dem Auto meine damals zweijährige Nichte überfahren. Sie ist dabei ums Leben gekommen. Ich habe sie nicht gesehen. Sie war mir unbemerkt vors Haus gefolgt und hatte sich hinter dem Auto versteckt. Für sie war es ein Spiel gewesen.« Sie begegnete meinem erschütterten Blick mit großer Ruhe. »Ich habe sehr lange gebraucht, um mit dieser Schuld leben zu können. Meine Schwester konnte sie mir nie verzeihen. Bis heute nicht.«

Ich zog die Knie an und schlang die Arme um meine Beine.

»Hast du Fritz mal gesagt, dass du ihm nicht die Schuld gibst?«, fragte sie.

»Das muss ich ihm nicht sagen. Das weiß er.«

Sie schüttelte den Kopf. »Sag es ihm. Bitte. Irgendwann, wenn der richtige Moment gekommen ist. Versprichst du mir das?« Sie wartete, bis ich nickte, und fuhr dann fort. »Und jetzt zurück zu dir! Soweit ich weiß, ist der Täter inzwischen gefasst worden.«

»Er hat noch nicht gestanden.«

»Und was ist das eigentliche Problem?«

»Dass ich Alex gleich zweifach verloren habe. Einmal, indem er umgebracht wurde, und dann durch all seine Lügen. Ich weiß nicht mehr, wer er war. Deswegen bin ich noch mal zu seinem Vater gegangen. Als Haushälterin. Ich …«

»Weiß er immer noch nicht, wer du bist?«, fiel sie mir überrascht ins Wort.

»Er weiß, dass es Dana Rosin gibt, aber er bringt mich nicht mit Elisa Tenzer in Verbindung.«

Marielu fingerte an ihrem Haarknoten herum. Sie machte keinen Hehl daraus, dass ihr meine Antwort missfiel. »Der Mann hat gerade seinen Sohn verloren, Dana. Findest du es fair, ihn solch einer Scharade auszusetzen?« Sie hielt meinen Blick fest. »Was auch immer du bei ihm herauszufinden hoffst – nichts davon wird deine Trauer mindern. Selbst wenn du weitere Fakten anhäufst, die deine Wut und deine

Enttäuschung schüren und dir Alex weiter entfremden – am Ende musst du durch die Trauer hindurch.«

Nur ein paar Tage noch, nahm ich mir vor. Ein paar letzte kleine Versuche, um herauszufinden, warum ich diesen Job bei Robert Eichberger in Wirklichkeit angetreten war. Eine Woche noch, dann würde ich kündigen.

Mit diesem Vorsatz trat ich am Montagmorgen pünktlich meinen Dienst bei Alex' Vater an. Ich hatte gerade meine Tasche in die Küche gebracht und meine Stiefel gegen Chucks getauscht, als ich Robert Eichberger auf der Treppe hörte. Er rief nach mir und tauchte gleich darauf im Türrahmen auf.

»Guten Morgen!« Seine Hände hatte er tief in den Hosentaschen vergraben.»Kommen Sie bitte einen Moment in mein Arbeitszimmer.« Er machte auf dem Absatz kehrt und lief mir voraus.

Ich eilte ihm hinterher und strich dabei Kasper über den Kopf, der mühsam versuchte, auf der Treppe mit uns Schritt zu halten.

Im Arbeitszimmer angekommen ging Robert Eichberger um seinen Schreibtisch herum, setzte sich und nahm einen Umschlag von einem Stapel, während der Hund sich mit einem Seufzer neben seine Füße fallen ließ.

Als ich mich nach einem Stuhl umsah, meinte Alex' Vater, ich bräuchte mich gar nicht erst zu setzen, es dauere nicht lange. Aus dem Umschlag zog er Fotos, die er wie Spielkarten vor mir auffächerte. Während er das tat, beobachtete er mich mit zusammengekniffenen Augen. Jedes einzelne dieser Fotos zeigte mich. Am Fenster meiner Wohnung, am Fenster meines Büros. Und es zeigte meine Klingelschilder.

»Erklären Sie mir das bitte, Frau Rosin«, forderte Robert

Eichberger mich auf. Er wirkte tief verletzt und enttäuscht. »Warum haben Sie das getan? Warum haben Sie mich so dermaßen hinters Licht geführt?«

»Weil Ihr Sohn mich darum gebeten hat.«

»Mein Sohn ist tot.«

Also legte jetzt ich meine Karten auf den Tisch und erzählte ihm von den Lügen, die mich zu ihm geführt hatten.

»Illegale Typisierungen für die Organmafia?«, fragte er fassungslos. »Und das haben Sie einfach so geschluckt?«

»Ich habe ihm geglaubt, dass er Enthüllungsjournalist ist.«

»Ihnen ist hoffentlich bewusst, dass wir uns noch heute trennen werden.« Er deutete auf einen Briefumschlag. »Darin befindet sich Ihre fristlose Kündigung. Aber die wird Sie ja nicht in eine existenzielle Krise stürzen, immerhin haben Sie ja ein …« Er zögerte, um das richtige Wort zu finden. »Ein *Gewerbe*. Und ein gut gehendes, vermute ich mal.«

Ich nickte.

»Ich brauche wohl nicht zu betonen, dass ich zutiefst enttäuscht von Ihnen bin und keinerlei Verständnis für Ihr Handeln habe. Warum haben Sie mir nicht die Wahrheit gesagt, als Sie vergangene Woche wieder bei mir angefangen haben? Warum sind Sie überhaupt zurückgekommen?«

»Weil ich verstehen wollte, warum Alex mich zu Ihnen geschickt hat. Ich dachte, wenn ich es wüsste, könnte ich leichter damit abschließen.«

»Aber warum als Elisa Tenzer und nicht als Dana Rosin? Ich hätte Sie doch ganz selbstverständlich als Freundin meines Sohnes willkommen geheißen.«

»Mich? Die Betreiberin einer Alibi-Agentur? Glauben Sie das wirklich?«

Er sah vor sich auf die Schreibtischplatte und schwieg.

»Darf ich Sie etwas fragen, bevor ich gehe?«

»Ob ich weiß, was in Adrians Kopf vorging? Nein, das weiß ich nicht. Und vielleicht ist das auch besser so.« Er blies Luft durch die Nase, als müsse er Druck ablassen.

»Gab es in den letzten Gesprächen mit Ihrem Sohn vielleicht irgendetwas Ungewöhnliches?«

»Ungewöhnlich war jedes Gespräch mit meinem Sohn. Worauf wollen Sie hinaus?«

»Ich habe mit einem Freund von Alex gesprochen. Er sagte, Ihr Sohn habe ihm erzählt, Sie hätten eine große Dummheit begangen und dass er Sie unter Druck setzen wollte.«

»Er mich?« Robert Eichberger lief rot an. »Ich ihn! Wenn man das überhaupt ›Druck‹ nennen kann. Ich habe Adrian lediglich ein paar Bedingungen gestellt.«

»Es geht mich eigentlich nichts an, aber könnten Sie mir sagen, worum es dabei ging?«

»Stimmt, es geht Sie nichts an!« Er sammelte die Fotos zusammen und schob sie in eine Mappe. Dann sah er aus dem Fenster.

In dem Walnussbaum hing eine Vogelfuttersäule, an der sich gerade ein Sperling bediente. Robert Eichberger sah ihm dabei zu. Ich wollte schon mein Kündigungsschreiben nehmen und gehen, als er mir wieder den Blick zuwandte.

»Es ging um das Erbe, und da Adrian sich nicht gerade so verhalten hat, dass ich es ihm vorbehaltlos hätte hinterlassen können, habe ich Bedingungen daran geknüpft. So«, sagte er, holte tief Luft und erhob sich. »Mehr gibt es dazu nicht zu sagen.« Er nahm das Schreiben und hielt es mir hin. »Ich gehe mal davon aus, dass Sie kein Zeugnis von mir erwarten.«

Ich nahm den Umschlag und wandte mich zum Gehen. Im Türrahmen blieb ich stehen. »Eine Frage habe ich noch, Doktor Eichberger. Wie haben Sie es herausgefunden?«

»Durch meine Vertraute, Frau Burkhart. Sie haben sie ja hier kennengelernt. Sie ist immer sehr besorgt um mich. Lieber wendet sie einen Stein fünf Mal, bevor sie akzeptiert, dass es sich um einen Stein handelt. So jedenfalls hat es mein leider viel zu früh verstorbener Freund, ihr Mann, einmal ausgedrückt. Um es kurz zu machen: Sie hat Sie überprüfen lassen.«

»Seit wann wissen Sie davon?«

»Seit gestern.«

»An dem Samstag nach dem Mord an Ihrem Sohn haben Sie vor meinem Haus gestanden und anschließend in einem Café auf mich gewartet. Woher hatten Sie meine Adresse? Frau Altenburg von der Kripo sagte mir, Sie hätten sie nicht von ihr bekommen, und öffentlich zugänglich ist sie nicht.«

»Ich war vorher in Ihrem Büro und bin dort auf Ihre Reinigungshilfe gestoßen.«

»Und sie hat Sie Ihnen einfach so gegeben?«

»Ich habe mich als Vater Ihres Freundes vorgestellt, der mit den ersten Zeichen von Vergesslichkeit zu kämpfen hat. Ich habe behauptet, mich beim besten Willen nicht an Ihre Adresse erinnern zu können, und sie angefleht, mich nicht zu verraten.«

»Sie hätten bis Montag warten können, bis ich wieder im Büro gewesen wäre.«

»Ich bin nicht davon ausgegangen, dass Sie zur Arbeit gehen, nachdem mein Sohn gestorben ist.«

Wir sahen uns an, als hätten wir eine Schlacht geschlagen, bei der es keine Gewinner geben konnte. Ich ging auf ihn zu und hielt ihm meine Hand hin. Als er sie ergriff, verabschiedete ich mich von ihm. Ich sagte ihm, dass mir leidtue, was geschehen sei, und dass er mich jederzeit anrufen könne. Er lächelte mich traurig an und meinte, in die Verlegenheit werde er wohl kaum kommen. Ein Alibi sei das Letzte, was er bräuchte. Als seine Augen feucht wurden, wandte er sich ab und drehte mir den Rücken zu. Ich ging ohne ein weiteres Wort.

21 Mit meiner Kündigung in der Tasche setzte ich mich aufs Rad und fuhr durch die frostige Kälte Richtung Büro. Fünf Straßenzüge davon entfernt entschied ich mich für einen Umweg über die Innenstadt. Ich überquerte den belebten Marienplatz, schlängelte mich durch Touristengruppen hindurch und kettete mein Rad vor dem Gebäude an, in dem sich das *Café Glockenspiel* befand. Dann fuhr ich mit dem Aufzug in den fünften Stock und suchte mir einen Platz zwischen Müttern mit kleinen Kindern, Geschäftsleuten, Touristen und Studenten. Nachdem ich mir Tee und Milchreis mit Zwetschgenkompott bestellt hatte, scrollte ich durch meine Nachrichten.

Eine stammte von Henry. Er lud mich in meiner Mittagspause zum Essen ins *Wunschkonzert* ein. Wenn ich Lust hätte, könnte ich auch Niki und Zeno mitbringen. Er würde uns ein kleines Überraschungsmenü zaubern. Ich rief im Büro an, verabredete mich mit den beiden bei Henry und sagte ihm per SMS zu. Dann machte ich mich mit Heißhunger über den Milchreis her und ließ dabei das Gespräch mit Robert Eichberger noch einmal Revue passieren.

Wenn stimmte, was er sagte, dann hatte nicht Alex ihn, sondern er seinen Sohn unter Druck gesetzt und ihm Bedingungen gestellt – wegen des Familienerbes. Möglicherweise hatte er von ihm gefordert, sich therapieren zu lassen oder eines seiner abgebrochenen Studien abzuschließen. Nichts davon hätte jedoch auch nur annähernd als Grund ausgereicht, mich bei seinem Vater einzuschleusen. Was auch immer er sich von mir erwartet oder erhofft hatte – für mich würde es im Dunkeln bleiben. Und was war die Riesendummheit, von der Alex Sven erzählt hatte? Ebenfalls nur eine weitere Lüge? Oder einfach ein weiteres Fragezeichen, das nun für immer stehen bleiben würde? Die Tür zu seinem Vater war mir seit heute jedenfalls verschlossen.

Ich hatte gerade gezahlt und wartete am Aufzug, als Corinna Altenburg anrief und mich bat, auf einen Sprung bei ihr vorbeizukommen. Sie hätte noch ein paar Fragen an mich. Ich versuchte herauszufinden, worum es ging, aber sie blockte ab.

Wie schon die Male zuvor holte sie mich am Empfang ab und machte auf dem Weg in ihr Büro Small Talk übers Wetter. Ich hörte jedoch nur mit halbem Ohr hin. Leo Parsinger nickte mir kurz zu, als wir das Büro betraten, und widmete sich gleich wieder seinen Akten.

»Hat er gestanden?«, fragte ich, als ich mich setzte.

»Jürgen Kunze? Nein. Ich wollte Sie wegen etwas anderem sprechen.« Sie ließ ein paar Sekunden verstreichen, bevor sie fortfuhr. »Wann haben Sie Frau Döring zum letzten Mal gesehen?« Sie hielt ihren Blick in einer Weise auf mich gerichtet, als wolle sie sich nicht einmal die kleinste Regung entgehen lassen.

»Wieso?«, fragte ich überrascht.

»Das erkläre ich Ihnen gleich. Also: Wann haben Sie sie zuletzt gesehen?«

»Am Samstag, auf dem Viktualienmarkt.«

»Haben Sie sie nur beobachtet oder haben Sie auch miteinander gesprochen?«

»Ich war dort mit jemandem verabredet. Sie hat uns fotografiert. Ich habe mir ihr Handy geschnappt, bin in die nächste Toilette und habe das Handy nach Fotos von Alex durchsucht.«

»Warum?«

»Ich wollte wissen, ob sie nur geblufft oder ihn tatsächlich fotografiert hat.«

»Mit Biggi.«

»Ja, genau, mit Biggi«, entgegnete ich trotzig.

»Und?«

»Nichts, keine Fotos, jedenfalls keine von Alex. Hat sie mich etwa angezeigt?«

»Aus welchem Grund hätte sie das tun sollen?«

»Wir sind aneinandergeraten. Ein Wort hat das andere gegeben, dabei ist ihr die Hand ausgerutscht.«

»Verstehe ich das richtig: Sie hat Sie geschlagen?«

»Ja, ins Gesicht.«

»Und was haben Sie daraufhin getan?«

»Ich habe mich revanchiert.«

»Wohin?«

»Wie bitte?«

»Wohin haben Sie sie geschlagen?«

»Ich habe ihr Handy in die Toilette geworfen und bin gegangen. Worauf laufen denn all Ihre Fragen hinaus, wenn sie mich nicht angezeigt hat?«

Sie lehnte sich zurück und wechselte einen schnellen Blick mit ihrem Kollegen. »Frau Döring liegt seit Samstagnachmittag im künstlichen Koma. Sie wurde übel zugerichtet. Ihr Mann hat sie gefunden, als er nach Hause kam.«

»Und jetzt glauben Sie, ich wäre zu dieser Frau nach Hause gefahren und über sie hergefallen?«

»Es ist eine der Möglichkeiten, die wir in Betracht ziehen müssen.«

»Nachdem vor zehn Tagen mein Freund und seine Nachbarin umgebracht wurden?«

»Sie befinden sich immer noch in einem Ausnahmezustand.«

Damit hatte sie zur Abwechslung mal recht. »Was ist mit ihrem Mann? Ich vermute mal, dass sie ihm in letzter Zeit gehörig die Hölle heiß gemacht hat. Er hat mir vorletzten Sonntag vor meiner Wohnung aufgelauert und wollte mich dazu bewegen, bei den Eskapaden seiner Frau ein Auge zuzudrücken – weil er, wie er sich ausgedrückt hat, einen wichtigen Deal am Laufen habe, bei dem er keine wie auch immer gearteten Störungen gebrauchen könne.«

»Er hat ein Alibi. Wie haben Sie den Nachmittag verbracht?«

»Ich war mit meiner Freundin in der Kleingartensiedlung.«

»Kann sie das bezeugen?«

»Ich war früher dort als sie und habe schon ein paar Arbeiten erledigt.«

»Um wie viel Uhr war das?«

Ich überlegte. »Das kann ich Ihnen nicht sagen, ich habe nicht darauf geachtet. Aber Sie und ich müssten es in den Anrufprotokollen unserer Handys vermerkt haben. Ich habe Sie angerufen und aus Ihrem Mittagsschlaf gerissen. Erinnern Sie sich?«

»Und zu dem Zeitpunkt befanden Sie sich in der Kleingartensiedlung?«

Ich nickte. »Zwei, drei Leute haben mich dort ganz bestimmt gesehen, falls Sie mir nicht glauben. Ich war bis zum frühen Abend dort.«

»Im Dunkeln?«

»Wir haben mit ein paar anderen zusammengesessen, Glühwein getrunken und Maroni geröstet.« Ich sah ihr dabei zu, wie sie sich Notizen machte.

Als sie damit fertig war, hob sie den Kopf. »Dann war es das vorerst, Frau Rosin. Sollte es noch weitere Fragen geben, melde ich mich bei Ihnen. Oder die zuständigen Kollegen in diesem Fall.«

Karen Döring würde mir also in nächster Zeit nicht mehr auflauern. Einerseits war ich erleichtert, andererseits tat sie mir leid. So lästig und bedrohlich sie sich auch verhalten hatte, eine solche Situation wünschte ich niemandem.

Als ich vor dem Polizeigebäude meinen Fahrradschlüssel aus der Hosentasche fischte, hörte ich ein klirrendes Geräusch, als sei etwas heruntergefallen. Ich suchte den Boden ab und fand Robert Eichbergers Haustürschlüssel. In der Aufregung hatte ich offensichtlich vergessen, ihn zurückzugeben. Wenn ich mich beeilte, konnte ich es nachholen und trotzdem noch rechtzeitig zum Mittagessen im *Wunschkonzert* sein.

Im Kopf kalkulierte ich den kürzesten Weg von der Hansa- in die Lachnerstraße und trat kräftig in die Pedale. Nach knapp zwanzig Minuten hielt ich vor seinem Haus und stellte mein Rad ab. Wenn er nicht gerade mit dem Hund um die vier Ecken ging oder plötzlich seine Gewohnheiten geändert hatte, musste er eigentlich zu Hause sein.

Kaum hatte ich geklingelt, schlug Kasper auch schon mit seinem vertrauten tiefen Bellen an. Als es versiegte und immer noch nichts geschah, versuchte ich, durch die in die Tür eingelassene Milchglasscheibe zu sehen, und meinte, im Flur eine kleine Bewegung wahrzunehmen.

»Ich bin es, Doktor Eichberger, Dana Rosin«, rief ich. »Entschuldigen Sie die Störung. Ich wollte Ihnen nur schnell den Schlüssel zurückbringen. Vorhin habe ich es leider vergessen.« Ich ließ ihm Zeit, doch er reagierte nicht. Vermutlich hatte er die Nase voll von mir, was ich ihm nicht verübeln konnte. »Dann werfe ich den Schlüssel jetzt einfach in den Briefkasten.« Als sich nach ein paar Sekunden immer noch nichts tat, öffnete ich den Briefkastenschlitz und ließ den Schlüssel hineinfallen. »So, er ist drin. Machen Sie's gut!«

Ich war bereits am Gartentor, da hörte ich Kasper jämmerlich aufheulen und gleich darauf wieder bellen. Es war jedoch ein anderes Bellen als das übliche. Dann folgte ein lautes Aufjaulen und plötzliche Stille. Spontan dachte ich, jemand hätte den Hund getreten. Aber das konnte nicht sein. Robert Eichberger ging überaus liebevoll mit ihm um, und Kasper hatte stets tiefes Vertrauen zu ihm gezeigt. Selbst bei unvorhergesehenen Bewegungen war er nie in Deckung gegangen oder auch nur einen Hauch zurückgewichen.

Und noch etwas wurde mir jetzt bewusst: Robert Eichberger war niemand, der sich verleugnete. Selbst nachdem ich gekündigt hatte und wieder bei ihm aufgetaucht war, hatte er mit mir über die Sprechanlage gesprochen. Obwohl ich ihn mit meiner Scharade sicher noch mehr enttäuscht hatte als mit meiner Kündigung, schien diese Reaktion nicht zu ihm zu passen. Vor meinem inneren Auge spielten sich die unterschiedlichsten Szenarien ab – vom Herzinfarkt bis zum Überfall.

Auf die Gefahr hin, ihn mit meiner vielleicht überflüssigen Sorge noch mehr zu verärgern, lief ich ums Haus herum zur Terrasse. Ich wusste, dass eine der Terrassentüren tagsüber stets angelehnt war, damit Kasper in den Garten laufen konnte, wann immer er es wollte. Ich würde nur kurz nach dem Rechten sehen und, wenn ich mich getäuscht hatte, gleich wieder verschwinden.

Kasper musste meine Schritte auf dem Kies längst bemerkt haben. Der Hund war zwar alt, aber er hörte noch ungewöhnlich gut. Seltsamerweise geschah jedoch nichts. Selbst dann nicht, als ich mich durch die hintere Terrassentür hineinschlich. Ich lauschte und hörte den Hund von irgendwoher fiepen. So leise wie möglich lief ich durchs Wohnzimmer, das über Eck angelegt war. Als ich vorsichtig um die Ecke sah und so durch die offen stehende Tür einen Teil des

Flurs überblicken konnte, hielt ich vor Schreck den Atem an. Robert Eichberger lag am Fuß der Treppe. Allem Anschein nach war er gestürzt und hatte sich verletzt. Aus einer Wunde am Kopf trat Blut. Stöhnend versuchte er, sich aufzurichten.

Ich wollte gerade zu ihm laufen und ihm helfen, als ich jemanden die Treppe herunterkommen hörte. Wie angewurzelt blieb ich stehen, wo ich war, und beobachtete, wie ein Schatten auf Robert Eichberger fiel, dem es in diesem Moment gelang, sich aufzusetzen. Benommen tastete er sich über die Stirn. Sein Blick wirkte orientierungslos.

Wer auch immer die Treppe heruntergekommen war, schien es jedoch nicht eilig zu haben, ihm zu helfen. Als ich mich schon in Bewegung setzen wollte, um dem ein Ende zu machen, kam plötzlich Bewegung in den Schatten. Von meiner Position aus konnte ich nur zwei Hände sehen, die in schwarzen Latexhandschuhen steckten, die Bronzefigur von ihrem Holzsockel hoben und über Robert Eichbergers Kopf hielten, als ginge es darum, den idealen Fallwinkel zu finden.

Da ich ahnte, was gleich geschehen würde, schrie ich ein markerschütterndes »Nein!« in Richtung Flur. Dann rannte ich um mein Leben – durchs Wohnzimmer und die Terrassentür ums Haus herum und schließlich durchs Gartentor. Auf der gegenüberliegenden Straßenseite suchte ich hinter einem Baum Schutz, zückte mein Handy und rief die Polizei an. Während ich die Sekunden zählte, bis sich beim Notruf jemand meldete, ließ ich das Haus keine Sekunde lang aus den Augen. Im Telegrammstil ratterte ich schließlich herunter, was ich beobachtet hatte und was womöglich geschehen würde, wenn nicht schnellstmöglich Hilfe geschickt würde.

Mein Herz raste, während ich den Blick weiter auf das

Gartentor gerichtet hielt. Sobald der Mann das Haus verließ, würde ich ihn von hier aus sehen und fotografieren können. Würde er sich allerdings hinten durch den Garten schlagen, hatte ich keine Chance.

Während ich betete, dass mein Schrei den Mann daran gehindert hatte, seinen Plan in die Tat umzusetzen, spielten sich in meinem Kopf immer noch Horrorszenarien ab.

In diesem Moment konnte ich die Sirenen hören. Kurz darauf bogen zwei Wagen mit Blaulicht in die Lachnerstraße, einer davon ein Mannschaftswagen. Sie hielten in zweiter Reihe vor dem Haus. Ich rannte über die Straße und wandte mich an den ersten Beamten, den ich zu fassen bekam. Ihm beschrieb ich, wie sie ins Haus gelangen würden. Im Laufen informierte er seine Kollegen und bedeutete mir, mich nicht von der Stelle zu rühren.

Die Beamten verteilten sich und stürmten ums Haus herum. Zwei blieben vor dem Haus. Es kam mir vor wie eine Ewigkeit, bis die Haustür geöffnet wurde und mich der Beamte, mit dem ich gesprochen hatte, hereinwinkte.

Mit zwei Schritten sprang ich die Stufen hinauf und eilte ins Haus. In dem kleinen Vorraum, der an den Flur grenzte, blieb ich stehen und entdeckte erleichtert Robert Eichberger, der ans Treppengeländer gelehnt saß. Sein Gesicht und seine Hände waren voller Blut. Aber er lebte. Und er konnte sprechen. Während er einer jungen Beamtin stockend Fragen beantwortete, sah ich zu der Bronzefigur, die wieder auf ihrem angestammten Platz auf dem Sockel stand.

Ich schnappte eine paar Worte auf, die zwischen den übrigen Beamten gewechselt wurden. So wie es aussah, hatten sie außer Robert Eichberger und seinem Hund niemanden im Haus angetroffen. Auch im Garten gab es allem Anschein nach keine Spur. Der Großteil der Beamten würde wieder abziehen.

In diesem Moment entdeckte Alex' Vater mich und streckte seine Hand nach mir aus. Ich kniete mich neben ihn und fragte ihn, wie es ihm gehe.

»Bitte«, sagte er, »sehen Sie nach Kasper. Er ist in der Küche. Sie sagen, er sei in Ordnung, aber warum kommt er dann nicht?«

Ich sprang auf und lief in die Küche, wo sich mir ein jämmerliches Bild bot. Der Hund hatte sich zitternd in die hinterste Ecke gedrückt. Er hielt den Kopf gesenkt und beobachtete mich nur aus dem Augenwinkel. Während ich leise und beruhigend auf ihn einsprach, näherte ich mich ihm in kleinen Schritten. Als ich ganz langsam neben ihm in die Knie ging, hörte ich den Notarzt eintreffen und nach dem Verletzten fragen.

Ich streckte meine Hand aus und strich behutsam über das zitternde Fell. Augenblicklich setzte Kaspers leises Fiepen wieder ein. Aber es hatte einen anderen Ton angenommen, der nicht mehr ausschließlich von Angst erfüllt war. Während ich ihn weiterstreichelte, verfolgte ich das Geschehen im Flur. Der Notarzt schlug vor, Robert Eichberger ins Krankenhaus zu überstellen, aber er weigerte sich. Erstens könne er seinen Hund nicht alleine lassen, und zweitens würde er sich im Krankenhaus höchstens einen tödlichen Keim einfangen. Er habe einen zuverlässigen Hausarzt, der später sicher noch nach ihm sehen würde. Was der Notarzt darauf erwiderte, konnte ich nicht hören, aber er schien einverstanden zu sein und versorgte Alex' Vater notfallmäßig.

Kasper schien sich allmählich zu beruhigen. Er entspannte sich ein wenig und ließ sich stark hechelnd auf den Boden sinken. Vorsichtig tastete ich ihn ab, um zu prüfen, ob er irgendwo eine Verletzung hatte. Aber ich konnte nichts entdecken.

Nachdem der Notarzt gegangen war, überredeten die

beiden Polizeibeamten, die geblieben waren, Robert Eichberger, sich im Wohnzimmer aufs Sofa zu legen und ihnen ein paar Fragen zu beantworten. Mich baten sie zu dem Gespräch hinzu. Mit Kasper im Schlepptau folgte ich ihnen. Nachdem ich für Robert Eichberger ein paar Kissen aufgeschüttelt hatte, half ich ihm, sich hinzulegen. Kaum lag er, warf der Hund sich mit einem tiefen Seufzer auf seine Beine. Robert Eichberger ächzte zwar unter dem Gewicht, aber er bedeutete mir, mich zurückzuhalten. Die Erleichterung, dass seinem Hund nicht mehr passiert war, ließ ihn alles andere nur zu gerne in Kauf nehmen.

Während die beiden Beamten ihm gegenüber Platz nahmen, setzte ich mich in einen der wuchtigen Ledersessel neben ihm. Zunächst wollten sie von mir wissen, in welchem Verhältnis ich zum Hausherrn stünde.

»Sie war meine Haushälterin«, kam Alex' Vater mir zuvor. »Wir haben uns heute Morgen einvernehmlich getrennt.«

Wie ich dann Robert Eichberger überhaupt hätte entdecken können? In möglichst knappen Worten schilderte ich die Sache mit dem Schlüssel. Damit schienen sie erst einmal zufrieden zu sein, denn sie baten Robert Eichberger, genau zu schildern, was aus seiner Sicht geschehen sei.

»Ich war oben in meinem Arbeitszimmer und habe mit einer Freundin telefoniert«, begann er stockend zu erzählen, »als ich unten die Klingel hörte. Kasper hat wie immer gebellt. Ich wollte jedoch nicht öffnen, da ich niemanden erwartete und mir nicht der Sinn nach irgendwelchen Verkaufsgesprächen an der Haustür stand. Aber dann hat Kasper plötzlich aufgejault, als füge ihm jemand große Schmerzen zu.«

»Das mit der Klingel war übrigens ich«, meldete ich mich zu Wort. »Als Sie nicht öffneten, habe ich den Schlüssel in den Briefkasten geworfen. Kaspers Jaulen habe ich auch ganz deutlich gehört. Deshalb habe ich mir überhaupt erst Sorgen gemacht.«

Robert Eichberger sah mich dankbar an und fuhr fort. »Ich habe oben einen gehörigen Schrecken bekommen. Ich wusste nicht, was geschehen war, nur dass es schlimm sein musste, denn mein Hund ist ziemlich hart im Nehmen. Es muss einiges passieren, damit er so jault. Deshalb habe ich mein Telefonat augenblicklich beendet. Ich wollte schnellstmöglich zu Kasper.« Er schluckte und tastete vorsichtig über die fixierte Wunde auf seiner Stirn. »Gleich auf der zweiten Stufe bin ich jedoch gestolpert. Halten Sie mich bitte nicht für verwirrt, aber es fühlte sich tatsächlich an, als sei dort ein Draht oder ein Seil gespannt gewesen.«

Die beiden Beamten wechselten einen schnellen Blick, woraufhin der Jüngere der beiden hinausging, um sich die Treppe anzusehen. Kaum zwei Minuten später war er zurück und schüttelte den Kopf. Es sei nichts dergleichen dort.

»Mir war auch nichts aufgefallen«, betonte Robert Eichberger. »Es hat sich beim Stürzen nur wie ein Widerstand angefühlt.«

»Und dann?«, fragte der Ältere.

»Dann weiß ich nichts mehr. Jedenfalls nicht, bis ich irgendwann auf dem Boden liegend aufgewacht bin.«

»Demnach sind Sie die Treppe hinuntergestürzt«, versuchte der Beamte, es auf den Punkt zu bringen.

»Ja, aber ich hatte das Gefühl, dass währenddessen jemand im Haus war.«

»Sie hatten auch das Gefühl, über einen Draht zu stolpern.«

»Es war ganz sicher jemand im Haus«, sprang ich für Robert Eichberger in die Bresche.

Der Beamte, der offensichtlich verhindern wollte, dass ich

den Redefluss des alten Mannes unterbrach, brachte mich mit einer unmissverständlichen Geste zum Schweigen.

Robert Eichberger rieb sich mit Daumen und Zeigefinger die Augen. »Wer auch immer im Haus war, hat Kasper in die Küche gesperrt.«

Wie er sich dessen so sicher sein könne, wollte der Jüngere wissen. Die Tür könne doch durch einen Windzug von selbst zugefallen sein.

»Das ist unmöglich«, erklärte er. »Die Tür ist genau aus diesem Grund fixiert. Kasper muss schließlich immer Zugang zu seiner Wasserschüssel haben. Die Tür ist noch nie von selbst zugefallen, in all den Jahren nicht.«

Ob er denn etwas gehört hätte, hakten sie nach, aber er verneinte.

»Ich habe den Mann gesehen«, platzte ich heraus. »Genauer gesagt seine Hände.« Bei der Erinnerung daran lief mir ein kalter Schauer über den Rücken. »Er hat versucht, Doktor Eichberger mit der Bronzefigur zu erschlagen.«

Die beiden Beamten sahen mich skeptisch an, während Robert Eichberger zu erstarren schien.

»Sie müssen Corinna Altenburg oder Leo Parsinger vom K11 informieren«, fuhr ich fort. »Doktor Eichbergers Sohn wurde am dreizehnten November in seiner Wohnung ermordet, und vorhin hat derselbe …« Ich korrigierte mich. »Vorhin hat jemand versucht, auch noch den Vater zu töten.«

Die beiden hatten meinen Versprecher bemerkt und fassten nach, aber ich wiegelte ab und meinte, es sei nur eine Vermutung, dass es sich vielleicht um denselben Täter handeln könne. Für einen Zufall sei dieses Zusammentreffen schließlich zu seltsam.

Während der ältere Beamte meinem Wunsch entsprach und sich mit dem K11 in Verbindung setzte, forderte der

Jüngere mich auf, ihm durchs Haus zu folgen und zu prüfen, ob auf den ersten Blick etwas fehle. Schließlich wäre es am wahrscheinlichsten, dass es sich um einen missglückten Einbruch handele.

Wir gingen durch jedes Zimmer, aber das Einzige, was mir auffiel, war die Tatsache, dass es nirgends nach einem Einbruch aussah. Weder waren Schubladen herausgezogen worden noch Regale geleert, geschweige denn Schränke geöffnet oder Gegenstände verrückt worden. Alles sah aus wie immer, und genau das sagte ich dem Beamten auch. Ob allerdings aus Schubladen und Schränken etwas abhandengekommen sei, könne nur der Hausherr beurteilen.

Als wir die Treppe ins Erdgeschoss hinuntergingen, fragte er mich nach der Terrassentür. Ob sie etwa immer offen stehe? Nur tagsüber, erklärte ich ihm, damit der Hund jederzeit in den Garten könne. Also hätte tagsüber jederzeit jedermann Zugang zum Haus? Auch das bestätigte ich, betonte aber, dass der Hund sehr wachsam sei. Welchen Schutz der Hund biete, hätte sich ja nun gezeigt, meinte der Beamte trocken. Es gebe etliche Täter, die sich durch Hunde nicht im Geringsten einschüchtern ließen. Nicht selten würden sie die Tiere kurzerhand mit Baseballschlägern außer Gefecht setzen.

Eine offene oder angelehnte Terrassentür sei eine Einladung, betonte er Robert Eichberger gegenüber, als wir ins Wohnzimmer zurückkehrten. Mit derartigen Gewohnheiten würde er sich unkalkulierbaren Risiken aussetzen, und seine Versicherung würde das sicher auch nicht gerne sehen.

Der Ältere der beiden informierte den Jüngeren, dass die Kollegen vom K11 übernehmen würden. Sie seien auf dem Weg hierher. Bis sie einträfen, würden sie sich draußen noch einmal in Ruhe umsehen. Sie nickten uns zu und ließen uns allein.

»Stimmt das?«, fragte Alex' Vater, als sie gegangen waren. »Ich meine das mit der Bronzefigur.«

»Ja, das stimmt.«

»Aber wer sollte denn so etwas tun? Ich kann mir das gar nicht vorstellen … Ich …«

»Wie gesagt: Ich konnte nur die Hände des Mannes sehen. Hätte er jedoch ausgeführt, was er meiner Meinung nach vorhatte, würde man annehmen, Sie seien die Treppe hinuntergestürzt, wären dabei gegen die Holzsäule gestoßen und hätten die Bronzefigur runtergeworfen, die dann Ihren Schädel zertrümmert hätte.«

Er ließ den Kopf zurück auf den Kissenberg sinken und stöhnte leise. Dann schloss er die Augen. Er atmete schwer. »Danke, Frau Rosin.«

22 Corinna Altenburg und Leo Parsinger ließen sich noch einmal schildern, was wir bereits ihren Kollegen ausführlich beschrieben hatten. Sie fragten Robert Eichberger, ob es jemanden gebe, der eine Rechnung mit ihm offen habe oder der sich an ihm rächen wolle.

Robert Eichberger hörte sich all diese Fragen mit einem Gesichtsausdruck an, als verstünde er die Welt nicht mehr. Er führe ein rechtschaffenes, zurückgezogenes Leben. Menschen, die zu einem Mord fähig seien, würden sich ganz sicher nicht in seinem Umfeld bewegen.

Was mit der Bronzestatue sei? Ob es sich dabei um ein wertvolles Kunstwerk handle? Bronzestatuen hätten immer einen gewissen Wert, da allein das Material sehr kostspielig sei, antwortete er. In diesem Fall handele es sich zudem um das Werk eines bekannten Künstlers. In welcher Preisklasse es sich bewege? Es würde mittlerweile für über einhundertzwanzigtausend Euro gehandelt werden, aber für ihn sei der ideelle Wert viel entscheidender, da es sich um ein Familienerbstück und gleichzeitig um die Lieblingsbronze seiner verstorbenen Frau handle.

Die beiden Beamten zeigten sich mit dieser Antwort zufrieden und meinten, er habe sich jetzt eine Verschnaufpause verdient. Allerdings würden sie sich abschließend noch gerne mit mir unterhalten. Ob es ihm recht sei, wenn sie dieses Gespräch in die Küche verlagerten? Alex' Vater war sichtlich froh, endlich in Ruhe gelassen zu werden. Noch während er »Ja, selbstverständlich« sagte, wurden ihm die Lider schwer.

In der Küche schlossen sie die Tür und bedeuteten mir, mich mit ihnen an den Tisch zu setzen. Ihren Mienen war unschwer zu entnehmen, wie sie die Situation einschätzten: Zwei Menschen, die durch einen Mordfall einen schweren Verlust erlitten hatten, befanden sich immer noch in einem labilen Zustand – in einem Zustand, in dem man sehr leicht zu falschen Interpretationen neigte. In dem einem die gewaltige Erschütterung, die man erlitten hatte, die Wahrnehmung trübte und einem etwas vorgaukelte, was so nicht geschehen war.

Genau das fasste ich in Worte. »So schätzen Sie das ein, habe ich recht?«, schloss ich und sah zwischen den beiden hin und her.

Leo Parsinger, der sich vermutlich nicht noch einmal von mir sagen lassen wollte, dass er kein Herz besaß, sah zu seiner Kollegin und spielte ihr damit den Ball zu.

Corinna Altenburg holte tief Luft. »In der Grundaussage stimmt es.«

»Sie meinen, ich sehe Gespenster?«

»Ich meine, dass Sie ein entsetzliches Erlebnis hinter sich haben. Etwas, das hartgesottenere Gemüter als Sie aus der Bahn werfen kann. Vergangenen Mittwoch waren Sie davon überzeugt, Ihre Nachbarin Frau Mauss sei in ihrer Wohnung überfallen worden. Heute nun ist es Doktor Eichberger. Bei beiden handelt es sich um ältere Menschen, die nicht mehr ganz so sicher auf den Beinen sind und deshalb auch mal stürzen.«

»Bei Frau Mauss gebe ich Ihnen recht, aber Doktor Eichberger hatte das Gefühl, an der zweiten Treppenstufe sei ein Draht oder ein Seil gespannt worden, und er ist überzeugt, dass jemand im Haus war. Jemand, der Kasper eingesperrt hat und dessen Hände ich schließlich *gesehen* habe.« Ich hatte Mühe, meine Stimme im Zaum zu halten. »Es war der

Fuchsmann, dessen bin ich mir hundertprozentig sicher. Erst hat er Alex umgebracht, und jetzt wollte er auch noch Robert Eichberger töten. Wäre ich nicht dazugekommen, wäre es ihm ganz sicher gelungen.« Ich sah die beiden verständnislos an. »Warum glauben Sie mir nicht? Wäre niemand hier gewesen, wäre ich doch nie im Leben hinausgerannt, sondern hätte versucht, Alex' Vater beizustehen. Aber ich hatte Todesangst, und ich habe gehofft, der Fuchsmann würde sich durch meinen Schrei aus dem Konzept bringen oder vielleicht sogar in die Flucht schlagen lassen.« Mit der geballten Faust rieb ich mir über die Stirn.

»Sagen Sie mal, Frau Rosin, was genau haben Sie von ihm denn eigentlich konkret gesehen?«, fragte Leo Parsinger.

»Von dort aus, wo ich stand, nur seine Hände, die in schwarzen Latexhandschuhen steckten. Ich habe mich nicht weiter hinter der Wand hervorgetraut, um nicht entdeckt zu werden.«

»Was ist mit den Unterarmen? Konnten Sie die ebenfalls erkennen?«

»Nein. Die waren von den Pulloverärmeln verdeckt.«

»Also konnten Sie weder die Uhr, von der Sie uns am Tag des Doppelmordes berichtet haben, noch das Fitnessarmband sehen, geschweige denn die starke Unterarmbehaarung. Und wenn ich Sie richtig verstehe, sind Sie überzeugt, den Mann allein anhand der schwarzen Latexhandschuhe identifiziert zu haben.«

Auch wenn die Karten an diesem Tisch inzwischen klar verteilt waren, rang ich mich zu einem Kommentar durch. »Es *waren* die Handschuhe des Fuchsmannes, und er *hat* versucht, Herrn Doktor Eichberger umzubringen.«

Nach einem beredten Blickwechsel mit ihrem Kollegen stand Corinna Altenburg auf und lehnte sich mit dem

Rücken gegen den Fensterrahmen. Mit vor der Brust ver-
schränkten Armen musterte sie mich, als sei ich inzwischen zu einem Problem mutiert, für das so schnell keine
Lösung in Sicht war. Ihr Wohlwollen hatte ich eindeutig
verspielt.

»Nun ja, Frau Rosin«, meldete sich Leo Parsinger zu
Wort. »Genau genommen glauben Sie, die Hände von jemandem gesehen zu haben, von dem Sie behaupten, es sei
der Fuchsmann.« Er ließ mich nicht aus den Augen. »Nehmen wir also einfach mal an, da war wirklich jemand: Haben
Sie sich schon mal überlegt, dass Sie die Situation mit der
Bronzestatue falsch interpretiert haben könnten und dass
der Mann, den Sie angeblich beobachtet haben, sie einfach
nur stehlen wollte?«, fragte Leo Parsinger. »Sie haben gehört,
was Doktor Eichberger über den Wert des Kunstwerks gesagt hat.«

»Er hat sie über seinen Kopf gehalten.«

»Diese Tatsache allein besagt aber nicht, dass er vorhatte,
sie fallen zu lassen. Möglicherweise hat er sie in seinen Händen gewogen oder er hat sie einfach nur näher betrachtet,
um herauszufinden, von welchem Künstler sie stammt. Erinnern Sie sich noch, was wir in unserer ersten Befragung
betont haben? Dass Sie bitte jegliche Interpretationen und
Spekulationen außen vor lassen mögen? Unser Gehirn neigt
nämlich dazu, uns schlüssige Geschichten zu liefern. Sobald
eine Leerstelle auftaucht, versucht es, sie sinnvoll zu schließen. Daraus entstehen dann Interpretationen, die zutreffen
können, die aber auch nicht das Geringste mit den tatsäch-
lichen Geschehnissen zu tun haben müssen.« Er hielt kurz
inne. »Sie haben also genau genommen nur gesehen, wie
zwei Hände, die in schwarzen Latexhandschuhen steckten,
die Bronzestatue von ihrem Sockel gehoben haben. Mehr
nicht, oder? Und woher wissen Sie eigentlich, dass es sich

um die Hände eines Mannes und nicht die einer Frau gehandelt hat.«

»Für eine Frau waren sie zu kräftig und zu groß.«

»Es gibt auch Frauen mit kräftigen, großen Händen.«

»Und warum ist die Statue dann noch hier?«, überging ich seinen Einwand. »Kommt Ihnen diese gesamte Einbruchgeschichte nicht seltsam vor? Nirgends im Haus gibt es Hinweise, dass etwas gesucht oder gestohlen werden sollte. Warum sollte sich ein Einbrecher ausgerechnet diese Statue aussuchen – und sie dann zurücklassen? Es gibt in diesem Haus Wertgegenstände, die viel leichter zu Geld zu machen sind. Und darum geht es bei den meisten Einbrüchen doch wohl.«

»Noch einmal, Frau Rosin: Worum es sich hier genau gehandelt hat, bewegt sich aktuell noch im Bereich der Spekulation. Wir beide ziehen hier gerade vorschnelle Schlüsse.«

Einzulenken, wenn ich anderer Überzeugung war, war noch nie eine meiner Stärken gewesen. Ich stieß Luft durch die Nase. »Wenn Sie Doktor Eichberger genau zugehört haben, lässt sich klar rekonstruieren, was der Eindringling getan hat: Er wird durch die offen stehende Terrassentür ins Haus geschlüpft sein. Dann ist er die Treppe hochgeschlichen, hat einen Draht oder Ähnliches an der zweiten Stufe angebracht und wollte Robert Eichberger irgendwie runterlocken, damit der sich bei dem unvermeidlichen Treppensturz das Genick brechen würde. In diesem Moment muss ich geklingelt haben, woraufhin Kasper anschlug. Alex' Vater hat jedoch weder auf das eine noch auf das andere reagiert. Er ist in seinem Arbeitszimmer geblieben. Also ist der Fuchsmann unten in der Küche den Hund so heftig angegangen, dass er laut aufgejault hat – was dann schließlich zu der bekannten Kettenreaktion führte. Doch Doktor

Eichberger hat sich zwar verletzt, aber nicht lebensgefährlich. Als der Täter ihn am Fuß der Treppe lebend entdeckte, hat er die Bronzestatue zur Hand genommen, um seinen ursprünglichen Plan zu vollenden.«

Beide Beamte sahen mich an, als wäre ich jetzt völlig von Sinnen und als suchten sie nach den passenden Worten, um dem Ganzen hier schnell ein Ende zu setzen.

»Tut mir leid, Frau Rosin«, sagte Leo Parsinger. »Sie wagen sich mit Ihren Spekulationen schon wieder viel zu weit vor. Aber gut, von mir aus, Sie interpretieren hier munter vor sich hin, und das tue ich jetzt auch mal, und heraus kommt dabei die Vermutung, dass der Einbrecher die Tür zur Küche schlichtweg geschlossen hat, damit der Hund ihn bei seinem Vorhaben – einem Einbruch – nicht stört. Da das Tier allem Anschein nach überhaupt nicht an verschlossene Türen gewöhnt ist und jederzeit seine Bewegungsfreiheit genießen kann, hat er aus Protest laut aufgejault. Was dann zu der bekannten Kettenreaktion führte: dem Sturz.« Leo Parsinger sah mich zufrieden an. »Außerdem: Sie fragen mich, warum die Statue noch hier ist, wenn es ein Einbruch war? Ich habe eine Gegenfrage: Ist es nicht genauso verwunderlich, dass der Täter oder die Täterin die Statue wieder zurückgestellt hat und Doktor Eichberger noch lebt, wenn es, wie Sie behaupten, der Fuchsmann war? Nachdem Sie geflüchtet sind, hätte er oder sie den Mord ohne Weiteres begehen können. Abgesehen davon gibt es von einem Draht oder einem Seil keine Spur.«

In meinem Kopf rasten die Gedanken. »Aber … das passt alles nicht zusammen.«

»Sie sagen es, und deshalb sitzt der richtige Mann in Untersuchungshaft.«

Das traf mich wie ein Schlag ins Gesicht. »Sie glauben nicht, dass hier überhaupt jemand war, nicht wahr? Sie halten mich für verrückt.« Als Corinna Altenburg etwas dazu sagen wollte, winkte ich ab. »Was ist mit Jürgen Kunze? Hat er inzwischen gestanden?«

»Noch nicht, aber …«, antwortete sie.

»… das ist nur noch eine Frage der Zeit?«, fiel ich ihr ins Wort. »Das sagten Sie bereits.« Ich faltete die Hände auf dem Tisch und gab mir Mühe, einen möglichst ruhigen und gelassenen Eindruck zu vermitteln. »Demnach halten Sie es für ausgeschlossen, dass er unschuldig ist?«

»Es sprechen genügend Indizien für seine Schuld.«

»Es wäre nicht der erste Indizienprozess, der einen Unschuldigen hinter Gitter bringt.«

»Frau Rosin«, setzte sie in einem Ton an, als sei ich kurz davor durchzudrehen. »Das bringt doch nichts. Warum denken Sie nicht mal in aller Ruhe über meinen Vorschlag nach, sich Hilfe zu holen?«

»Weil ich nicht verrückt bin!«

»Das habe ich auch nicht behauptet, aber Sie waren einer enormen Belastung ausgesetzt.«

»Und in Ihrem Erfahrungshorizont sehen Menschen, die Belastungen ausgesetzt waren, später Gespenster?« Ich schlug mit der flachen Hand auf den Tisch. »Ist Ihnen eigentlich bewusst, dass Sie mit dieser ablehnenden Haltung Tätern wie dem Fuchsmann leichtfertig in die Hände spielen? Wäre ich nicht wegen des Schlüssels zurückgekommen, wäre Alex' Vater jetzt vermutlich tot. Alles würde nach einem Unfall aussehen, und die einzige Verbindung, die zu dem Mord an Alex hergestellt würde, wäre die seelische Beanspruchung des Vaters, die zu einem Schwächeanfall und in der Folge zu einem Sturz geführt hat. Das liegt schließlich auf der Hand, nicht wahr? Warum sollten Sie das auch anders sehen – Sie haben den Täter ja.«

»Bei Jürgen Kunze handelt es sich mit ziemlicher Sicherheit nicht um den Täter, sondern um den Auftraggeber der Morde.«

»Das heißt, Sie haben keinerlei Spuren von ihm am Tatort gefunden. Konnten Sie denn irgendeine Verbindung zu einem Auftragsmörder herstellen? Hat er mit so jemandem telefoniert oder Mails ausgetauscht? Hat er sich auf entsprechenden Foren getummelt?«

Leo Parsinger seufzte genervt auf. »Obwohl Sie eindeutig nicht zum Kreis derjenigen zählen, mit denen wir üblicherweise unsere Ermittlungsergebnisse teilen, nur ein Beispiel: Die Funkzellenauswertung seines Handys belegt, dass es zur Tatzeit in einer Funkzelle in der Nähe des Tatorts eingeloggt war.«

»Ich weiß, das sagten Sie schon, aber wenn Sie ihn für den Auftraggeber halten, wieso hätte er sich dann überhaupt in der Nähe aufhalten sollen? In dem Fall hätte doch jeder vernünftige Mensch für ein hieb- und stichfestes Alibi gesorgt, und zwar möglichst weit weg vom Geschehen.«

»Menschen handeln nicht immer rational, Frau Rosin.«

»Dass er in der Nähe war, kann alle möglichen Gründe gehabt haben, vielleicht wollte er seine Frau endlich mal wieder mit eigenen Augen sehen und nicht nur durch die Kameralinse seines Detektivs. An seiner Stelle würde ich mich mit einer zufälligen Überschneidung herausreden.«

»Das wird nicht reichen, denn es geht hier um eine Gesamtschau. Der Mann hat seine Frau wochenlang beobachten lassen …«

»Was nicht verboten ist.«

»Er hat sich einer Befragung durch Flucht entzogen.«

»Trotzdem verstehe ich nicht, wie Sie so sicher sein können. Sie sagen selbst, dass er bislang nicht gestanden hat. Vielleicht tut er es nie. Das wenige, das Sie ohne sein Geständnis gegen ihn in der Hand haben, reicht doch nie und nimmer für eine Verurteilung. Vielleicht reicht es nicht einmal für eine Anklage. Ich vermute mal, dass Sie ohne seine Flucht keinen Haftbefehl für ihn bekommen hätten. Aber selbst wenn sich ein Staatsanwalt dazu bereit erklären sollte, ihn anzuklagen – was ist, wenn das Gericht zu der Überzeugung gelangt, dass Jürgen Kunze die beiden Morde nicht in Auftrag gegeben hat? Nehmen Sie dann Ihre Ermittlungen wieder auf?«

»Zum gegenwärtigen Zeitpunkt«, betonte Corinna Altenburg, »lassen sich die Indizien, die auf Jürgen Kunze als Auftraggeber des Doppelmords deuten, in einen schlüssigen Zusammenhang bringen. Solche Taten geschehen nicht aus dem Nichts heraus, Frau Rosin. Sie haben eine Vorgeschichte. Eine Geschichte wie die von Rike Jordans Ehe.«

»Heißt das, Sie gehen jetzt wieder und lassen Robert Eichberger hier alleine zurück?« Ich sah Corinna Altenburg ungläubig an. »Was ist, wenn der Mörder zurückkommt?«

»Frau Rosin«, meldete sich Leo Parsinger zu Wort, »lassen Sie es mich so formulieren: Wir gehen davon aus, dass der Mörder mit der gleichen Wahrscheinlichkeit zu Doktor Eichberger zurückkehren wird wie der Einbrecher zu Frau Mauss.«

Jedes weitere Wort war zwecklos. Für die beiden war Alex' Mörder mit an Sicherheit grenzender Wahrscheinlichkeit gefasst und saß in Untersuchungshaft. Und ich litt unter einer Stressbelastung in Folge eines außergewöhnlichen Ereignisses und stahl ihnen darüber hinaus noch ihre wertvolle Zeit. Dagegen kam ich nicht an. Dass ich Ihnen den Job als Haushälterin bei Robert Eichberger verschwiegen hatte, war dabei sicherlich nicht von Vorteil.

Ich stand auf. »War es das dann?«

Corinna Altenburg nickte und gab ihrem Kollegen das

Zeichen zum Aufbruch. Mit einem Mal schien es ihr schwerzufallen, mich so zurückzulassen.

Sie zögerte. »Was werden Sie jetzt tun?«

»Weiter meiner Wahrnehmung vertrauen«, erwiderte ich unterkühlt.

Nachdem sie gegangen waren, schlich ich auf Zehenspitzen ins Wohnzimmer, ließ mich in einem der Sessel nieder und bedeutete Kasper, der sich inzwischen auf den Teppich vor dem Sofa verzogen hatte, liegen zu bleiben. Robert Eichberger schlief immer noch. Er atmete tief, wirkte gleichzeitig aber unruhig. Ohne ihn aus den Augen zu lassen, ging ich das Gespräch mit den beiden Beamten gedanklich noch einmal durch.

Vermutlich empfanden sie mich als halsstarrig und überspannt, was ihnen vielleicht nicht einmal zu verübeln war. Bei Gundula Mauss hatte ich tatsächlich übertrieben reagiert, aber bei ihr hatte ich ja auch grundlos angenommen, es könne sie jemand in ihrer Wohnung überfallen haben. Bei Robert Eichberger war unzweifelhaft jemand dort gewesen, der nicht dorthin gehörte. Zwar hatte ich lediglich seine Hände gesehen, aber die ließen sich nicht wegdiskutieren. Ich hatte sie gesehen.

Wie wahrscheinlich war es, dass erst Alex umgebracht wurde, sich dann zehn Tage später jemand widerrechtlich bei Robert Eichberger einschlich, um ihn ebenfalls zu töten, und das Ganze nicht miteinander in Zusammenhang stehen sollte? Umgekehrt wurde eher ein Schuh daraus. Wenn ich diesen Zusammenhang also als gegeben annahm und darüber hinaus Corinna Altenburgs Überzeugung miteinbezog, dass solche Morde wie die an Alex und Rike Jordan nicht aus dem Nichts heraus geschehen würden, musste es eine Vorgeschichte geben. Aber welche?

Ganz kurz flackerte der Name »Biggi« in meinem Kopf auf. War sie nur eine weitere von Alex' Lügen oder existierte sie tatsächlich? War sie die Frau, mit der Alex sich im Restaurant gestritten hatte? Und wenn ja, war dieser Streit vielleicht sogar Teil der Vorgeschichte zum Mord? Die Kripo hatte Robert Eichberger nach ihr gefragt. Er hatte mit ihrem Namen zwar nichts anzufangen gewusst, aber das hieß nichts. So nah waren sich Vater und Sohn vielleicht noch nicht wieder gekommen. Von meiner Existenz hatte er auch erst durch Corinna Altenburg erfahren, und Sven Uhlig wollte sich Frauennamen gar nicht erst merken. Selbst wenn Alex ihm von Biggi erzählt hatte, würde er seine mit Lügen vermischten Wahrheiten nicht einer Person zuordnen können.

Als Alex' Vater nun mit einem Stöhnen erwachte, schob ich ihm zwei zusätzliche Kissen hinter den Rücken, damit er aufrechter sitzen konnte. Fünf Minuten später reichte ich ihm eine Tasse stark gezuckerten schwarzen Tee. Nachdem er ein paar Schlucke getrunken hatte, nötigte ich ihm die Nummer seines Hausarztes ab. Erst wollte er sie nicht herausrücken und meinte, seine Wunde sei vom Notarzt versorgt worden, das sei völlig ausreichend. Also hielt ich ihm einen Vortrag, wie wichtig es sei, dass noch einmal jemand Kompetentes in Ruhe einen Blick auf ihn warf. Er sei selbst kompetent genug, um das beurteilen zu können, konterte er. So sehr würden Mensch und Tier sich nicht unterscheiden. Als ihm jedoch bewusst wurde, dass es bei mir, was seine Gesundheit betraf, keinen Verhandlungsspielraum gab und dass ich das Feld erst räumen würde, wenn sein Hausarzt da gewesen war, lenkte er ein.

Vom Mobilteil aus rief ich den Mann an, der wie Robert Eichberger längst in Pension war, für langjährige Patienten und Freunde jedoch immer mal wieder tätig wurde. Er versprach, schnellstmöglich zu kommen.

Alex' Vater tat so, als sei er wieder eingenickt, aber ich war mir sicher, dass er wach war. »Haben Sie wirklich nichts gesehen?«, fragte ich ihn rundheraus.

Er schlug die Augen auf. »Nein, und ich bin mir nicht einmal sicher, ob ich mich nicht einfach getäuscht habe.«

»Getäuscht?« Ich sah ihn irritiert an. »Sie haben Kaspers Jaulen doch selbst gehört. Das klang nicht danach, als ob ihn nur die geschlossene Tür störte. Und wie hätte sie denn überhaupt zufallen sollen? Außerdem war der Hund danach völlig verstört. Sie haben ganz genau gespürt, dass mit ihm etwas nicht stimmte. Deshalb wollten Sie nach ihm sehen, sind dabei über etwas gestolpert und die Treppe hinuntergefallen. Und vergessen Sie bitte nicht: Ich habe den Mann gesehen, der hier im Haus war.«

»Aber warum hat Kasper dann nicht angeschlagen?«

»Vielleicht kannte er den Täter.«

»Woher denn? Sie wissen selbst, dass ich sehr zurückgezogen lebe und selten Besuch bekomme, und den Menschen, mit denen ich Umgang habe, vertraue ich hundertprozentig.«

»Aber ich habe den Mann *gesehen*!«

»Ich habe nichts gesehen«, beharrte er und fuhr sich dabei mit einer müden Geste über die Augen. »Vielleicht bin ich einfach nur über meinen Hausschuh gestolpert. Seit Adrians Tod geht es mir nicht gut, und ich sehe Ihnen an, dass es um Sie nicht viel besser steht. Vielleicht sollten Sie sich Unterstützung holen und mit jemandem über all das hier sprechen.«

Ich horchte auf. »Hat die Kripo Ihnen das von meiner Nachbarin erzählt?«

»Ja.«

»Dann glauben Sie also auch, dass ich mir das alles nur eingebildet habe?«

»Extreme Situationen haben manchmal extreme Auswirkungen. Es ist nichts, wofür Sie sich schämen sollten. Und es wäre kein Grund, Ihnen einen Vorwurf zu machen.«

»Haben Sie denn keine Angst, dass der Mann zurückkommt und das vollendet, was er angefangen hat?«

»Um ehrlich zu sein: nein. Außerdem … Wenn es stimmt, was Sie sagen: Warum bin ich dann noch am Leben? Und warum ist die Statue noch da?«

Ich sackte in mich zusammen. »Das weiß ich nicht.«

»Trotzdem habe ich Ihnen zu danken. Wer weiß, was passiert wäre, wenn Sie nicht da gewesen wären.«

Als der Hausarzt eintraf und nach Alex' Vater sah, verabschiedete ich mich kurz, um mit Kasper den längst überfälligen Spaziergang um die vier Ecken zu machen.

Von unterwegs telefonierte ich mit Gabriele Heckert, Rike Jordans Schwester. Ihr würden die Kripoleute vielleicht mehr über den Fortgang der Ermittlungen und die Beweislage erzählt haben. Falls es so war, hielt sie sich allerdings sehr bedeckt. Wie ich überhaupt daran zweifeln könne, dass der Richtige in Untersuchungshaft säße, wollte Gabriele Heckert wissen. Allein die Tatsache, dass er sich überhaupt dort befände, spräche doch für sich. Mit ihm hätten sie ganz sicher keinen Unschuldigen inhaftiert, und wenn ich mir einen Gefallen tun wollte, sollte ich das einsehen und aufhören, mich mit unsinnigen Gedanken zu quälen. Sie könne verstehen, dass es mir schwerfalle, den Tod meines Freundes als Kollateralschaden zu akzeptieren, aber genau das sei er wohl gewesen – so grausam das auch klänge. Und für diese Grausamkeit – das solle ich bitte nie vergessen – sei Jürgen Kunze verantwortlich. Für sie spiele es keine Rolle, ob er selbst abgedrückt oder jemanden damit beauftragt habe. Im Ergebnis komme es auf das Gleiche hinaus. Ihre Schwester sei heute beerdigt worden. Das habe ihr das Herz zerrissen. Von ihr aus könne Jürgen Kunze auf ewig in der Hölle schmoren. Er habe nichts anderes verdient.

Nach diesem Gespräch ging ich tief in Gedanken versunken weiter. Ich wusste genau, was ich gesehen hatte. Aber hatte ich es womöglich falsch interpretiert? In einem Punkt musste ich Leo Parsinger recht geben: Von den schwarzen Latexhandschuhen auf den Fuchsmann zu schließen war voreilig. Womöglich hatten sie bei mir einen Film in Gang gesetzt, der sich verselbstständigt hatte. War also doch nichts weiter passiert, als dass Robert Eichberger gestürzt war und ein Einbrecher versucht hatte, die Statue zu stehlen? Hier draußen an der kühlen frischen Luft, mit ein wenig Abstand, begann ich, es für möglich zu halten. Ich atmete auf. Wenigstens bedeutete es, dass Robert Eichberger nicht weiter in Gefahr war.

Als ich um kurz vor sieben mit Kasper zurückkehrte, parkte vor dem Haus der Wagen von Barbara Burkart, die wie immer mit Chauffeur gekommen war. Der Mann grüßte mich kurz mit einem Nicken, als er mich aufs Haus zugehen sah, und widmete sich dann im Licht der Innenbeleuchtung wieder seiner Zeitschrift.

In der Küche füllte ich Futter in Kaspers Napf und sah dabei zu, wie der Hund es gierig verschlang. Ich erwog, ins Wohnzimmer zu gehen und mich zurückzumelden, entschied mich dann jedoch dagegen. Die beiden schienen mich nicht gehört zu haben, und ich wollte sie nicht stören. Barbara Burkart kümmerte sich rührend um Robert Eichberger und umsorgte ihn wie eine Glucke. Wenn seinem Sturz überhaupt irgendetwas Gutes abzugewinnen war, dann die Fürsorge, die ihm die Frau, die er so offensichtlich liebte, zuteilwerden ließ.

Während ich Robert Eichberger in der Küche einen

Zettel schrieb, dass er mich anrufen solle, wenn er in den nächsten Tagen Hilfe bräuchte, hörte ich mit halbem Ohr der Unterhaltung der beiden zu. Barbara Burkart sagte gerade, wie sehr es sie schmerze, dass er gestolpert sei, und dass sie sich wünsche, sie wäre zur Stelle gewesen, um ihm zu helfen. Nicht auszudenken, was ihm bei diesem unglücklichen Sturz alles hätte zustoßen können. Sie danke Gott, dass alles so glimpflich ausgegangen sei. Ein Leben ohne ihn wage sie sich gar nicht vorzustellen.

»Versprich mir, dass du in Zukunft vorsichtiger bist, hörst du? Du bist zu einem so wichtigen Teil in meinem Leben geworden, ich möchte dich nicht auch noch verlieren.«

»Barbara, ich …«, setzte Robert Eichberger mit einem seligen Unterton an.

»Versprich es mir, sonst tue ich heute Nacht kein Auge zu.«

»Versprochen«, hauchte er.

»Gut. Dann bin ich beruhigt. Aber da ist noch etwas, das du mir unbedingt versprechen musst: Lass dir von Adrians Freundin bitte keinen Unsinn einreden. Sie will dir nur Angst machen. Ich halte sie leider Gottes für eine mehr als zweifelhafte und wenig vertrauenswürdige Person. Welche ehrbare Frau geht schon solch einer Arbeit nach und verschafft Ehebrechern Alibis? Auch wenn sie heute zur Stelle war, bleibt die Tatsache, dass sie sich mit einer Lüge bei dir eingeschlichen hat. Und es ist ja überhaupt nicht auszuschließen, dass diese ganze Geschichte heute ein weiterer Schachzug von ihr war. Immerhin ist sie die Einzige, die den angeblichen Angreifer gesehen haben will. Und sie ist eine gute Lügnerin. Wir sollten vorsichtig sein.«

»Sie sagt, sie habe es Adrian zuliebe getan«, ergriff Robert Eichberger mit schwacher Stimme für mich Partei. »Er habe unbedingt gewollt, dass sie für mich arbeitet. Um sie zu überreden, hat er eine seiner hanebüchenen Geschichten zum Besten gegeben. Ich habe dir doch davon erzählt.«

»Und das glaubst du ihr? Viel wahrscheinlicher ist es doch, dass die beiden das gemeinsam ausgeheckt haben.«

»Aber wozu denn?« Er wartete ihre Antwort nicht ab. »Frau Rosin versteht es ja selbst nicht. Nur deshalb ist sie nach Adrians Tod überhaupt wieder bei mir aufgetaucht.«

»Wirklich nur deshalb?« In ihrer Stimme schwang Zweifel mit.

Inzwischen hatte ich die Küchentür bis auf einen Spalt geschlossen, damit Kaper mir nicht ins Wohnzimmer entwischte. Um dem Gespräch dennoch weiter lauschen zu können, hielt ich mein Ohr in den Spalt.

»Warum denn sonst?«, fragte Robert Eichberger. »Sie hat ihre eigene Firma, sie ist selbstständig, und sie ist eine sehr patente Person. Sie verrichtet ihre Arbeit als Haushälterin hervorragend, und das, obwohl sie bestimmt nicht davon träumt, meine Wäsche zu waschen und hinter mir herzuputzen.«

»Du bist ein wohlhabender Mann, Robert. So etwas weckt Begehrlichkeiten. Erst kürzlich hast du mir erzählt, wie aufgebracht Adrian war, weil du deine finanzielle Unterstützung an Bedingungen geknüpft hast. Er hätte diese Bedingungen niemals erfüllt, glaube mir. Er hätte sich niemals einer Therapie unterzogen. Das wissen wir beide. Du musstest es nur einmal mehr versuchen, und das verstehe ich gut. Nicht zuletzt das macht dich zu einem so liebenswerten Menschen. Aber Menschen wie du und ich werden immer wieder ausgenutzt, weil wir zu gutmütig sind. Davor möchte ich dich bewahren.« Sekundenlang war es still. »Versprich mir, dass du vorsichtig bist und dieser Frau nicht alles glaubst.«

Robert Eichberger stöhnte leise. Er schien sich aufsetzen zu wollen, aber Barbara Burkart bestand mit sanftem Nachdruck darauf, dass er liegen blieb.

»Dir in deiner gegenwärtigen Verfassung ein solches Lügenmärchen über einen versuchten Mord aufzutischen!«, empörte sie sich. »Das grenzt meiner Meinung nach schon an Niedertracht! Psychische Probleme hin oder her. Hat diese Frau denn überhaupt kein Empfinden für das, was sich schickt?«

Die beiden Kripobeamten hatten mir mit ihrem Unglauben schon zugesetzt, aber Barbara Burkart schoss den Vogel ab. Sie war darüber hinaus verletzend.

»Also, ich glaube …«, setzte Robert Eichberger an, kam jedoch nicht weiter, weil seine Freundin sich geradewegs in Rage redete.

»Es ist völlig undurchsichtig, was diese Person damit bezweckt. Ich kann mir nur vorstellen, dass sie dich von sich einnehmen will. Wer weiß schon, was sich im Kopf von so einem jungen Ding abspielt? Vielleicht verspricht sie sich Vorteile von dir. Sie ist attraktiv, und so sehr viel Geld wird sie mit ihrem *Unternehmen* vielleicht auch gar nicht verdienen. München ist ein teures Pflaster, und du bist eine gute Partie. Vielleicht macht sie sich jetzt, wo Adrian tot ist, Hoffnungen auf dich. Sie wäre sicher nicht die Erste, die auf solch eine Idee käme.«

»Bist du etwa eifersüchtig, Liebes?« In seiner Frage schwang sehnsüchtige Hoffnung mit.

»Robert, ich glaube, du hast keine Vorstellung davon, wozu Frauen fähig sind, um gut versorgt zu leben«, entgegnete sie streng. »Ich möchte nur, dass du dir dessen zu jeder Zeit bewusst bist. Sei wachsam!«

»Das brauche ich gar nicht. Die einzige Frau, der ich überhaupt noch jemals Hoffnungen machen würde, bist du«, kam es aus tiefster Seele von ihm. »Und das weißt du sicher auch, nicht wahr?«

Wieder trat Stille ein. Ich wagte nicht, mich zu rühren.

»Du musst nichts sagen«, fuhr er fort. »Ich sehe doch, wie du immer noch um Hajo trauerst. Mir fehlt er auch. Er war mein bester Freund, und gerade an Tagen wie diesem fehlt er mir noch mehr.«

Barbara Burkart seufzte. »Er war ein ganz besonderer Mensch, er war großmütig und anständig … Ach, was erzähle ich dir, du weißt all das genauso gut wie ich.«

Allmählich wurde es Zeit, mich bemerkbar zu machen. Nachdem ich den Zettel zerknüllt und in meine Hosentasche gesteckt hatte, schlich ich zurück zur Haustür, öffnete sie leise und ließ sie von innen hörbar wieder ins Schloss fallen. Dann holte ich Kasper aus der Küche und bedeutete ihm, Richtung Wohnzimmer zu laufen.

»Ich bin wieder da!«, rief ich laut. »Bin gleich bei Ihnen.«

In der Küche setzte ich Teewasser auf, stellte scheppernd Tassen und Zuckerdose auf ein Tablett und füllte Kekse in eine Schale. Ich war gerade dabei, Teeblätter in einen Papierfilter zu füllen, als Barbara Burkart hinter mir auftauchte.

»Ich habe schon Ihr Auto gesehen«, begrüßte ich sie munter. »Wie schön, dass Sie da sind. Das wird Doktor Eichberger sicher sehr freuen. Ich wollte Ihnen beiden gerade Tee bereiten. Earl Grey. Den mögen Sie doch so gerne.«

»Lassen Sie nur, Frau Rosin«, sagte sie von oben herab. Was eine Leistung war, da sie ein ganzes Stück kleiner war als ich. »Ich übernehme das. Sie können gehen.«

»Dann verabschiede ich mich nur schnell von Doktor Eichberger.«

»Ich kann ihm Ihre Grüße ausrichten. Er braucht jetzt seine Ruhe.«

»Ein paar Worte werden ihn sicher nicht aus dem Gleichgewicht bringen.« Unbeirrt ließ ich sie stehen und ging zu Alex' Vater.

In sich zusammengesunken saß er gegen die Kissen gelehnt auf seinem Sofa und schien die Welt nicht mehr zu verstehen. Er wirkte irritiert und verunsichert und sah mir ganz offensichtlich mit gemischten Gefühlen entgegen.

Da ich ihn nicht noch mehr verunsichern wollte, machte ich es kurz, verabschiedete mich von ihm und wünschte ihm gute Besserung für seine Verletzungen. »Machen Sie's gut! Und falls ich Ihnen helfen kann, rufen Sie mich einfach an. Sie haben ja meine Nummer.«

»Das wird wohl nicht nötig sein«, hörte ich in meinem Rücken Barbara Burkart mit Entschiedenheit sagen. »Robert ist bestens versorgt. Ich kümmere mich um ihn.«

Nach einem letzten prüfenden Blick, dem er nicht auswich, beugte ich mich zu Kasper und strich ihm sanft über den Kopf. Mit einem Nicken räumte ich schließlich das Feld.

Auf dem Heimweg fiel es mir schwer, meine gemischten Gefühle einzuordnen. Eigentlich hätte ich froh und erleichtert darüber sein können, dass Alex' Vater gut versorgt und umhegt war. Lag es daran, dass die Frau, die er liebte, mir so kräftig und unvermittelt auf die Füße getreten war? Oder kam ich nur einfach nicht damit zurecht, dass Alex' Vater mich offensichtlich leichten Herzens hatte gehen lassen? Ich hätte es nicht sagen können.

23 Dieser mit Ereignissen so prall gefüllte Montag hatte mich lange nicht einschlafen lassen. Am späteren Abend hatte ich erst mit Fritz und dann mit Henry telefoniert. Allerdings war ich zu erschöpft gewesen, um von dem zu erzählen, was ich erlebt hatte. Es hatte mir gereicht, ihre Stimmen zu hören.

In der Nacht wälzte ich mich von einer Seite auf die andere und tauchte immer wieder in Albträume ab, an die ich mich beim Aufwachen nicht mehr erinnerte. Völlig gerädert taumelte ich gegen Morgen unter die Dusche.

Nachdem ich mich angezogen hatte, wollte ich gerade das Haus verlassen, als Gundula Mauss mich abfing. Offensichtlich hatte sie hinter der Tür gewartet, dass sich bei mir etwas rührte.

»Kindchen«, begrüßte sie mich freudig. Mit ihrem Rollator, in dessen Korb sich Teigrolle und Telefon befanden, füllte sie fast den gesamten Türrahmen aus. »Wie schön, Sie zu sehen!«

»Seit wann sind Sie wieder zu Hause?«

»Gestern bin ich entlassen worden.« Sie zeigte auf ihren Kopf. »Es heilt alles sehr gut, und es geht mir zum Glück auch schon viel besser.« Sie kam einen Schritt näher und beäugte mich. »Was man von Ihnen nicht behaupten kann. Sie sehen müde aus. Schlafen Sie genug?«

»Wohl eher nicht«, meinte ich mit einem schiefen Lächeln. »Aber machen Sie sich keine Sorgen, ich stecke das ganz gut weg.«

»Das denkt man immer, Kindchen, das denkt man immer.

Und dann haut's einen plötzlich um. Lassen Sie es gar nicht erst so weit kommen.« Sie kam noch einen Schritt näher. »Ist es immer noch dieser leidige Einbruch? Ich kann ja verstehen, dass der Ihnen zu schaffen macht. Mir würde es ganz ähnlich gehen. Meine Bettnachbarin im Krankenhaus hat mir bestätigt, dass Einbrecher oft wiederkommen, wenn sie beim ersten Mal keinen Erfolg hatten. Und bei Ihnen ist doch nichts gestohlen worden, nicht wahr? Also schließen Sie bloß immer gut ab. Und ich werde Augen und Ohren offen halten. Nur dumm, dass ich an diesem vermaledeiten Freitag nichts mitbekommen habe. Ich bin ja nicht abergläubisch – von wegen schwarze Katzen, die einem über den Weg laufen –, aber Freitag, der dreizehnte, der hat es in sich. Na, ich hoffe, wir bleiben von solchen Tagen erst einmal eine Weile verschont.«

»Das hoffe ich auch, Frau Mauss«, sagte ich aus tiefster Seele. »Brauchen Sie eigentlich irgendetwas? Ich könnte Ihnen später etwas mitbringen.«

»Das würden Sie tun, Kindchen?« Sie lächelte erleichtert und zog einen Zettel aus der Tasche ihrer Strickjacke. »Hier habe ich alles aufgeschrieben.« Sie reichte mir das kleine eng beschriebene Blatt. »Wenn die Tüten zu schwer sind, soll Rudi Ihnen helfen.«

»Kein Problem, das schaffe ich schon«, beruhigte ich sie.

Über Nacht waren die Temperaturen wieder deutlich über null geklettert. Dicke graue Wolken hatten Regen mitgebracht und einmal mehr bewiesen, wie schnell sich das Münchner Wetter ändern konnte. Als ich im Büro ankam, waren meine Stiefel durchnässt. Ich schob sie unter die Heizung und hängte mein Regencape in die Küche zum Trocknen. Für Niki und Zeno setzte ich die Kaffeemaschine in Gang, für mich kochte ich einen Tee.

Diverse Haftzettel, die auf meinem Bildschirm klebten, kündeten von jeder Menge Arbeit. Es gab immer wieder Klienten, die nur mit mir sprechen wollten und denen ich nicht klarmachen konnte, dass sie bei Niki oder Zeno ebenso gut aufgehoben waren. Mit einigen von ihnen würde ich an diesem Vormittag telefonieren müssen. Und das, obwohl mein Enthusiasmus, was Lügen betraf, zurzeit gegen null tendierte. Aber es half nichts. Solange ich keine Idee für eine Alternative hatte, würde dies die Arbeit sein, die mich ernährte.

Als Zeno und Niki nacheinander eintrafen und Regentropfen abschüttelten, setzte ich mich mit ihnen in die Küche und besprach, was an diesem Tag zu erledigen sein würde. Es dauerte jedoch nicht lange, bis die Sprache auf die jüngsten Ereignisse kam. In ungekürzter Fassung erzählte ich ihnen, was gestern geschehen war und wie sehr mich das umtrieb.

»Ich hätte mal als Erstes gefragt, wer erbt«, meinte Niki. »Irgendjemand muss schließlich den alten Mann beerben, nachdem Alex tot ist. Vielleicht hat er uneheliche Kinder oder vielleicht eine Schwester oder einen Bruder. Oder vielleicht hatte seine verstorbene Frau Geschwister. Irgendwelche Verwandtschaft wird es schon geben.«

»Soweit ich weiß, hat Robert Eichberger keine weiteren Angehörigen.«

»Na, er wird das alles ja wohl nicht dem Staat hinterlassen«, meldete Zeno sich zu Wort, der gleichzeitig das Fußbad beäugte, das Niki mit ihrem Kaffeebecher auf dem Küchentisch veranstaltete. »Ich sehe das genauso wie Niki, irgendjemanden wird es geben. Und derjenige könnte durchaus ein Motiv haben.«

»Heißt das, ihr glaubt mir? Und haltet es für möglich, dass Robert Eichberger beinahe vom Fuchsmann getötet worden wäre?«

»Natürlich.«

Ich spürte, wie Tränen der Erleichterung in meinen Augen brannten. »Also war es doch nicht einfach nur ein Einbruch!«

»Nie im Leben!«, sagte Niki.

»In dem Fall würde alles nur auf Geld hinauslaufen«, überlegte ich laut.

»Was heißt hier *nur*? Habgier ist ein starkes Motiv«, wandte Zeno ein. »Genauso wie Eifersucht, Rachsucht ...«

»Vater und Sohn hatten lange keinen Kontakt mehr miteinander gehabt«, resümierte ich. »Dann hatte eine vorsichtige Wiederannäherung stattgefunden. Zu dieser Zeit hat Alex mich gebeten, diesen Job bei seinem Vater anzunehmen, um ihn auszuforschen. Ich frage mich immer noch, warum.« Mein Blick wanderte zwischen beiden hin und her. »Sven Uhlig hat behauptet, Alex habe seinen Vater unter Druck gesetzt. Robert Eichberger hat es genau umgekehrt ausgedrückt, er habe Alex allerdings lediglich Bedingungen gestellt. Es sei um eine Therapie gegangen – und um sein Erbe.«

»Na, da hast du es doch«, freute Zeno sich. »Es geht ums Geld.«

»Aber dann wäre Robert Eichberger immer noch in Gefahr.«

Zeno schwieg und versenkte den Blick in seinen Milchkaffee, als sei die Antwort dort zu finden. Niki hingegen stand auf und malte Fragezeichen auf die beschlagene Fensterscheibe. Ganz am Rand formte sie schließlich ein Herz. Zeno und ich entdeckten es fast gleichzeitig.

»Der Kameramann?«, kam Zeno mir zuvor.

»Mhm.« Dieser kurze Laut schien aus Herzklopfen geboren worden zu sein. Niki wandte sich um und strahlte. »Er ist morgen in München.«

»Heißt das, du nimmst dir frei?«

»Das heißt es. Wenigstens für ein paar Stunden. Er hat ohnehin nicht viel Zeit.«

»Filmt er wieder Leichen?«, fragte Zeno mit einem anzüglichen Grinsen.

Nikis Antwort ging im Klingeln meines Handys unter. Als Robert Eichbergers Nummer im Display erschien, verzog ich mich ins Büro.

»Können Sie kommen, Frau Rosin?«, fragte er anstelle einer Begrüßung.

Als Robert Eichberger mir wenig später öffnete, wirkte er geschwächter als noch gestern Abend. Er habe eine leichte Gehirnerschütterung und müsse liegen. Ob ich eine kurze Runde mit Kasper drehen könne? Ich solle den Schlüssel mitnehmen, dann müsse er nicht noch einmal aufstehen. Später würde er gerne mit mir reden.

Dem Hund schien das Wetter überhaupt nichts auszumachen. Wann immer ich abbiegen wollte, um den Rückweg anzutreten, blieb er stur stehen und stemmte die Pfoten in den Asphalt. Schließlich waren wir eine Dreiviertelstunde unterwegs. Vor der Haustür schüttelte er sich einmal kräftig und legte sich dann auf ein Handtuch, das ich ihm im Flur ausbreitete. Nachdem ich Teewasser aufgesetzt hatte, zog ich Stiefel und Strümpfe aus und lieh mir von Alex' Vater ein paar dicke Socken. Mit dem Teetablett setzte ich mich schließlich zu ihm ins Wohnzimmer. Er nahm das heiße Getränk dankbar entgegen und schien auch Appetit auf das Marmeladenbrötchen zu haben, das ich ihm geschmiert hatte.

»Wie geht es Ihnen?«, fragte ich und umfasste meine Teetasse mit beiden Händen.

»Den Umständen entsprechend, würde ich sagen.« Er biss

von dem Brötchen ab und kaute. »Mir geht die Sache gestern einfach nicht aus dem Kopf. Deshalb wollte ich noch einmal mit Ihnen reden. Sind Sie immer noch ganz sicher, dass Sie jemanden im Haus gesehen haben?«

»Das bin ich. Außerdem hatten Sie selbst das Gefühl, dass jemand dort war.«

Sein langer, forschender Blick verriet nicht, in welche Richtung sich seine Gedanken bewegten. Schließlich räusperte er sich. »Und Sie könnten sich nicht vielleicht irren? Ich meine, es könnte gute Gründe geben, warum Sie die Sache gestern möglicherweise ein ganz klein wenig aufgebauscht haben. Verstehen Sie mich bitte nicht falsch, Frau Rosin, ich wäre Ihnen auch gar nicht böse. Es ist nur so, dass ich so schwer mit derartigen Unsicherheiten leben kann.«

Diese Unsicherheiten hatte Barbara Burkart zu verantworten. Ihr war es gelungen, dass sich das Gute, das sie offensichtlich im Sinn hatte, gegen ihn richtete.

»Ich kann mir keinen einzigen Grund vorstellen, aus dem ich irgendetwas aufbauschen sollte, Doktor Eichberger. Ich habe einen Mann gesehen, der die Statue über Ihren Kopf gehalten hat. Für mich sah es so aus, als wolle er Sie umbringen.«

»Viel wahrscheinlicher ist doch aber, dass er die Bronzefigur stehlen wollte.«

»Wie viele Menschen wissen, dass Sie die Figur besitzen, und kennen den Wert des Kunstwerks?«

Er zuckte die Schultern. »Eigentlich niemand. Sie befindet sich schon seit Jahrzehnten im Familienbesitz. Vor ein paar Jahren musste ich sie nur mal für die Versicherung schätzen lassen.«

»Und dann halten Sie es für wahrscheinlich, dass sich jemand hier ins Haus schleicht, um ausgerechnet diese Bronze zu stehlen?«

»Das ist mir ehrlich gesagt lieber als die Vorstellung, dass jemand es auf meinen Tod abgesehen hat. Können Sie mir denn den Mann beschreiben, den Sie beobachtet haben?«

»Ich habe ausschließlich seine Hände gesehen.«

»Genau das kommt mir so seltsam vor, Frau Rosin.« Er konnte sich nicht recht durchringen, mir zu glauben. »Wenn man lediglich zwei Hände sieht, die eine Bronzestatue halten, wie will man dann zu dem Schluss gelangen, zu dem Sie offensichtlich gelangt sind?«

»Ich kann Ihnen das nicht erklären, Sie müssen es mir einfach glauben«, versuchte ich, mich herauszureden. In seinem Zustand würde ich ihn ganz sicher nicht noch zusätzlich mit meinen Beobachtungen nach Alex' Ermordung belasten. »Doktor Eichberger, wer würde von Ihrem und dem Tod Ihres Sohnes profitieren?«

»Niemand.«

»Aber irgendjemand muss davon profitieren. Wer erbt denn nun Ihr Vermögen?«

Er sah mich plötzlich misstrauisch an. »Ich kann doch mit Ihnen nicht meine Erbschaftsangelegenheiten diskutieren. Dafür kennen wir uns viel zu wenig. Immerhin handelt es sich dabei um eine sehr private Abgelegenheit.«

»Sie haben mir in einem unserer Gespräche erzählt, dass Sie Alex in Bezug auf sein Erbe Bedingungen gestellt haben. Können Sie mir denn darüber etwas verraten?«

Er stieß einen mürrischen Laut aus. »Wenn Sie es genau wissen wollen, ging es nicht nur ums Erbe, sondern um jegliche finanzielle Unterstützung. Ich habe von meinem Sohn gefordert, sich endlich in Behandlung zu begeben. In Berlin gibt es einen Spezialisten für Pseudologie. Ich habe Adrian angeboten, die Kosten für die wöchentlichen Flüge dorthin zu übernehmen, und ich habe von ihm gefordert, endlich eine Ausbildung zu machen und zu beweisen, dass er verantwortungsvoll mit seinem Leben umgehen kann – und dann später mal mit seinem Erbe. Das war doch nicht zu viel verlangt.« Er sah mich unglücklich an. »Solange er in dieser Verfassung war, hätte ich es gar nicht verantworten können, ihn in vollem Umfang als Erben einzusetzen. Selbstverständlich hätte er seinen Pflichtteil bekommen, mehr jedoch keinesfalls.«

»Bedeutet das im Umkehrschluss, dass Sie einen anderen als Erben eingesetzt haben? Und könnte der Wind aus dessen Richtung wehen? Habgier ist immerhin ein Motiv.«

Ein leises Lächeln huschte über sein Gesicht. »Ich lebe zwar sehr zurückgezogen, Frau Rosin, aber ich bin durchaus noch von dieser Welt und nicht naiv. Selbstverständlich würde ich niemals eine Regelung treffen, die das unberücksichtigt lässt. Wenn Sie es also genau wissen wollen: Nach meinem Tod wird mein Geld in eine Stiftung eingebracht werden. Ich habe bereits einen Termin bei meinem Anwalt, um all das im Detail zu besprechen.«

»Demnach gibt es abgesehen von dieser noch nicht existenten Stiftung nach Alex' und Ihrem Tod niemanden, der von Ihrer beider Ableben profitieren würde?«

»Sie sind aber wirklich hartnäckig«, beschwerte er sich. »Es ehrt Sie ja, dass Sie sich solche Gedanken machen, aber sie gehen in die falsche Richtung. Außerdem ist doch der Mörder meines Sohnes längst gefasst.«

»Der Mörder nicht, gefasst wurde nur der vermeintliche Auftraggeber für die Morde – und der hat bisher noch nicht gestanden.«

»Würden Sie den Auftrag für einen Doppelmord gestehen?«

»Aller Voraussicht nach würde ich gar nicht erst einen beauftragen.« Ich schenkte ihm Tee nach. »Außerdem: Warum sollte Jürgen Kunze Sie töten wollen?«

Das Klingeln des Telefons schnitt ihm die Erwiderung ab, die ihm auf der Zunge gelegen hatte. Er nahm das Mobilteil, das neben ihm auf dem Sofa lag, und meldete sich. An seiner Tonlage erkannte ich sofort, wer am anderen Ende der Leitung war: Barbara Burkart. Er machte mir ein Zeichen, dass er ungestört mit ihr reden wollte.

Nachdem ich die Wohnzimmertür nur angelehnt hatte, blieb ich im Flur stehen und lauschte. In den ersten zwei Minuten ging es offensichtlich um seinen Gesundheitszustand. Interessanterweise erzählte er nichts davon, dass ich im Haus war. Vermutlich um sich weitere Warnungen zu ersparen. Als sich das Gespräch in Plänkeleien erging, wollte ich mich schon in die Küche zurückziehen. Doch dann fiel ein Stichwort, das mich eines Besseren belehrte. Robert Eichberger hatte Barbara Burkart gerade gefragt, wie sie ihr Erbe geregelt habe. Sie schien die Frage nicht richtig verstanden zu haben, denn er legte nach. Wer sie beerben würde, wenn sie sterbe. Sie und Hajo hätten schließlich keine Kinder. Daraufhin redete nur noch Barbara Burkart, denn Alex' Vater schwieg und hörte ihrem Vortrag zu. Von ihm waren immer nur kurze, bestätigende Laute zu hören.

Als er geendet hatte, rief er mich zu sich. Er sei jetzt müde und müsse sich ein wenig ausruhen. Immerhin wolle er morgen in jedem Fall fit genug sein, um das Haus zu verlassen. Er zögerte kurz, fuhr dann aber trotzdem fort. Es werde ein schwerer Gang, seinen Sohn zu Grabe zu tragen, aber zum Glück müsse er ihn nicht alleine gehen. Ich sei übrigens herzlich eingeladen, ebenfalls zu kommen.

24 Über Nacht hatten sich die Regenwolken bereits wieder verzogen. Es würde ein kühler, sonniger Tag werden. Henry rief schon früh an und fragte, ob er mich begleiten solle. Als hätten die beiden sich verabredet, meldete sich gleich darauf mein Onkel mit dem gleichen Angebot. Aber ich wollte allein zu Alex' Beerdigung gehen. Ich wusste nicht, ob es diesen einen magischen Moment geben würde, den ich mir so sehr ersehnte. In dem ich mich noch einmal intensiv mit ihm verbunden fühlte. In dem alles Schwere und Belastende abfiel und ich den Alex wiederfand, in den ich mich vor Monaten verliebt hatte. Auch wenn so vieles Lüge gewesen war, von einem war ich heute mehr denn je überzeugt – dass nämlich auch er sich in mich verliebt hatte. Vermutlich hätten wir nie die Chance auf eine längere, funktionierende Beziehung gehabt, aber ich erinnerte mich noch genau, wie es war zu glauben, wir hätten diese Chance. Es war ein gutes Gefühl gewesen.

Als ich fertig angezogen und geschminkt war, schwang ich mich ausnahmsweise mal nicht aufs Rad, sondern suchte mir einen Wagen von DriveNow. Für die knapp acht Kilometer zur Maria-Ward-Straße brauchte ich bei dichtem Verkehr mehr als eine halbe Stunde, aber ich hatte genügend Zeit eingeplant, sodass vor der Trauerfeier noch Gelegenheit war, in Ruhe über den kleinen verwunschenen Friedhof in der Nähe des Nymphenburger Schlossparks zu gehen.

Die Grabstätte der Familie Eichberger, von der Alex' Vater mir gestern noch erzählt hatte, war nicht schwer zu finden. Ein mannshoher Steinengel wachte über die große Grabplatte, auf der bereits einige Familienmitglieder verewigt worden waren. Alex würde bei seiner viel zu früh verstorbenen Mutter Alexandra liegen. Er hatte sie nur um zwanzig Jahre überlebt.

Mit Tränen in den Augen betrat ich fünf Minuten später die Trauerhalle. Die elfenbeinfarbenen Blumengestecke auf dem Sarg waren dezent und wunderschön. Im Hintergrund spielte leise eine Violine. Was das anging, hatte wahrscheinlich Barbara Burkart Alex' Vater gut beraten. Selbstverständlich würde sie ihn heute begleiten und stützen, hatte er mir gestern zum Abschied gesagt. Diese Gewissheit sei sein einziger Trost.

In einer der hinteren Reihen saßen bereits drei Männer. Ich tippte auf Alex' Taxikollegen. Sie schienen sich zu kennen und waren flüsternd in ein Gespräch vertieft. Nach Sven Uhlig würde ich vergebens Ausschau halten. Ich hatte ihn gestern noch angerufen, aber er hatte gemeint, so etwas sei nichts für ihn.

Als ich wenige Minuten später die alte Frau Eisenstein am Arm ihres Sohnes hereinkommen sah, ging mir das Herz auf. Während die beiden ganz langsam den Mittelgang entlangschritten, waren sie in den Anblick des Sarges vertieft. In der zweiten Reihe ließen sie sich nieder. Während mein Blick noch auf ihren Rücken ruhte, strich mir jemand über den Arm. Niki war gekommen. Sie drückte mir einen Kuss auf die Wange und flüsterte, sie sei nur für den Fall da, dass ich es doch nicht alleine durchstehen wolle. Was denn mit dem Kameramann sei, fragte ich. Den würde sie mittags treffen, alles kein Problem.

Ganz zum Schluss betraten Robert Eichberger und Barbara Burkart die Halle. Alex' Vater ging mit gesenktem Blick, seine Begleiterin hatte ihren Kopf ihm zugeneigt. Ihr

Gesicht war hinter einem schwarzen Schleier verborgen. Die beiden verharrten einen Moment vor dem Sarg und setzten sich dann in die erste Reihe.

Neun Menschen waren gekommen, um von Alex Abschied zu nehmen. Unter ihnen befand sich weder eine Frau, die Biggi hätte sein können, noch der Brigitte-Nielsen-Verschnitt. Auf beide hatte ich insgeheim gehofft. Während Biggi durchaus eine Lüge gewesen sein konnte, wusste ich durch Niki, dass der Brigitte-Nielsen-Verschnitt existierte. Blieb die Frage, ob diese Frau Alex überhaupt nahegestanden hatte. Ihr Fehlen auf seiner Beerdigung war vermutlich Antwort genug.

Um Punkt zehn stellte ein Mitarbeiter des Beerdigungsinstituts die Musik lauter. Kaum füllte das Ave Maria den gesamten Raum aus, fühlte ich mich von einer Sekunde auf die andere fünfundzwanzig Jahre zurückversetzt.

Als meine Eltern und meine Schwester beerdigt worden waren, war die Kirche aus allen Nähten geplatzt. Wegen des großen Andrangs waren draußen sogar Lautsprecher aufgestellt worden. Drinnen hatten viele stehen müssen, weil kein Platz mehr gewesen war. Die meisten Gesichter hatte ich nie zuvor gesehen. Das entsetzliche Verbrechen, das mein Vater begangen hatte, hatte hohe Wellen geschlagen, wie mein Onkel mir später erklärte. Während der gesamten Zeremonie hatte er meine Hand fest in seiner gehalten und versucht, Tränen und Schluchzen zu unterdrücken, um es mir nicht noch schwerer zu machen. Ich hatte gegen ihn gelehnt dagesessen und gespürt, welche Kraftanstrengung ihn das kostete. Als ich angefangen hatte, vorsichtig seine Hand zu streicheln, waren seine Tränen endlich geflossen. Nur leider hatten sie die Bilder jener mörderischen Nacht nicht fortschwemmen können. Sie waren uns beiden auf ewig in die Seelen gebrannt.

Ein Windzug brachte die Kerzen zum Flackern und riss mich aus meinen Erinnerungen. Im Mittelgang waren Schritte zu hören. Ich wandte mich um und erkannte Corinna Altenburg, die ein paar Reihen hinter Niki und mir Platz nahm. Sie nickte mir kurz zu, um dann den Blick konzentriert über die wenigen Menschen in den Reihen wandern zu lassen. Wen glaubte sie, hier anzutreffen? War es mir gelungen, wenigstens einen leisen Zweifel an ihrer Mordtheorie zu wecken?

Als das Ave Maria längst geendet hatte und ein neues Stück einsetzte, das ich nicht kannte, wurde mir allmählich bewusst, dass es keine Traueransprache geben würde. Hatte Robert Eichberger kein Vertrauen in einen Redner gehabt? Hatte er Alex auf seine Lügen reduziert und nicht gewusst, was man sonst über seinen Sohn hätte sagen können? Dieser Gedanke traf mich wie ein Schlag. Nichts anderes hatte ich in den vergangenen Tagen getan – auch ich hatte ihn nur noch durch seine Lügen hindurch gesehen und darunter alles begraben, was gut und schön gewesen war. Als wäre es ohne die Wahrheit nichts wert gewesen. Aber es hatte ganz sicher wahrhaftige Momente gegeben, es gelang mir nur nicht, sie herauszufiltern. Dieses Bewusstsein füllte meine Augen mit Tränen. Sie mischten sich in das laute Schluchzen von Annaluise Eisenstein.

Als ich die Sprachlosigkeit nicht mehr ertrug, flüsterte ich Niki zu, dass ich einen Moment frische Luft schnappen müsse. Allein. Sie nickte und strich mir über die feuchte Wange.

Draußen lehnte ich mich gegen eine der Säulen und ließ meinen Blick über die Gräber wandern. Hoch über mir schrie eine Krähe. Ich schlang die Arme um meinen Körper und schloss die Augen. Vor meinem inneren Auge nahm Alex Gestalt an. Ich sah ihn vor mir, wie er an unserem letzten Morgen in der Küche auf mich zugekommen war und mir eine Locke aus der Stirn gepustet hatte. Ich spürte noch den Hauch seines Atems. Im Radio hatte Andreas Bourani gesungen, und Alex hatte die Melodie mitgesummt. *Ein Hoch auf uns, auf dieses Leben … auf das, was vor uns liegt … auf den Moment, der bleibt.* Dieser Moment würde mir immer bleiben. Aber das, was vor uns lag, hatte der Fuchsmann innerhalb von Sekunden ausgelöscht.

Hinter mir war das Geräusch von Schritten zu hören. Ich wandte mich um und sah Corinna Altenburg auf mich zukommen. Sie blieb vor mir stehen, zog eine Schachtel Zigaretten aus ihrer Tasche und zündete sich eine an. Nachdem sie den Rauch tief inhaliert hatte, blies sie ihn in einem Schwall wieder aus und sah ihm hinterher.

»Warum sind Sie hier?«, fragte ich.

Sie schien über meine Frage nachdenken zu müssen. »Ich weiß es selbst nicht so genau. Es war eine spontane Eingebung, der ich gefolgt bin.«

»Aber sie hat Ihnen keine neuen Anhaltspunkte geliefert, nicht wahr? Keine Biggi, kein Brigitte-Nielsen-Verschnitt …«

»Kein Fuchsmann.«

»Glauben Sie, dass Sie ihn jemals fassen werden?«

»Zurzeit verfolgen wir die Spur der Waffe.«

»Und Jürgen Kunze?«

Sie schüttelte den Kopf. »Noch nichts Erhellendes. Aber es gibt gute Nachrichten von Karen Döring. Sie ist aus dem Koma erwacht, und eine Kollegin hat bereits kurz mit ihr sprechen können.«

»Weiß sie, wer sie so zugerichtet hat?«

»Wenn stimmt, was sie behauptet, dann war es ihr eigener Mann.« Sie drückte ihre Zigarette auf dem Boden aus. »Von ihr wird Ihnen vermutlich nichts mehr drohen, Frau Rosin.« Sie sah auf die Uhr. »Ich muss zurück.«

»Ich begleite Sie noch zum Ausgang.«

Die ersten Meter legten wir schweigend zurück. Dann blieb sie kurz stehen und sah mich an. »Versuchen Sie, zur Ruhe zu kommen, Frau Rosin. Das ist der beste Rat, den ich Ihnen geben kann.«

»Könnten Sie zur Ruhe kommen, wenn Sie überzeugt wären, dass etwas ganz gewaltig schiefläuft?«

Sie setzte sich wieder in Bewegung. »Es waren nur Hände in schwarzen Latexhandschuhen.«

»Ich weiß, wie wenig das ist. Ich weiß aber auch, dass es der Fuchsmann war.«

»Und ich weiß, dass einem die eigene Wahrnehmung einen gehörigen Streich spielen kann. Angst ist ein sehr mächtiger Affekt. Und Sie waren in dem Moment in Todesangst.«

»Und jetzt habe ich Angst um Alex' Vater. Wenn ich recht habe, dass er umgebracht werden sollte, wird es der Täter womöglich wieder versuchen. Ich verstehe nicht, wie Sie damit so gelassen umgehen können.«

»Wenn ich nicht gelernt hätte zu sondieren, würde ich mich in meinem Job jeden Tag aufs Neue verzetteln.«

»Haben Sie sich schon einmal geirrt?«

»Ja.«

»Hat dieser Irrtum ein Menschenleben gekostet?«

»Zum Glück nicht.«

»Dann lassen Sie uns hoffen, dass Robert Eichberger auch so viel Glück hat.«

Nachdem sie in ihr Auto gestiegen und abgefahren war, ging ich mit gesenktem Blick und tief in Gedanken versunken zurück. Auf Höhe von Barbara Burkarts Wagen sah ich auf. Ihr Chauffeur lehnte rauchend an der Tür und hielt sein Gesicht in die Sonne. Er hatte die Augen geschlossen und die Sonnenbrille über die Stirn zurückgeschoben. Es war das erste Mal, dass ich ihn außerhalb des Wagens sah. Er war ein gut aussehender Mann, den ich auf Mitte vierzig schätzte. Er trug eine schwarze Stoffhose, einen gleichfarbigen Rollkragenpullover und wirkte muskulös und durchtrainiert.

»Hallo«, begrüßte ich ihn.

»Sie sind die Haushälterin, oder?« Er schob die Sonnenbrille zurück auf die Nase.

»Ich war die Haushälterin.«

Er nickte und deutete Richtung Friedhof. »Ist es schon vorbei?«

»Nein, ich brauchte nur ein bisschen frische Luft.«

»Verstehe.« Er ließ die Zigarette auf den Bordstein fallen und trat sie aus.

»Es kann aber nicht mehr lange dauern.«

»Na dann …« Er machte Anstalten, sich wieder ins Auto zu setzen, und schob seine Ärmel ein Stück über die stark behaarten Unterarme zurück, wobei eine Rolex Daytona am rechten Handgelenk zum Vorschein kam. Ein Blick auf diese Arme löste eine so starke körperliche Reaktion aus, dass ich nach Luft schnappte. Reflexhaft trat ich einen Schritt zurück.

»Ist irgendwas?«, fragte er.

Ich deutete auf das Fitnessarmband an seinem linken Arm. »Ich frage mich immer, ob die Dinger wirklich etwas taugen.«

»Sonst würde ich es nicht tragen«, antwortete er stirnrunzelnd.

»Dann sollte ich es vielleicht auch mal ausprobieren.« Ich rang mir ein Lächeln ab, verabschiedete mich mit einer knappen Geste und bemühte mich um einen möglichst gelassenen Abgang.

Als ich außer Sichtweite war, beschleunigte ich den Schritt und flüchtete mich schließlich in die Trauerhalle. Außer dem klassischen Stück, das gerade aus den Lautsprecherboxen drang, hatte sich hier nichts geändert. Annaluise Eisenstein schluchzte immer noch, nur leiser inzwischen. Niki musterte mich eingehend, als ich mich wieder neben sie setzte.

»Ist irgendetwas passiert?«, fragte sie flüsternd.

»Das erzähle ich dir später.«

Ich ließ mich gegen die Lehne sinken und holte mir den Chauffeur vor mein inneres Auge. Es war ausgeschlossen, dass ich mich täuschte. Der Körperbau passte. Ebenso die stark behaarten Unterarme. Die Rolex Daytona am rechten Handgelenk. Das schwarze Fitnessarmband am linken. Es gab keinen Zweifel: Ich hatte da draußen dem Fuchsmann gegenübergestanden.

Kurz überlegte ich, ob ich Corinna Altenburg und Leo Parsinger von meiner Entdeckung berichten sollte, zögerte dann aber. Würden sie mir glauben? Oder würde ich ihnen nur ein weiteres müdes, mitleidiges Lächeln entlocken? *Sie haben den Fuchsmann gesehen? Und es soll ausgerechnet der Chauffeur von Barbara Burkart sein, was Sie ganz zufällig auf der Beerdigung Ihres Freundes entdeckt haben? Wissen Sie was, Frau Rosin? Ihre Wahrnehmung wird Ihnen mal wieder einen Streich gespielt haben.* Ich beschloss, vorerst mit niemandem darüber zu sprechen.

Den Rest der Beerdigung hatte ich wie in Trance durchgestanden. Nachdem ich eine kleine Schaufel Sand auf Alex' Sarg rieseln und Rosenblätter hatte folgen lassen, hatte ich Robert Eichberger mein Beileid ausgesprochen und Barbara Burkart zugenickt. Beim Abschied hatte er mich zurückgehalten und gebeten, noch ein paar Tage für ihn zu arbeiten. Er sei durch seine Gehirnerschütterung sehr eingeschränkt und benötige dringend Hilfe. Barbara Burkart werde für ihn eine neue Haushälterin suchen, aber das könne sicher einige Zeit dauern. Also hatte ich mich bereit erklärt, in den kommenden Tagen an den Vormittagen jeweils drei Stunden in seinem Haushalt für klar Schiff zu sorgen. Eigentlich konnte ich es mir nicht leisten, meine Arbeit weiter zu vernachlässigen, denn obwohl Zeno und Niki seit Alex' Ermordung schon so vieles übernommen hatten, war etliches liegen geblieben. Es würde Tage dauern, all das abzuarbeiten, und vermutlich würde ich darüber auch Klienten verlieren. Dennoch gab es etwas, das wichtiger war: Ich musste herausfinden, was Robert Eichberger über Barbara Burkarts Chauffeur wusste.

Ich hatte kurz erwogen, wenigstens mit Niki nach der Beerdigung über den Chauffeur zu sprechen, sie war aber noch vor dem Ende der Trauerfeier zu einem Treffen mit ihrem Kameramann aufgebrochen. In der Agentur wollte ich Zeno damit nicht belasten, er schien einen äußerst schlechten Tag erwischt zu haben und wirkte grimmig und unausgeglichen. »Novemberblues«, sagte er nur, verzog sich in sein Büro und schloss ostentativ die Tür hinter sich.

Bei einer Tasse Tee grübelte ich in der Küche über die Frage nach, wie all das zusammenhing. Welches Interesse konnte Barbara Burkarts Chauffeur am Tod von Alex und seinem Vater haben? Finanziell profitieren würde er davon sicher nicht. Außer es bestand eine verwandtschaftliche Beziehung. Aber selbst wenn, nützte das nichts – Robert Eichbergers Vermögen würde demnächst in eine Stiftung übergehen. *Würde demnächst*, ging es mir durch den Kopf. Er hatte vor, das notariell festzulegen, hatte es aber noch nicht getan, soweit ich wusste. War es nicht viel wahrscheinlicher, dass es hier um ein völlig anderes Motiv ging? Womöglich um Rache? Aber was hätten Alex und Robert Eichinger dem Chauffeur angetan haben können, das ihren Tod rechtfertigte?

Je länger ich über meine Entdeckung nachdachte, desto irrwitziger kam sie mir vor. Hatte Corinna Altenburg recht? Sah ich inzwischen Gespenster? Fast wünschte ich mir, dass es so war. Die Vorstellung, dass dieser Mann an Alex' Tür geklingelt, ihn und Rike Jordan erschossen und sich dann noch in aller Seelenruhe meinen Ausweis angesehen hatte, war kaum auszuhalten. Warum überhaupt mein Ausweis?

Bei diesem Gedanken schnellte mein Puls in die Höhe. Er kannte mein Foto und meinen Namen. Als ich ihm vorhin gegenüberstand, hatte er mich als Robert Eichbergers Haushälterin erkannt. Aber hatte er auch die Verbindung zwischen dem Ausweis und der Haushälterin hergestellt? Wusste er, dass hinter Elisa Tenzer eigentlich Dana Rosin steckte? Seiner gelassenen Miene war nichts dergleichen zu entnehmen gewesen.

Inzwischen würde er vermutlich wissen, dass er Rike Jordan und nicht Dana Rosin umgebracht hatte. Hatte er sich jemals gefragt, was es mit meiner Tasche in Alex' Wohnung auf sich hatte? Ich konnte nur beten, dass er nicht den naheliegenden Schluss daraus zog.

Wieder und wieder ließ ich unsere Begegnung am Friedhof vor meinem inneren Auge Revue passieren. Hatte ich mich irgendwie verraten? Hatte er Verdacht geschöpft, als ich zusammengezuckt war?

Diese Frage ging mir nicht mehr aus dem Kopf. Sie begleitete mich durch die restlichen Stunden des Nachmittags, in denen ich alles andere als produktiv war. Und sie begleitete mich zu Fritz und Marielu, denen ich versprochen hatte, am Abend noch bei ihnen vorbeizukommen. Sie wollten sich vergewissern, dass ich die Beerdigung einiger-

maßen überstanden hatte. Weil es eines meiner Lieblingsgerichte war, fütterten sie mich mit Königsberger Klopsen,
und ich brachte es nicht übers Herz, ihnen zu sagen, dass es
kein Tag für Lieblingsgerichte war. Was ich am Tag von
Alex' Beerdigung aß, würde ich ganz sicher so schnell nicht
wieder essen.

Fritz' Stirnfalten schienen sich in den vergangenen Tagen
noch tiefer in seine Haut gegraben zu haben. Er habe sich
große Sorgen gemacht und wünsche sich, ich könne jetzt
nach vorne schauen und die Morde hinter mir lassen. Die
Intensität und Betroffenheit, mit der er es sagte, zeigte mir
einmal mehr, wie wenig auch er die anderen Morde hatte
hinter sich lassen können. Sie schienen immer noch so sehr
präsent zu sein, als wären sie gerade erst geschehen.

Ich wartete ab, bis Marielu in der Küche den Nachtisch
zubereitete. Dann löste ich das Versprechen ein, das ich ihr
kürzlich im *Wunschkonzert* gegeben hatte.

»Dich trifft keine Schuld«, sagte ich leise zu meinem
Onkel.

Er sah von seinen ineinander verschlungenen Händen auf.

»Meinen Vater trifft als Einzigen eine Schuld.«

»Es wäre nie so weit gekommen, wenn ich nicht …« Es
fiel ihm immer noch schwer, darüber zu reden.

»Du und Mama, ihr habt euch geliebt. Das habe ich sogar
als Kind schon begriffen. Sie hat immer von innen geleuch-
tet, wenn sie von dir kam oder wir dich gemeinsam besucht
haben. Das konnte er nicht ertragen.« Meine Mutter hätte
etwas darum gegeben, wenn mein Vater sie hätte gehen lassen, aber er hatte sich standhaft geweigert. Elisa und ich hatten mehrere heftige Auseinandersetzungen der beiden belauscht. Darin war es immer um uns gegangen. Meine
Mutter hatte nicht ohne uns gehen wollen, und er hätte sie
nicht mit uns ziehen lassen.

»Ich habe sie so oft angefleht, ihn zu verlassen, aber sie hatte Sorge, man würde ihr euch beide wegnehmen. Deine Schwester und du … Ihr beide wart ihr das Wichtigste im Leben. Das wusste er, und er hätte dieses Wissen ausgenutzt.«

Während Fritz Tränen übers Gesicht liefen, dachte ich an den Abend zurück, der alles verändert hatte. Meine Mutter, Elisa und ich waren von einem Ausflug mit Fritz nach Hause gekommen. Wider Erwarten waren wir dort auf meinen Vater getroffen, der eigentlich noch auf einer Geschäftsreise hätte sein sollen. Er schickte uns sofort in unser Zimmer und befahl uns, die Tür zu schließen. Wir lehnten sie jedoch nur an und lauschten. Er wurde immer lauter, weil er wissen wollte, wo wir gewesen waren, und er meiner Mutter den Zoobesuch nicht abnahm.

Die Auseinandersetzung zwischen den beiden wurde mit jeder Minute härter. Und irgendwann schlug er zu. Wir hörten meine Mutter vor Schmerz aufschreien. Mein Vater schien jetzt jegliche Hemmungen verloren zu haben. Als er weiter auf sie einprügelte, rannten wir ins Wohnzimmer.

Meine zwei Jahre ältere Schwester schrie ihm von der Tür aus zu, wo wir mit wem gewesen waren. Und das, obwohl meine Mutter uns von Anfang an eingeschärft hatte, dass mein Vater von den gemeinsamen Besuchen bei seinem Bruder nichts wissen durfte. Er hasste Fritz und warf ihm vor, den besseren Part im Leben abbekommen zu haben. Worin der allerdings bestanden haben sollte, hatte sich mir auch später nie erschlossen.

Die Wahrheit machte alles nur noch schlimmer und brachte das Fass vollends zum Überlaufen. Während mein Vater weiter auf meine Mutter einprügelte, drängte Elisa mich, Fritz anzurufen. Er müsse ganz schnell kommen. Später hatte ich mich oft gefragt, warum ich nicht einfach die

Polizei angerufen hatte. Aber ich war acht Jahre alt gewesen, in einer Ausnahmesituation und hatte ganz sicher unter einem Tunnelblick gelitten.

Als Fritz fünf Minuten später in der Tür gestanden hatte, war es für Elisa und meine Mutter bereits zu spät gewesen. Mein Vater hatte sich erst Elisa gegriffen und sie gegen eine Wand geschleudert, vor der sie leblos liegen geblieben war. Während er sich wieder meine Mutter vornahm, schrie sie mir zu, ich solle mich in unserem Kinderzimmer verbarrikadieren. Was ich schließlich auch tat. Kaum hatte ich den Schlüssel im Schloss gedreht, kehrte im Wohnzimmer eine gespenstische Stille ein. Dann brüllte mein Vater, ich solle aufschließen. Er hämmerte und trat gegen die Tür. Meine Angst war so unermesslich, dass ich mir die Ohren zuhielt und leise vor mich hin zu summen begann.

Irgendwann drang Fritz' Stimme zu mir durch. Als ich mich endlich traute, die Tür zu öffnen, fing er mich in seinen Armen auf. Er roch nach Blut. Erst dachte ich, er sei auch verletzt worden, dann sah ich das Blut auf seiner Kleidung und auf seinen Händen. Es war der Moment, als die ersten Polizeibeamten eintrafen.

Ich riss mich los und rannte ins Wohnzimmer. Den Anblick, der sich mir dort bot, würde ich nie vergessen. Der Raum war getränkt von Blut und Tod. Elisa lag immer noch vor der Wand, ihre Augen waren halb geöffnet. Meine Mutter lag völlig verrenkt neben dem Sofa. Sie hatte so viel Blut verloren, dass sie in einem roten See zu schwimmen schien. In der Nähe der Tür lag mein Vater. Reglos. Er blutete aus einer massiven Kopfwunde. Wie ich erst später erfahren sollte, hatte Fritz ihn in einer Mischung aus Notwehr und Nothilfe mit dem Kaminhaken erschlagen. Er hatte keinen anderen Weg gesehen, um mein Leben und seines zu retten.

»Dich trifft keine Schuld, Fritz«, wiederholte ich meine Worte. »Du glaubst, ohne dich wäre alles anders gekommen. Dieser Gedanke hat dich in all den Jahren nicht losgelassen, aber ohne dich hätte Mama nie dieses Glück erlebt. Es ist nicht verboten, jemanden zu lieben, und es ist auch nicht verboten, eine Liebesbeziehung mit der eigenen Schwägerin einzugehen. Es ist nie schön, wenn dabei jemand hintergangen wird. Das tut weh. Aber auch das rechtfertigt nicht, sein Kind und seine Frau umzubringen.« Ich schluckte. »Und für das, was ich damals nach meinem Abitur zu dir gesagt habe, kann ich mich nur entschuldigen. Es war einzig und allein aus der Enttäuschung geboren, dass du mich nicht ziehen lassen wolltest. Da habe ich die stärkste Waffe gezogen, die ich mir nur vorstellen konnte, um losgelassen zu werden. Aber es war nur eine Waffe und nicht meine Überzeugung. Hörst du? Was ich gesagt habe, war nicht so gemeint. Ich habe dir nie die Schuld gegeben. Das musst du mir glauben, Fritz.« Im Augenwinkel sah ich Marielu im Türrahmen stehen.

Fritz nahm meine Hand in seine. Ich spürte das Zittern und strich wie damals in der Kirche darüber.

»Was damals passiert ist, ist schlimm genug. Wenn du deine Beziehung zu Mama bereust, macht es das nicht besser. Im Gegenteil. Und du nimmst dir damit das Schöne, das ihr zusammen erlebt habt.«

Marielu kam näher, setzte sich neben Fritz aufs Sofa und legte behutsam den Arm um ihn. Die Blicke der beiden trafen sich und hielten einander fest. Sie merkten nicht, dass ich aufstand und mich leise hinausschlich.

25 Es war erst kurz nach zehn, als ich in die sternenklare Nacht aufbrach, in der mein Atem hauchfeine Nebelschwaden hinterließ. Eigentlich hatte ich vorgehabt, direkt nach Hause zu fahren, dann entschied ich mich jedoch für einen Abstecher ins *Wunschkonzert*. Vielleicht konnte Henry sich früher loseisen und ein Glas Wein mit mir trinken.

Als ich das gut gefüllte Restaurant betrat, winkte er mir vom Tresen aus zu und bedeutete mir, mich an den Ecktisch zu setzen, der gerade frei geworden war. Er schien meine Gedanken gelesen zu haben, denn ein paar Minuten später kam er mit zwei gefüllten Rotweingläsern und setzte sich zu mir.

Das Stimmengewirr um uns herum wirkte auf mich wie ein erlösender Kontrapunkt zu der unerträglichen Sprachlosigkeit, die bei Alex' Trauerfeier geherrscht hatte. Henry sah sie als eine Erstarrung, die sich erst mit der Zeit lösen würde. Irgendwann würde es Robert Eichberger leidtun, und selbst wenn nicht, sei es sein gutes Recht, den Abschied von seinem Sohn genau so zu gestalten. Jeder gehe auf seine Weise mit dem Tod um.

Henry erzählte von seiner Großmutter, die ihm das Versprechen abgenommen hatte, in ihre Urne heimlich die Asche ihres heiß geliebten Hundes zu füllen, die sie über Jahre in ihrem Nachttisch aufbewahrt hatte. Es hatte ihn einige Mühen und Scharaden gekostet, aber es war ihm schließlich gelungen.

Als sich nach dem dritten Glas Rotwein längst alle Tische

um uns herum geleert hatten, erzählte ich von meiner Familie und davon, wie oft ich mir vorgestellt hatte, meine Mutter hätte eine schlüssige, überzeugende Ausrede parat gehabt, um meinen Vater zu besänftigen. Henry begriff, ohne dass ich viele Worte darüber machen musste, dass aus diesen Gedanken heraus die Idee zu meiner Alibi-Agentur entstanden war.

Als ich ihm schließlich von dem Fuchsmann erzählte, hatten wir beide schon viel zu viel getrunken. Alles schien verlangsamt zu sein – das Denken ebenso wie das Sprechen.

»Sie werden ihn kriegen«, sagte Henry nach einer Weile. »Irgendwann werden sie ihn kriegen.«

Es schien jedoch mehr Hoffnung zu sein als Überzeugung.

Um kurz vor acht war ich in Henrys Gästebett hochgeschreckt. Ich hatte angenommen, er sei längst unterwegs, um die Einkäufe für sein Restaurant zu erledigen, doch dann hatte ich ihn in seinem Schlafzimmer schnarchen gehört. Nachdem ich ihn geweckt und ihm einen Kuss auf die Wange gehaucht hatte, war ich zu mir nach Hause geradelt, hatte minutenlang abwechselnd heiß und kalt geduscht und war mit einem dröhnenden Kopf zu Robert Eichberger aufgebrochen.

Dort angekommen löste ich mir ein Kopfschmerzmittel in Wasser auf, kochte Tee und bereitete für Alex' Vater ein spätes Frühstück. Er bat mich, ihm im Wohnzimmer Gesellschaft zu leisten. Nachdem ich das Tablett gebracht und mich gesetzt hatte, meinte er, ich sollte erst einmal in aller Ruhe zu mir kommen. Mein Kater schien seinem prüfenden Blick nicht entgangen zu sein.

Zum Glück wirkte das Kopfschmerzmittel schnell. Ich umfasste die Teetasse mit beiden Händen und blies hinein.

»Haben Sie den Tag gestern einigermaßen überstanden?«, fragte ich über die Tasse hinweg.

»Mit Barbaras Hilfe und einer Flasche Rotwein.«

»Sie haben eine Gehirnerschütterung.«

»Es ist so viel mehr erschüttert als nur mein Gehirn. Und nichts davon wird leicht zu überstehen sein.« Er lehnte sich in die Kissen zurück und schloss kurz die Augen.

»Frau Burkart ist ein großes Glück für Sie, stimmt's?«

Sein Lächeln hatte etwas Trauriges. »Ja, das stimmt. Ohne sie sähe meine Welt viel düsterer aus. Sie bringt Licht hinein.«

»Sie war die Frau Ihres besten Freundes. Habe ich das richtig in Erinnerung?«

»Ja, das haben Sie. Es war die ganz große Liebe zwischen den beiden. Wenn ich bedenke, wie schnelllebig die heutige Zeit ist, kommt mir eine Frau wie Barbara umso wertvoller und außergewöhnlicher vor. Sie ist ihrem Mann über den Tod hinaus treu. Nach all den Jahren trauert sie immer noch um ihn, und sie trägt diese Trauer mit bewundernswerter Haltung.«

»Sie lieben sie.«

»Das lässt sich wohl nicht verbergen.«

»Wozu sollten Sie es verbergen? Es ist doch ein schönes Gefühl.«

»Ich möchte Barbara nicht zu nahe treten.«

»Vielleicht wünscht sie sich, dass Sie ihr nahetreten. Oder haben Sie Sorgen, sie könne Sie zurückweisen?«

Er ließ den Blick zu der Futtersäule vor dem Fenster wandern. Ein Buchfink machte sich gerade daran zu schaffen. »Ich schätze unsere Freundschaft so sehr. Aus einer ehemals zarten ist eine stabile Pflanze geworden. Ich will nichts riskieren. So, wie es ist, ist es gut, und Barbara scheint damit zufrieden. Und auch das schätze ich so an ihr: Sie ist nicht nur gutherzig und unendlich loyal, sondern auch ein sehr bescheidener, genügsamer Mensch.«

Das war mein Stichwort. »Ganz so bescheiden kann sie nicht sein, immerhin hat sie einen Chauffeur.« Ich lächelte, um dem Ganzen die Schärfe zu nehmen.

»Ich weiß, was Sie meinen. So denken vermutlich viele, aber wie so oft verhält es sich anders. Erstens ist Barbara sehr wohlhabend, Hajo hat sie wirklich gut versorgt. Sie könnte sich viel mehr leisten als nur einen Chauffeur. Aber sie tut es nicht. Außerdem hat sie sich seit Hajos Tod nicht mehr getraut, selbst zu fahren. Odoy ...«

»Odoy? Heißt er so?«

»Ja, Dirk Odoy. Er ist längst nicht nur Chauffeur, sondern vielmehr Mädchen für alles. Barbara sagt immer wieder, ohne ihn sei sie völlig aufgeschmissen. Der Mann sei ein Juwel.« Er fuhr sich über die Stirn. »Barbara hat ihn selbstverständlich auf Herz und Nieren prüfen lassen, bevor sie ihn angestellt hat.«

So wie sie mich hatte überprüfen lassen? Ich schob den Gedanken beiseite, immerhin wollte ich herausfinden, ob es eine Verbindung zwischen Alex und dem Chauffeur gab. »Hat Ihren Sohn eigentlich irgendetwas mit Dirk Odoy verbunden? Kannten die beiden sich?«

»Adrian und Odoy?« Robert Eichberger überlegte. »Das sollte mich wundern. Ich wüsste nicht, woher. Odoy hat erst nach Hajos Tod bei Barbara angefangen. Zu dieser Zeit hat zwischen meinem Sohn und mir Funkstille geherrscht. Und so lange haben wir ja noch nicht wieder Kontakt gehabt.«

»Könnte Alex in dieser Zeit Kontakt zu Frau Burkart gehabt haben?«

»Davon hätte sie mir erzählt. Wir haben keine Geheimnisse voreinander.«

»Das heißt, die beiden sind sich nie begegnet?«

Er zuckte die Schultern. »Vielleicht einmal. Ich erinnere mich, dass Alex vor Kurzem mal hier war, als Barbara mich besuchte. Bei dieser Gelegenheit könnte er natürlich draußen auch Odoy begegnet sein.« Er war sichtlich irritiert. »Warum interessieren Sie sich überhaupt so sehr für diesen Mann?«

Wie viel war ihm in seinem Zustand zuzumuten? Und würde er mir überhaupt glauben? Oder würde er mich für verrückt erklären und auf der Stelle hinauswerfen? Andererseits: Wenn ich es nicht wagte, würde ich es nie herausfinden. Also entschied ich mich für die Wahrheit.

Robert Eichberger hörte mir zu, ohne mich zu unterbrechen. In seiner Miene spiegelte sich Ungläubigkeit.

»Und dieser Mann soll Dirk Odoy gewesen sein?«, fragte er schließlich fassungslos.

»Es gibt zwar nur diese Arme, das Fitnessarmband, die Rolex und die Latexhandschuhe, trotzdem bin ich überzeugt, dass er der Fuchsmann ist.«

Ich ließ ihm Zeit, all diese Informationen zu verdauen. Ihm war anzusehen, wie schwer es ihm fiel, mir zu glauben. Ich konnte es ihm nicht verübeln – immerhin hatte er einen Pseudologen zum Sohn gehabt. Wie musste ich ihm vorkommen? Wie ein Déjà-vu?

»Ich erzähle Ihnen keine Geschichte, Doktor Eichberger. All das ist wirklich passiert. Sie können Corinna Altenburg oder Leo Parsinger anrufen. Die beiden werden Ihnen bestätigen, dass ich in Alex' Wohnung war, während die Morde geschahen.«

»Haben Sie mit der Polizei über Ihren Verdacht bezüglich Dirk Odoy gesprochen?«

»Seitdem ich fälschlicherweise angenommen habe, meine Nachbarin sei zu Hause überfallen worden, und seitdem ich den Mann, der hier bei Ihnen eingebrochen ist, für den

Fuchsmann gehalten habe, glauben sie mir nicht mehr. Sie sind davon überzeugt, ich sei überspannt und einem Nervenzusammenbruch nahe.«

»Möglicherweise sind Sie das.«

»Möglicherweise. Aber was glauben Sie: Wie viele Männer mit stark behaarten Unterarmen, einem Fitnessarmband am linken Handgelenk und einer Rolex Daytona am rechten wird es in Ihrem und Alex' Umfeld geben?«

»Ich weiß nicht einmal, wie eine solche Uhr aussieht. Auf solche Dinge achte ich nicht.«

Nachdem ich mein Smartphone aus der Küche geholt und das Internet aufgerufen hatte, zeigte ich ihm das Modell, das der Fuchsmann getragen und das ich auch bei Dirk Odoy gesehen hatte. Als er den Preis für eine solche Uhr sah, meinte er, ich müsse mich irren, es könne gar nicht anders sein. Barbara würde ihren Angestellten sicher gut und fair bezahlen, aber solche Extravaganzen könnte er sich als Chauffeur sicher nicht leisten. Vielleicht handle es sich um ein Plagiat, wandte ich ein. Es hielt ihn nicht mehr auf dem Sofa, er stand auf und ging vor mir auf und ab.

»Wissen Sie eigentlich, was Sie da in den Raum stellen, Frau Rosin? Dirk Odoy ist ein durch und durch loyaler Mann. Er unterstützt Barbara, wo er nur kann.«

»Wie kommt Kasper mit ihm aus?«

»Kasper liebt ihn, er bringt ihm jedes Mal Leckerchen mit.«

»Also würde der Hund ihn nicht verbellen, wenn er durch die Terrassentür hineingeschlichen käme?«

»Vermutlich nicht.« Er hielt inne und starrte mich an.

»Wenn ich all das weiterdenke, dann befindet sich womöglich auch Barbara in Gefahr.«

»Möglich, aber bleiben wir doch zunächst mal bei Alex und Ihnen. Was hätte Dirk Odoy davon, wenn er erst Ihren

Sohn umbringt und es dann auch noch bei Ihnen versucht? Ergibt das für Sie irgendeinen Sinn?«

Mit einem unglücklichen Seufzer ließ er sich zurück aufs Sofa fallen. Während er sich schweigend die Schläfen massierte, schien er sich in seinen Gedanken zu verlieren und sackte immer mehr in sich zusammen.

Ich ließ ihm Zeit und schwieg ebenfalls.

Plötzlich schreckte er auf und sah mich mit angstgeweiteten Augen an. »Ich bin schuld«, stammelte er, »vielleicht musste Adrian deshalb sterben, und vielleicht sollte auch ich deshalb sterben. Mein Sohn sagte, ich hätte eine große Dummheit begangen. Ich habe diesen Vorwurf weit von mir gewiesen. Möglicherweise war er aber mit seiner Einschätzung viel vorausschauender als ich. Ich hätte ihm glauben sollen. Nur dieses eine Mal.«

»Das mit der großen Dummheit hat er auch einem Freund gegenüber erwähnt. Wann war das?«

»Unser Streit? Vor etwa einem Monat.«

Plötzlich musste ich an einen anderen Streit denken, der ebenfalls etwa drei Wochen vor Alex' Ermordung in der *Schwarzreiter Tagesbar* stattgefunden hatte.

»Doktor Eichberger, kennen Sie eine ältere Frau, mit der Alex sich in letzter Zeit getroffen hat? Sie soll um die fünfzig gewesen sein und Brigitte Nielsen geähnelt haben. Haben Sie eine Ahnung, wer die Frau gewesen sein könnte?«

»Wer ist Brigitte Nielsen?«

»Sie ist Model und Schauspielerin und hat auffallend weißblonde Haare.«

Robert Eichberger runzelte die Stirn. »Adrian hat so viel erzählt, aber von so jemandem nicht. Daran würde ich mich erinnern.«

»Um was für eine Dummheit handelte es sich denn überhaupt?«

»Das erkläre ich Ihnen unterwegs. Wir müssen sofort zu Barbara nach Bad Tölz. Sie fahren, ich zeige Ihnen den Weg!«

Unterwegs erklärte er mir, dass seine Freundin in Bad Tölz wohne und dass sie immer noch in der Villa lebe, die sein Freund Hajo gebaut habe. In einer Einliegerwohnung sei Dirk Odoy untergebracht, damit er jederzeit für sie zur Verfügung stehe. Er müsse Barbara dringend vor ihm warnen, bevor noch mehr passiere.

Nachdem wir drei Kilometer stadtauswärts zurückgelegt hatten, versuchte ich, ihn von der Unsinnigkeit dieser Aktion zu überzeugen, und hielt an einer Tankstelle.

»Was wir hier gerade tun, ergibt keinen Sinn. Nicht Frau Burkart ist in Gefahr, sondern Sie.«

»Sie verstehen es nicht, Frau Rosin. Wie sollten Sie auch?«

»Dann erklären Sie es mir. Vorher fahre ich nicht weiter.« Ich schaltete den Motor aus und zog den Schlüssel ab.

Er fuhr sich mit der geballten Faust über die Stirn. »Fahren Sie, bitte! Ich erkläre es Ihnen unterwegs. Lassen Sie uns nicht noch mehr Zeit verlieren.«

»Ohne einen triftigen Grund werde ich mich nicht in die Nähe dieses Mannes begeben.«

Mit einem Stöhnen lehnte er den Kopf gegen die Stütze und begann zu erzählen. Er habe Hajo fast schon sein ganzes Leben lang gekannt. Sie seien zusammen zur Schule gegangen und wie Brüder gewesen, und dann hätten sie fast gleichzeitig ihre späteren Frauen kennengelernt. Für jeden von ihnen sei es die große Liebe gewesen. Auch untereinander hätten sie sich blendend verstanden. Die beiden Frauen hätten sich angefreundet, obwohl zwischen ihnen ein Altersunterschied von mehr als zehn Jahren bestanden habe, und sie hätten zu einem ähnlich guten Miteinander gefunden wie er und sein Freund. Als seine Frau Alexandra dann viel zu früh gestorben sei, hätten Hajo und Barbara sich rührend um ihn und seinen Sohn gekümmert. Für ihn habe es keine vertrauteren und auch keine vertrauenswürdigeren Menschen gegeben. Deshalb sei es für ihn auch so schlimm gewesen, als dann auch Hajo viel zu früh verstorben sei. Nur er und Barbara Burkart seien übrig geblieben. Sie sei ihm auf eine tiefe freundschaftliche Art nahe, und er spüre, dass auch er einen großen Platz in ihrem Herzen einnehme. Bei diesem Satz wischte er sich über die Augen.

Allmählich wurde ich ungeduldig und fragte mich, wohin das führen sollte.

»Was für eine Dummheit haben Sie begangen, und wieso müssen Sie Barbara Burkart warnen?«, hakte ich nach.

»In meinen Augen ist es ja gar keine Dummheit, sondern eigentlich nur die logische Folgerung aus der Entwicklung, die Adrian genommen hat. Ich konnte schließlich nicht ahnen ...« Er verstummte.

»Geht das ein bisschen genauer?«

Sein Atem ging schwer. Er schien sich zu den nächsten Worten durchringen zu müssen. »Als sich zeigte, dass Adrians Neigung zur Pseudologie immer stärker wurde und er keine Anstalten machte, etwas aus seinem Leben zu machen, habe ich mir Gedanken um mein Vermögen gemacht und mich gefragt, was damit im Falle meines Todes geschehen würde. Adrian hätte alles geerbt und in kürzester Zeit durchgebracht.«

»Wie kommen Sie darauf, dass er das gemacht hätte? Ich habe ihn überhaupt nicht als verschwenderisch erlebt. Zugegeben, er war nicht gerade sparsam, aber er hat das Geld auch nicht verschleudert.«

»Weil er kaum etwas hatte. Wissen Sie, wie viel – beziehungsweise wie wenig – ein Taxifahrer verdient?« Er nahm meine Antwort als gegeben. »Sehen Sie! Ich habe ihm jeden Monat zusätzlich einen kleinen Betrag überwiesen, damit er über die Runden kommt. Hätte er mehr gehabt, hätte er auch mehr ausgegeben. Adrian war niemand, der an die Zukunft dachte. Er hätte ganz sicher nicht für sein Alter vorgesorgt. Darüber hätte er nur gelacht. Und er hätte versucht, mit dem Geld anderen zu imponieren.«

»Hätte Ihnen nicht letztlich gleichgültig sein können, was er nach Ihrem Tod damit anstellt? Ihnen selbst scheint das Geld ja gar nicht so wichtig zu sein.«

»Es handelt sich um ein Vermögen, das Generationen vor uns geschaffen haben. Dieses Geld, Frau Rosin, befindet sich schon lange in unserer Familie. Hier geht es um Verantwortung. Ist das so schwer zu begreifen?«

»Für mich schon, wenn ich ehrlich bin. Aber es spielt keine Rolle, wie ich dazu stehe. Fakt ist, Sie stecken das Geld in eine Stiftung, wenn ich mich richtig erinnere. Wie sollte es denn aber dadurch Alex, Ihnen und auch noch Frau Burkart gefährlich werden?«

»Weil Barbara eine Art Wächterfunktion einnehmen wird, bis die Stiftung installiert ist. Wobei mir die Idee mit der Stiftung erst vor ein paar Wochen gekommen ist. Ohne die Stiftung hätte sie diese Wächterfunktion dauerhaft einnehmen müssen. Das will ich ihr nicht zumuten.«

»Was soll ich mir denn unter einer Wächterfunktion überhaupt vorstellen?«

Er fuhr sich mit beiden Händen übers Gesicht und ließ sie dann erschöpft sinken. »Könnten Sie nicht währenddessen weiterfahren?«

»Nein!«

»Ist Ihnen eigentlich bewusst, was Sie da von mir verlangen? Es ist, als müsste ich mich völlig vor Ihnen ausziehen. Schließlich handelt es sich um sehr persönliche Details.«

»Die sind nichts gegen die Gefahr, in die wir beide uns möglicherweise begeben, wenn wir nach Bad Tölz fahren und dort auf Dirk Odoy treffen.«

»Ich werde Barbara gleich anrufen und sie bitten, ihn unter einem Vorwand wegzuschicken.« Er zückte sein Handy.

»Erst möchte ich etwas über diese sehr persönlichen Details erfahren. Raus damit!«

Wenn er mir nicht längst gekündigt hätte, hätte er es in diesem Moment nachgeholt. Ihm war anzusehen, wie schwer es ihm fiel, meiner Forderung nachzugeben.

»Na los!«, sagte ich. »So schlimm kann es doch wohl nicht sein.«

»Es ist nicht schlimm, ich breche damit nur ein Versprechen, das Barbara und ich uns gegenseitig gegeben haben.« Er atmete tief durch. »Aber es ist ein Ausnahmezustand. Sie wird es verstehen. Zumal sie sich ohnehin gegen diese Regelung gewehrt hat. Ihr war die Verantwortung zu groß, die ich ihr damit aufgebürdet habe. Aber schließlich hat sie eingelenkt und ist meinem Wunsch nachgekommen. Sollte mir etwas zustoßen, sollte ich sterben oder für längere Zeit das Bewusstsein verlieren, würde sie mein Vermögen für Adrian verwalten, es für ihn erhalten und für seinen Lebensunterhalt sorgen. So wie ein Treuhänder. Ich habe doch nicht im Traum daran gedacht, dass ich damit bis zur Gründung der Stiftung vielleicht jemanden in Gefahr bringen könnte. Adrian, mich und nun womöglich auch noch Barbara.«

»Ich verstehe ehrlich gesagt überhaupt nichts, Doktor Eichberger. Wieso sollte deswegen denn einer von Ihnen in Gefahr geraten sein?«

Er schluckte. »Es gibt ein Konto auf einer österreichischen Bank. Bis vor ein paar Jahren habe nur ich eine Vollmacht dafür gehabt. Da außer mir niemand davon wusste, habe ich beschlossen, zur Sicherheit Barbara einzuweihen. Adrian ins Vertrauen zu ziehen stand außer Frage. Genauer gesagt habe ich Barbara nicht nur eingeweiht, sondern ihr auch eine Vollmacht erteilt. Darüber hinaus …«

»Reden wir hier von Schwarzgeld?«

»Es handelt sich um ein Konto, das mein Vater vor vielen Jahren angelegt hat«, umschiffte er eine klare Antwort. »Darüber hinaus habe ich Barbara achtzig Prozent meiner Villa überschrieben. Damit wollte ich sichergehen, dass Adrian das Haus nach meinem Tod nicht einfach hätte verkaufen können.«

»Über wie viel Geld reden wir hier?«

»Über mehrere Millionen.«

»Über mehrere Millionen, über die Barbara Burkart nach Ihrem und Alex' Tod verfügen könnte?«

»So lange, bis die Stiftung installiert ist. Und selbstverständlich würde sie in meinem Sinne darüber verfügen. Sonst hätte ich eine solche Verfügung schließlich gar nicht getroffen.«

»Durch diese Vollmacht in Österreich und den Anteil an der Villa haben Sie Ihr Vermögen quasi verschenkt. Sehe ich das richtig?«

»Erstens ist es nicht mein gesamtes Vermögen, und zweitens habe ich es nicht verschenkt. Ich habe es in Barbaras vertrauensvolle Hände gelegt. Sie ist mir der nächste Mensch, ihr würde ich mein Leben anvertrauen. Wer kommt denn auch auf die Idee, es könne möglicherweise in die Hände eines Kriminellen geraten?«

Ich versuchte, Ordnung in meine Gedanken zu bringen. War Alex als Begünstigter des Vermögens ausgeschaltet worden, und hatte Robert Eichberger sterben sollen, damit er die Verfügung mit Barbara Burkart nicht mehr rückgängig machen konnte?

»Trotzdem ergibt das alles keinen Sinn. Ihre Freundin wird schließlich nicht Dirk Odoy zu ihrem Erben eingesetzt haben.« Ich spann den Gedanken weiter. »Oder könnte es sein, dass er sich an sie herangemacht hat?«

»Das würde sie nie zulassen!«, antwortete Robert Eichberger aufgebracht. »Ich habe eine ungefähre Vorstellung davon, mit welchen Menschen Sie es in Ihrer tagtäglichen Arbeit zu tun haben, nur übertragen Sie diese Erfahrungen bitte nicht auf Barbara! Das hat sie nicht verdient. Sie ist ein durch und durch moralischer Mensch.«

»Sie würden sich wundern, mit wem ich es Tag für Tag zu tun habe. Besonders durchtrieben sind die, die ständig von Moral reden.«

»Barbara redet nicht davon, sie lebt danach.«

»Sie müssen sie gar nicht verteidigen. Ich überlege nur …«

»Was?«, fiel er mir ungehalten ins Wort. »Wie Sie mir Barbara madig machen können? Das wird Ihnen nicht gelingen.«

»Ist es ihr gelungen, mich bei Ihnen madig zu machen?«

»Sie haben uns belauscht?«

»Ja.«

Er hob die Brauen, enthielt sich jedoch eines Kommentars.

»Deshalb weiß ich auch, dass Sie Ihre Freundin gefragt haben, wie sie ihr Erbe geregelt hat. Das ist ja ein nicht ganz unerheblicher Aspekt bei dieser ganzen Geschichte. Immerhin besitzt sie achtzig Prozent Ihrer Villa. Allein die werden sich den drei Millionen annähern. Können Sie mir etwas über ihr Testament verraten?«

»Sie hat noch keine Verfügung getroffen, aber sie überlegt, sich an meiner Stiftung zu beteiligen. Das wäre ein wunderbares gemeinsames Projekt.«

»Gemeinsam ist relativ, wenn die Stiftung erst nach Ihrem Tod gegründet wird.« Mir schwirrte der Kopf. Ich legte die Hände aufs Lenkrad und ließ meine Stirn daraufsinken.

Sinn würde das Ganze nur ergeben, wenn Barbara Burkart Dirk Odoy als Erben eingesetzt und er davon erfahren hätte. Davon und auch von der Regelung mit Robert Eichbergers Vermögen. Aber wenn er nicht der Erbe war, wie sollte er dann davon profitieren? Befanden wir uns völlig auf dem Holzweg?

»Ich schlage vor, wir fahren erst einmal zurück und sondieren die Lage ein wenig genauer, bevor wir die Pferde scheu machen.«

»Nein, das tun wir nicht. Ich habe meinen Part erfüllt und Ihnen die Sachlage erklärt. Jetzt fahren wir nach Bad Tölz. Ich muss Barbara warnen. Vorher werde ich keine Ruhe finden.«

»Überlegen Sie doch bitte mal, Doktor Eichberger: Wenn es kein Testament gibt und sie diesem Mann nicht mit Haut und Haaren verfallen ist, woher sollte ihr dann Gefahr drohen?«

»Es ist nur so ein Gefühl …«

»Also können Sie es nicht hundertprozentig ausschließen, dass Dirk Odoy ihr möglicherweise Avancen gemacht hat und sie darauf eingegangen ist?«

Für einen Moment wirkte er verunsichert. »Sie ist überhaupt nicht dieser Typ Frau. Nicht mehr. Sie …«

»Was meinen Sie mit *nicht mehr*?«

»Früher, als Hajo noch lebte, war Barbara das, was man eine ›lebenslustige Frau‹ nennt. Sie ist gern ausgegangen, hat Alkohol getrunken, hat auch mal über die Stränge geschlagen. Aber mit seinem Tod hat sich all das geändert. Sie ist ein anderer Mensch geworden. Sehr demütig und bescheiden. Sie lebt seitdem sehr zurückgezogen.«

»Und halten Sie es für möglich, dass die alte Barbara wieder zum Vorschein gekommen ist?«

Er schlug mit der Faust aufs Armaturenbrett und funkelte mich wütend an. »Nein, das halte ich eben nicht für möglich! Sie haben sie doch kennengelernt. Sieht so eine Frau aus, die eine Affäre mit ihrem Chauffeur anfängt, mit einem Mann, der so viel jünger ist? Barbara ist keine Frau, die leicht zu haben ist. Sie hat sehr hohe Ansprüche. Ein Nachfolger von Hajo müsste schon ein gestandener Mann sein.«

Wenn ich ihm zuhörte, wie er seine Freundin verteidigte, ging mir das Herz auf. Ich hatte keine Ahnung, wie dieser Hajo gewesen war, mit dem Robert Eichberger da seit Jahren konkurrierte, aber anstelle von Barbara Burkart hätte ich Alex' Vater schon längst näher ins Auge gefasst.

»Um das also abzuschließen: Ihnen ist an ihr in den letzten Monaten keine Veränderung aufgefallen. Nichts, das in diese Richtung deuten könnte?«

»Nichts, gar nichts. Barbara ist liebevoll und zugewandt wie immer. Wir erzählen uns alles, was uns berührt. Sie hätte mir erzählt, wenn Odoy ihr in irgendeiner Weise nähergekommen wäre.«

»Dann lassen Sie uns zur Abwechslung mal in eine ganz andere Richtung denken: Könnte dieser Chauffeur Ihr unehelicher Sohn sein und über Barbara Burkart versucht haben, an Sie und Alex heranzukommen?«

»Unsinn!«

»Wissen Sie, ob Barbara Burkart enge Freundinnen hat?« Plötzlich kam mir eine Idee. »Vielleicht hat sich eine von ihnen mit Alex in der *Schwarzreiter Tagesbar* getroffen.«

»Könnten Sie meinen Sohn nicht endlich mal bei seinem richtigen Namen nennen?«

»Für mich war *Alex* sein richtiger Name. Also: Was ist mit Freundinnen?«

»Nach Hajos Tod ist ihr kaum jemand geblieben. Die meisten haben sich zurückgezogen. Wenn man seine Trauer nach einem Jahr nicht abgeschlossen hat, wird man vielen lästig. Diese Erfahrung musste ich auch machen. Aber worauf zielt Ihre Frage mit der Freundin?«

»Möglicherweise hat Frau Burkart jemandem, dem sie vertraut, von Ihren Verfügungen erzählt. Diese Frau in der Bar, die der Schauspielerin ähnelt, ist in einem ähnlichen Alter wie Barbara Burkart. Sie könnte also durchaus eine Freundin sein. Vielleicht hat sie mit Alex Kontakt aufgenommen.«

»Wozu?«

»Ich weiß es nicht.«

»Und Sie haben sich ganz sicher nicht getäuscht, Frau Rosin? Oder das Ganze nur erfunden? Ich würde Ihnen alles verzeihen, wenn Sie es jetzt zugeben. Ich möchte Barbara nicht unnötig aufregen. Verstehen Sie das?«

»Ich habe mich nicht getäuscht«, antwortete ich mit fester Stimme.

»Dann fahren Sie jetzt los!«

Kaum hatte ich mich wieder in den fließenden Verkehr eingefädelt, rief er von seinem Handy Barbara Burkart an. Er sei auf dem Weg zu ihr und müsse dringend etwas mit ihr besprechen. Nein, es sei nichts, worüber man am Telefon reden könne. Ob sie allein sei? Wo Odoy sei? Ob sie ihn mit irgendwelchen Besorgungen beauftragen könne, damit sie ungestört reden könnten? Nein, sie solle sich keine Gedanken machen, es störe ihn überhaupt nicht, wenn nicht aufgeräumt sei.

26 Am Ende einer verkehrsberuhigten Sackgasse in bester Lage von Bad Tölz wies Robert Eichberger mich an, den Wagen zu parken. Kaum hatte ich den Motor ausgeschaltet, deutete er auf eine großzügige Landhausvilla mit Kiesauffahrt und einem Garten, der selbst im November eine Pracht war. Wehmütig betrachtete er die wunderschöne, gepflegte Anlage. Seit dem Tod seines Freundes sei er nicht mehr hier gewesen. Warum nicht, wollte ich verwundert wissen. Es sei Barbara Burkarts Wunsch gewesen. Die Besuche bei ihm seien oft die einzige Abwechslung für sie in ansonsten sehr eintönig verstreichenden Wochen. Außerdem fahre er nicht mehr gerne Auto, und sie könne auf Odoy zurückgreifen.

Mein Angebot, ihn hineinzubegleiten, lehnte er dankend ab, er wolle lieber allein gehen. Ich solle im Auto auf ihn warten. Bevor er ausstieg, schärfte ich ihm ein, nur dann mit seiner Freundin zu sprechen, wenn hundertprozentig sicher war, dass sich ihr Chauffeur nicht im Haus aufhielt. Sollte er wider Erwarten doch dort sein, weil Barbara Burkart seinen Wunsch vielleicht nicht beherzigt hatte, solle er nett mit ihr plaudern und dann nach kurzer Zeit wieder aufbrechen. Ob ihm das gelingen würde, fragte ich ihn eindringlich. Selbstverständlich, konterte er. Er sei siebzig, aber deswegen noch längst nicht senil.

Während er aufs Haus zuging, sich die Tür öffnete und Barbara Burkart ihn mit einer herzlichen Umarmung empfing, ging ich hart mit mir ins Gericht. Was, wenn ich mich doch täuschte? Wenn es diesen Zufall tatsächlich gab – zwei

Männer mit der gleichen Uhr, dem gleichen Fitnessarmband und behaarten Unterarmen? Der eine womöglich völlig harmlos und im Dienst von Barbara Burkart, der andere ein Mörder. All das war denkbar – wenn auch sehr unwahrscheinlich. Im günstigsten Fall hatte ich Robert Eichberger zutiefst erschreckt und zugelassen, dass er das Gleiche gerade mit seiner Freundin wiederholte. Zog ich jedoch in Betracht, dass beide Männer eine Verbindung zu dem Dreigespann Alex, Robert Eichberger und Barbara Burkart hätten haben müssen, tendierte die Wahrscheinlichkeit gegen null. Also nur ein Mann – Dirk Odoy, der Mann mit der Fuchsmaske.

Ein Klopfen am Beifahrerfenster riss mich aus meinen Überlegungen. Barbara Burkart, in ein schwarzes gehäkeltes Wolltuch gehüllt, gab mir ein Zeichen, die Scheibe hinunterzulassen.

»Ich habe mit Doktor Eichberger geschimpft, Sie bei diesen Temperaturen im Auto sitzen zu lassen. Das ist ja unzumutbar. Sie holen sich noch eine Blasenentzündung.«

»Das ist wirklich kein Problem, Frau Burkart. Ich bin nicht so empfindlich.«

»Ein Infekt ist schneller da, als man denkt. Insbesondere bei dieser Witterung. Kommen Sie mit hinein. Sie können sich gerne in der Küche aufwärmen.« Ohne ein weiteres Wort drehte sie sich um und marschierte aufs Haus zu. Dort wartete sie im Windschatten, bis ich ihr folgte.

In der ebenso elegant wie puristisch eingerichteten Diele nahm sie mir meinen Mantel ab und dirigierte mich in die Küche. Dort bot sie mir einen frisch gepressten Orangensaft an. Das sei die beste Erkältungsvorbeugung in dieser Jahreszeit. Mein Einverständnis vorausgesetzt machte sie sich an einer der Küchenmaschinen zu schaffen.

Ich nutzte die Gelegenheit, um mich in dem mindestens

sechzig Quadratmeter großen Raum umzusehen, der jeden Koch in Begeisterungsstürme hätte ausbrechen lassen. Während ich noch meinen Blick über diesen eierschalfarbenen chromblitzenden Traum wandern ließ, stellte sie mir ein gefülltes Glas auf den Esstisch, der locker für acht Personen Platz bot. Damit mir nicht langweilig würde, legte sie mir ein paar Magazine dazu. Robert Eichberger und sie würden sich in den Wintergarten zurückziehen. Wenn ich etwas bräuchte, sollte ich mich bemerkbar machen.

Kaum hatte sie die Tür hinter sich zugezogen, ließ ich mich an dem Tisch nieder und warf einen schnellen Blick auf die Zeitschriften. Bunte, Vogue, InStyle. Nichts davon konnte mich fesseln. Ich zückte mein Smartphone und scrollte durch meine Mails, bis mich ein seltsames Gefühl innehalten ließ. Ich versuchte, es zu identifizieren und zu benennen, aber es ließ sich nur schwer fassen. Es hatte mit diesem Haus zu tun und mit seiner Bewohnerin. Die biedere, ebenso schmucklose wie blasse Barbara Burkart in ihren obligatorischen Gesundheitsschuhen passte überhaupt nicht in dieses luxuriöse Schöner-Wohnen-Ambiente. Sie wirkte hier völlig fehl am Platz.

Ich stand auf, öffnete möglichst leise die Tür und lauschte eine geschlagene Minute, ob sich außer den beiden noch jemand im Haus aufhielt. Aber alles war still. Nur aus dem Wintergarten waren die Stimmen von Barbara Burkart und Alex' Vater zu hören. Als ich mich so nah wie möglich herangeschlichen hatte, spürte ich die Irritation in Robert Eichbergers Stimme, als er sagte, dass er das Haus gar nicht wiedererkenne. Sein inneres Erscheinungsbild habe sich seit Hajos Tod von Grund auf verändert. Oder täusche er sich so sehr und habe es nur anders in Erinnerung? Früher sei es gemütlicher gewesen.

Nein, er täusche sich nicht, antwortete seine Freundin

mit einem erleichterten Seufzer. Im Gegenteil! Und sie sei beruhigt, dass er es genauso empfinden würde, denn es sei nicht ihre Idee gewesen. Nach Hajos Tod hätte eine der wenigen Freundinnen, die ihr noch geblieben waren, gemeint, etwas mehr Farbe und ein neuer Look würden ihr vielleicht aus ihrer traurigen Stimmung helfen. Sie habe sie zu diesen Veränderungen überredet. Als könne ein bisschen Farbe es mit dem Tod aufnehmen! Aber sie habe sich nicht getraut, etwas dagegen zu sagen. Also habe sie das Ruder aus der Hand gegeben und alles laufen lassen. Das Schlimme sei nur, dass ihr dieser neue »Anstrich« nicht einmal gefallen würde. Am liebsten hätte sie alles wieder so, wie es zu Hajos Zeiten gewesen sei, aber das würde bedeuten, noch einmal ohne Not Geld dafür in die Hand zu nehmen. Und er wisse ja, wie schwer ihr das falle.

Warum sie denn nie davon erzählt hätte, wollte Robert Eichberger mitfühlend wissen. Er hätte ihr gegen diese Freundin den Rücken stärken können.

»Ach, mein Lieber«, sagte sie, »du hast damals doch schon so viel für mich getan. Ich wollte dich nicht auch noch damit behelligen. Außerdem habe ich mich geschämt. Nach Hajos Tod bin ich so labil gewesen, so bedürftig und wie ein Fähnchen im Wind. Du siehst doch, wozu ich mich habe überreden lassen. Auch das ist ein Grund, warum ich immer lieber zu dir komme. Bei dir ist alles unverändert. Dort fühle ich mich wohl.« Sie seufzte. »Aber was ist denn nun eigentlich so dringend? Du hast am Telefon so geheimnisvoll geklungen.«

Vor meinem inneren Auge konnte ich förmlich sehen, wie groß der Ruck war, den Robert Eichberger sich geben musste. Anfangs druckste er noch ein wenig herum, dann erzählte er immer flüssiger. Und aufgeregter.

»Ich glaube kein einziges Wort davon, Robert«, unterbrach Barbara Burkart ihn zornig. »Ich weiß wirklich nicht, welches Spiel diese Frau Rosin da mit dir spielt. Vor allem, was sie dazu antreibt. Ich weiß nur eines: Aus irgendeinem unerfindlichen Grund versucht sie, dir übel mitzuspielen. Und dazu benutzt sie Odoy, einen Menschen, dem ich zu hundert Prozent vertraue.«

»Was hältst du davon, wenn wir Frau Rosin bitten, uns Gesellschaft zu leisten? Dann kannst du dir selbst einen Eindruck verschaffen. Mich hat sie wirklich überzeugt, Liebes. Hör sie dir wenigstens an.«

»Solchen hanebüchenen Unsinn höre ich mir nicht an. Das allein wäre für mich schon ein Verrat an Odoy. Und das nur wegen dieses dahergelaufenen Mädchens. Robert, ich bitte dich! Du kennst Odoy fast ebenso lange wie ich. Hattest du jemals ein ungutes Gefühl?«

Alex' Vater sagte nichts, schien jedoch den Kopf zu schütteln, denn sie fuhr fort: »Na siehst du! Und dann kommt dieses Mädchen, nutzt deine gegenwärtige Lage schamlos aus und stellt mal eben deine eigene Wahrnehmung infrage. Niederträchtig ist das, wenn du mich fragst.«

»Da schätzt du sie falsch ein, Liebes, sie ist nicht niederträchtig.«

»Was sonst soll man denn sein, um dieser Arbeit nachzugehen, frage ich dich?«

Er räusperte sich. »Beantworte mir bitte nur eine Frage, Barbara: Hätte Odoy die Möglichkeit gehabt, an die sensiblen Informationen über meine Vermögensregelungen zu kommen?«

»Selbstverständlich nicht. Alles liegt sorgsam verwahrt in meinem Banksafe.«

»Gut, das beruhigt mich.« Er zögerte. »Verzeih mir die Frage, Liebes, aber … hat er dir jemals Avancen gemacht?«

»Hätte er das nur ein einziges Mal versucht, hätte er sich

eine neue Anstellung suchen müssen«, erwiderte sie streng. »Du kennst mich. Und Odoy kennt seinen Platz. So, und jetzt lass uns bitte dieses unerfreuliche Thema wechseln!«

Dem Klappern von Porzellan war zu entnehmen, dass sie sich über den Tee hermachten. Wie hätte ich an ihrer Stelle reagiert, wenn man mir weismachen wollte, dass ein Mensch, dem ich vertraute, dieses Vertrauen nicht wert war? Vielleicht genauso abwehrend? Möglich, räumte ich im Stillen ein.

So leise wie möglich schlich ich zurück in die Diele und lauschte, ob nach wie vor alles still war. Das Letzte, was ich riskieren wollte, war, Dirk Odoy in die Arme zu laufen, weil er früher als erwartet von seinen Besorgungen zurückkehrte. Zur Sicherheit gab ich den Notruf der Polizei in mein Smartphone ein und behielt es in der Hand.

In der Küche fiel mein Blick wieder auf die Magazine, die Barbara Burkart mir gebracht hatte. Auf unerklärliche Weise bereiteten sie mir immer noch ein mulmiges Gefühl. Und plötzlich wusste ich auch, warum: Bunte, Vogue und InStyle passten zwar in dieses Haus, aber sie passten weder zu seiner biederen Besitzerin noch zu der Erklärung, die sie Robert Eichberger gegeben hatte. Es mochte ja noch angehen, dass man sich während einer intensiven Trauerphase von einer Freundin zur Umgestaltung des Hauses überreden ließ, dass man jedoch Jahre später einer solchen Freundin zuliebe Mode- und Boulevardmagazine anschaffte, schien mir mehr als unwahrscheinlich. Was ging hier vor?

Einer Eingebung folgend schlich ich die Treppe hinauf in den ersten Stock. Es hieß zwar immer, Bücherregale verrieten das meiste über ihre Besitzer, aber für mich waren es die Schlafzimmer, die Rückzugsräume, die nicht für fremde Augen bestimmt waren.

Ich musste zwei Türen öffnen, bevor ich die richtige fand.

Der Raum beherbergte ausschließlich ein großes Doppelbett und zwei Nachttische. Auf beiden lagen persönliche Dinge. Ganz besonders interessierte mich das Foto auf dem rechten Nachttisch. Es ließ meinen Puls in die Höhe schießen. Darauf zu sehen war ein vor Freude strahlendes Paar – eine weißblonde Frau, die an Brigitte Nielsen erinnerte, und Dirk Odoy. Ich nahm das Foto in die Hand und betrachtete die Frau genauer. Dann stellte ich mir vor, wie sie ungeschminkt und mit einer anderen Haarfarbe aussehen würde.

Inzwischen war ich ihr ein paarmal begegnet, aber mir war nie aufgefallen, dass sie eine Perücke trug. Mit zittrigen Fingern stellte ich das Foto zurück auf den Nachttisch und betrat den angrenzenden Ankleideraum. Dort öffnete ich die Schränke, die die Garderobe der beiden beherbergten. Barbara Burkarts war exklusiv, teuer, modern und farbig. Ihre High Heels waren zahlreich und konnten sich sehen lassen. Hinter der letzten Schranktür verbarg sich die Garderobe, die sie augenscheinlich für Alex' Vater vorbehalten hatte: schwarz, zeitlos und bieder. Im obersten Fach stand ein Perückenkopf aus Styropor.

Während ich gegen eine fast übermächtige Übelkeit ankämpfte, machte sich Angst in mir breit. Robert Eichbergers Anruf würde die beiden aufgeschreckt haben. Nur ein triftiger Grund konnte ihn hierhergeführt haben, nachdem er in all den Jahren seit dem Tod seines Freundes nie wieder hier gewesen war. Die beiden waren alles andere als dumm, sie würden ihre Vorbereitungen getroffen haben. Und das bedeutete, dass Dirk Odoy ganz sicher nicht zu Besorgungen aufgebrochen war. Er würde sich irgendwo im Haus aufhalten.

Mein Herz hämmerte, und in meinen Ohren rauschte es. Auf Zehenspitzen verließ ich das Schlafzimmer, schlich zum Treppengeländer und sah hinunter ins Erdgeschoss. Gerade noch rechtzeitig entdeckte ich ihn. Auf ebenso leisen Sohlen wie ich durchquerte Dirk Odoy gerade die Diele.

Es war ein riesiger Fehler gewesen, Robert Eichberger ins Vertrauen zu ziehen. Durch ihn wusste Barbara Burkart jetzt, dass ich den Fuchsmann in Alex' Wohnung beobachtet hatte. Und wenn sie es wusste, würde er es in Kürze ebenfalls erfahren. Wenn es nicht bereits geschehen war.

Zurück im Schlafzimmer wollte ich die Türe abschließen, als ich feststellte, dass es keinen Schlüssel gab. Im Ankleideraum dasselbe. Hinaus traute ich mich nicht mehr. Die Gefahr, dass Dirk Odoy bereits hier oben nach mir suchte, war zu groß. Nach einem schnellen Blick durchs Fenster musste ich auch diesen Fluchtweg ausschließen. Direkt unter mir befand sich das Glasdach des Wintergartens, wo Robert Eichberger und Barbara Burkart sich über ihre Teetassen hinweg unterhielten. Ich konnte Alex' Vater nicht einmal warnen, ohne gleichzeitig seine Freundin auf mich aufmerksam zu machen.

Irgendwie mussten wir beide hier raus. Blieb als einzige Hoffnung der Polizeinotruf. Flüsternd nannte ich meinen Namen und die Adresse von Barbara Burkart. Im Telegrammstil erklärte ich der Beamtin am anderen Ende der Leitung, dass ein Robert Eichberger und ich hier gegen unseren Willen festgehalten würden und wir in Lebensgefahr schwebten. Der Chauffeur der Hausherrin sei vermutlich bewaffnet. Das Ganze stehe im Zusammenhang mit dem Doppelmord, der kürzlich in München begangen worden sei. Sie könnten sich beim K11 in München rückversichern. Zuständig seien Corinna Altenburg und Leo Parsinger. Sie solle keine Zeit verschwenden und so schnell wie möglich Kollegen hierherschicken. Ich unterbrach die Verbindung und wählte die Nummer von Corinna Altenburg. Während der Ruf durchging, betete ich, dass sie drangeht.

Nach dem dritten Klingeln meldete sie sich. Die Worte sprudelten nur so aus mir heraus, als ich flüsternd erklärte, wo Robert Eichberger und ich uns gerade befanden und in welcher Gefahr wir schwebten.

»Beruhigen Sie sich bitte, Frau Rosin!«

»Wie stellen Sie sich das vor? Hier kann jeden Moment der Fuchsmann zur Tür hereinkommen.« Nochmals nannte ich ihr die Adresse und sagte, dass ich bereits den Notruf gewählt hätte. »Sie müssen mir glauben, Frau Altenburg. Ich flehe sie an. Mein Kopf ist völlig klar, ich bin nicht labil. Ich habe einfach nur Angst. Die hätten Sie in meiner Situation aber auch. Der Mann, der Alex und Rike Jordan erschossen hat, befindet sich in diesem Haus. Es ist zu kompliziert, um Ihnen das alles zu erklären, aber ich schwöre Ihnen, dass es stimmt. Es geht um sehr viel Geld, das Frau Burkart einsackt, wenn auch noch Alex' Vater stirbt.«

»Wo befindet sich Doktor Eichberger jetzt?«

»Zusammen mit dieser Frau im Wintergarten.«

Ich trat wieder ans Fenster. Die beiden saßen sich immer noch gegenüber. Robert Eichberger hatte jedoch inzwischen den Kopf zurückgelehnt und schien Mühe zu haben, wach zu bleiben. Er fuhr sich unablässig über die Augen, wollte aufstehen, ließ sich dann jedoch wieder in den Sessel zurückfallen. Barbara Burkart saß unbeweglich da und beobachtete ihn.

»Hören Sie, Frau Altenburg, Sie haben den falschen Mann gefasst. Der richtige befindet sich hier im Haus, und wenn Sie nicht schnellstmöglich jemanden herschicken, passiert ein schlimmes Unglück. Sie wissen doch, wozu der Fuchsmann …«

In diesem Moment spürte ich einen Gegenstand, der sich gegen meinen Hinterkopf drückte und mich erstarren ließ. Wie in Trance nahm ich wahr, wie mir das Handy aus der

Hand gerissen wurde. Ich hörte es zu Boden fallen und dann Geräusche, als würde es zertreten.

»Langsam umdrehen!«, hörte ich die Stimme von Dirk Odoy.

Ich tat, wie mir befohlen, und vergaß dabei zu atmen. Als ich die Pistole mit Schalldämpfer in seiner Hand sah, wurde mir schwindelig. Sekundenlang taumelte ich, bis ich mich wieder fing.

Er sah mich mit einem Blick an, unter dem jedes einzelne Wort zermalmt worden wäre. Diesen Mann würde ich nicht erreichen können. Mit keinem Wort. Und selbst wenn es eines gegeben hätte, das ihn hätte erweichen können – es wäre zu spät gewesen, denn in diesem Moment traf der Knauf der Waffe seitlich auf meinen Kopf.

27 Stimmen zerrten mich aus meiner Ohnmacht. Mit geschlossenen Augen blieb ich liegen. In meinem Mund befand sich ein Knebel. An Handgelenken und Knöcheln spürte ich Fesseln. Sie waren viel zu fest gezogen, schnitten mir in die Haut und schmerzten. Dieser Schmerz war jedoch nichts gegen den, der in meinem Kopf wütete. Ich gab mir Mühe, gleichmäßig und flach durch die Nase zu atmen, während ich zu ergründen versuchte, wo ich mich befand. Der Boden, auf dem ich lag, war kalt und fühlte sich an meiner Wange an wie Stein. Das Erdgeschoss war mit Steinfliesen ausgelegt, erinnerte ich mich. Demnach hatte er mich hinuntergetragen.

»Wir müssen sie in den Keller schaffen«, hörte ich Dirk Odoy sagen. »Und zwar schnell, bevor die Polizei hier eintrifft. Die Rosin hat Alarm geschlagen. Ich habe sie nicht rechtzeitig gefunden.«

»Wo ist ihr Handy?«, fragte Barbara Burkart.

»Ich habe die SIM-Karte entfernt, aus seinem übrigens auch. Sobald sie im Keller sind, lasse ich das Auto verschwinden. In der Zwischenzeit musst du allein zurechtkommen. Wirst du das schaffen?«

»Kein Sorge!«

»Dann hilf mir jetzt. Wir bringen erst ihn runter. Ich nehme ihn an den Schultern, du an den Füßen.«

Während ich ein Stöhnen aus Barbara Burkarts Mund hörte, blinzelte ich vorsichtig. Die beiden hievten Robert Eichberger, der nicht bei Bewusstsein war, vom Boden und schleppten ihn zu einer offen stehenden Tür, die vermutlich in den Keller führte. Dirk Odoy ging voran.

Kaum waren sie aus meinem Sichtfeld, zog ich die Beine an und versuchte, mich aufzusetzen. Obwohl meine Blutbahnen mit Adrenalin überschwemmt sein mussten, konnte ich mich kaum bewegen. Mein Körper schien nur noch aus Blei zu bestehen. Trotzdem kam ich auf die Knie und setzte alles daran, meine Fesseln zu lösen. Aber es handelte sich um Kabelbinder, gegen die ich nichts auszurichten vermochte. Voller Todesangst spürte ich den Knebel in meinem Mund immer dicker werden. Den Gedanken an unsere Überlebenschancen verbot ich mir. Stattdessen zählte ich die Sekunden. Mein Anruf bei der Polizei musste bereits einige Minuten zurückliegen. Ich betete, dass sie meine Meldung ernst genommen hatten und dass Corinna Altenburg nicht dort angerufen und sie zurückgepfiffen hatte.

Als ich die beiden zurückkommen hörte, ließ ich mich augenblicklich wieder in meine alte Position zurückgleiten und schloss die Augen. Gleich darauf spürte ich, wie kräftige Hände mich packten und ich über die Schulter von Dirk Odoy geworfen wurde. Mein Kopf schien zu explodieren.

Im Keller landete ich unsanft neben dem immer noch bewusstlosen alten Mann. Fast beneidete ich ihn. Vermutlich war er besinnungslos gewesen, bevor er überhaupt begriffen hatte, was mit ihm geschah.

Als Dirk Odoy mich am Schopf packte und aufrichtete, blieb mir der Schmerzensschrei in der Kehle stecken. Er rammte mir sein Knie in den Rücken und behielt meine Haare fest im Griff, während Barbara Burkart mir den Knebel aus dem Mund zog. Dann griff sie neben sich und hielt plötzlich ein Glas Orangensaft in der Hand.

Ich schluckte gegen den Brechreiz und meine Angst an. »Es ist noch nichts passiert, Frau Burkart«, flehte ich. »Wenn

Sie uns jetzt gehen lassen, kommen Sie vermutlich mit einer geringen Strafe davon. Sie können behaupten, dass er Sie gezwungen hat, dass Sie durch Ihre Trauer manipulierbar geworden sind und zu Wachs in seinen Händen wurden. Niemand wird Ihnen das Gegenteil beweisen können. Die Morde hat er begangen.« Sein Schlag traf mich mit voller Wucht. Ich schrie auf und bekam gleich darauf den nächsten.

Barbara Burkart legte den Zeigefinger an die Lippen und machte Scht! »Kein Ton! Haben Sie mich verstanden?«

Ich nickte. Irgendwie musste ich Zeit schinden. Zeit war das Einzige, das uns vielleicht noch retten konnte.

»Du musst hier allein weitermachen. Das Auto muss weg, sie können jeden Moment hier eintreffen. Schaffst du das?«

»Na klar.«

Dirk Odoy zerrte mich zum Heizkörper, schlang ein Seil um meinen Hals und zurrte es so fest, dass ich kaum Luft bekam, sobald ich mich auch nur einen Millimeter rührte. Dann rannte er die Treppe hinauf.

»Denken Sie nach, Frau Burkart!«, flüsterte ich. »Uns jetzt umzubringen wäre ein großer Fehler. Die Polizei ist auf dem Weg hierher. Ich habe nicht nur den Notruf gewählt, sondern auch die Beamtin informiert, die in dem Doppelmord ermittelt. Selbst wenn die SIM-Karten aus unseren Handys entfernt wurden, wird man unseren Weg hierher zurückverfolgen können. Wie wollen Sie das erklären?«

»Keine Sorge, Frau Rosin, mir ist bisher noch immer etwas eingefallen. So, und jetzt machen Sie den Mund auf!«

Ich drehte den Kopf zur Seite und presste die Lippen aufeinander. Tränen strömten über mein Gesicht, als sie mir die Nase zudrückte und damit begann, mir den Saft einzuflößen. Ich hustete und spuckte und hatte das Gefühl zu ersticken. Nach jeweils ein paar Schlucken gab sie mir Gelegenheit, Luft zu holen.

»Es ist noch nicht zu spät, Frau Burkart«, machte ich einen letzten schwachen Versuch, als ich meine Sinne schwinden spürte.

Das Letzte, was ich wahrnahm, war ein leises Röcheln von Robert Eichberger und ein durchdringendes Klingeln, dem seine langjährige Freundin nach oben folgte.

Seine Augen waren braun. Sie strahlten viel Wärme aus, was vielleicht auch an den zahllosen Lachfältchen lag, die sie umgaben.

»Na also, da sind Sie ja wieder«, stellte er zufrieden fest. An seinem Outfit war unschwer zu erkennen, dass es sich bei ihm um einen Notarzt handelte.

Ich versuchte, mich aufzurichten, aber er drückte mich sanft, aber bestimmt zurück auf die Trage.

»Brav liegen bleiben!«

»Wo ist Doktor Eichberger?«

»Er ist bereits auf dem Weg ins Krankenhaus, aber er war schon wieder bei Bewusstsein. Es ist eine reine Vorsichtsmaßnahme, die seinem Alter und seinem nicht mehr ganz gesunden Herzen geschuldet ist.«

Ich befühlte meinen Kopf, an dem sich bereits eine Beule gebildet hatte.

Er betrachtete mich mit einem aufmunternden Lächeln. »Das wird alles wieder. Sie haben viel Glück gehabt. Trotzdem sollten Sie zur Sicherheit im Krankenhaus ein CT machen lassen. Ihnen wurde übrigens bereits Blut abgenommen, um zu untersuchen, was Ihnen verabreicht wurde, um Sie außer Gefecht zu setzen.«

»Was ist in der Infusion?« Ich sah zu dem durchsichtigen Beutel, der über mir hing.

»Harmlose Kochsalzlösung, um Sie schnell wieder auf die Beine zu bekommen.«

»Wissen Sie, was mit der Hausbesitzerin und ihrem Chauffeur geschehen ist?«, fragte ich beklommen und sah durch die offen stehende Tür des Rettungswagens zum Haus.

»Beide wurden vorläufig festgenommen«, sagte Corinna Altenburg, die ihren Kopf zur Tür hereinsteckte.

Bei ihrem Anblick schossen mir Tränen in die Augen. »Ich hätte nicht gedacht, dass ich mich einmal so sehr freuen würde, Sie zu sehen.« Ich holte tief Luft. »Danke, dass Sie gekommen sind. Ohne Sie wären wir vermutlich nicht mehr am Leben.«

Sie beugte sich vor und drückte kurz meine Hand. »Den Kollegen, die zuerst hier vor Ort waren, konnte die Dame des Hauses noch weismachen, dass sich jemand einen üblen Scherz mit ihr erlaubt habe. Sie hat sie sogar auf eine Tasse Kaffee hereingebeten, um wiedergutzumachen, dass sie sich völlig umsonst herbemüht hätten. Und sie hat sie aufgefordert, sich in Ruhe im Haus umzusehen, um sich zu vergewissern, dass es sich tatsächlich um einen Scherz handelte. Die Frau ist wirklich überzeugend. Wären nicht Dirk Odoy und ich fast gleichzeitig hier eingetroffen, wäre die Sache vermutlich anders ausgegangen. Aber da dieser Mann allem Anschein nach gerne seine Ärmel hochschiebt, konnte ich Uhr und Fitness-Tracker sehen. Daraufhin habe ich die uniformierten Kollegen, die bereits im Aufbruch begriffen waren, befragt, ob sie auch wirklich alles durchsucht hätten. Wie sich herausstellte, hatten sie Garage und Keller ausgelassen. Um es kurz zu machen: Ich habe Verstärkung angefordert und mit Barbara Burkart und Dirk Odoy ein belangloses Gespräch geführt, bis sie hier eintraf. Als Frau Burkart begriff, dass die Suche nach Ihnen und Doktor Eichberger fortgesetzt werden würde, versuchte sie, sich zur Wehr zu setzen und sich zu weigern. Ich habe ihr erklärt, dass wir sichergehen müssen, dass sie nicht vielleicht unter Druck gesetzt würde.«

»So haben Sie uns gefunden?«

Sie nickte und schien mit sich zufrieden zu sein.

»Sie können sich gar nicht vorstellen, wie sehr ich gebetet habe, dass Sie mir glauben.«

»Doch, Frau Rosin, das kann ich. Ich denke, dafür bin ich selbstkritisch genug, und ich kann Sie nur bitten, mir zu verzeihen. Ich war mir so sicher − in jeder Hinsicht.«

»Haben Sie die Pistole gefunden? Er hat sie mir im Schlafzimmer an den Kopf gehalten und dann …«

»Nein, bisher nicht. Dirk Odoy hatte sie nicht bei sich, als er hier eintraf, aber das Haus wird gerade auf den Kopf gestellt.« Sie ließ ihren Blick auf mir ruhen. »Doktor Eichberger hat übrigens noch mit Frau Burkart gesprochen, bevor sie und Herr Odoy abtransportiert wurden.«

»Waren Sie dabei?«

»Das war die Bedingung.« Sie forschte in meinem Gesicht, wie belastbar ich noch war. »Ich glaube, der Vater Ihres Freundes hat in diesem Gespräch eine völlig andere Frau kennengelernt. Ihr Gesicht war voller Hass.«

»Hass auf wen?«

»Auf Doktor Eichberger, der ihrer Meinung nach alles hat, was ihr zu ihrem Glück fehlt. Auf das Schicksal, das es ihrer Meinung nach nicht gut mit ihr gemeint hat. Wie es aussieht, hat sich Hajo Burkart, ihr Mann, vor seinem Tod erheblich verspekuliert, sodass aus dem ehemals wohlhabenden ein fast mittelloser Mann geworden war. Er sei jedoch viel zu stolz gewesen, um mit seinem Freund darüber zu sprechen. Einige Zeit sei es ihm noch gelungen, den Schein aufrechtzuerhalten. Nach seinem Tod habe sich die Lage dann aber zugespitzt, und das Haus habe kurz vor der Versteigerung gestanden. Dann habe Robert Eichberger das »Problem« mit seinem Erbe bekommen und sie gebeten, ihm zu helfen. Und das sei auch schon das Einzige, was sie sich habe zuschulden kommen lassen. In ihrer Not habe sie sich nicht anders zu helfen gewusst, als sich mittels der Vollmacht, die er ihr erteilt habe, Zugang zu seinem Konto zu verschaffen und von dem Geld zu leben.«

Corinna Altenburg wandte sich um und sah zum Haus. »Und das gar nicht mal schlecht, wenn ich mir das hier alles so ansehe.«

»Und er hat von alldem nichts bemerkt?«, fragte ich ungläubig.

»Er hat sich keine Kontoauszüge schicken lassen und das Konto selbst nicht in Anspruch genommen.«

»Und Dirk Odoy?«

»Sie war nicht bereit, etwas über ihn zu sagen, und sie hat vehement abgestritten, dass einer von ihnen beiden etwas mit den Morden zu tun hat. Doktor Eichberger hat sie dann gefragt, warum sie Sie beide außer Gefecht gesetzt hätten, und musste sich anhören, das sei eine unüberlegte Kurzschlussreaktion gewesen.«

»Oben im Schlafzimmer habe ich ein Foto von ihr und Dirk Odoy entdeckt. Die beiden sind ein Paar. Und Barbara Burkart sieht normalerweise völlig anders aus. Ich nehme an, dass sie die Frau in der *Schwarzreiter Tagesbar* war, die sich mit Alex getroffen hat und mit der er Streit hatte. Hat Robert Eichberger eine Ahnung, wie sie wirklich aussieht?«

»Im Verlauf des Gesprächs hat sie wutentbrannt ihre Perücke abgenommen und ihm vorgehalten, was sie alles für ihn getan hätte. Immerhin hätte sie sich ihm zuliebe verkleidet. Sie habe intuitiv gespürt, wie wichtig es ihm sei, dass sie die Trauer um seinen Freund aufrechterhalte.« Corinna

Altenburg schüttelte den Kopf. »Eins muss man ihr lassen: Um Antworten ist sie nicht verlegen.«

»Und sie weiß, wie man Menschen manipuliert. Sie hat gewusst, wie wichtig ihm ihre vermeintlich einwandfreie moralische Haltung war. Und sie hat es für sich genutzt. Wissen Sie, was er in einem unserer Gespräche zu mir gesagt hat? Dass ihm in unserer schnelllebigen Zeit eine Frau wie Barbara Burkart, die ihrem Mann über den Tod hinaus treu sei, umso wertvoller erscheine. Sie war für ihn das Sinnbild ewiger Treue und lebenslanger Liebe. Sie hätten sehen sollen, wie sehnsüchtig er sie immer angeschaut hat. Ich glaube, er hat von nichts anderem geträumt, als eines Tages doch noch mit ihr zusammenzukommen.«

»Um wie sein Freund in den Genuss von ewiger Treue und lebenslanger Liebe zu kommen?«

»Ich glaube schon. Und sie hat dieses Feuer beständig geschürt.«

»Sie wird jetzt erst einmal viel Zeit zum Nachdenken haben. Ich vermute, wir werden von dieser Frau noch so einiges Interessante zu hören bekommen.«

»Als ich die beiden neulich belauscht habe, hat sie versucht, Doktor Eichberger gegen mich einzunehmen und mir zu unterstellen, ich wolle ihn ausnehmen. Wissen Sie, was sie in dem Zusammenhang wortwörtlich sagte? *Robert, ich glaube, du hast keine Vorstellung davon, wozu Frauen fähig sind, um gut versorgt zu leben.*«

»Allem Anschein nach weiß sie, wovon sie spricht«, meinte Corinna Altenburg trocken.

Inzwischen war die Infusion durchgelaufen. Der Notarzt zog die Nadel aus meiner Vene, legte einen Tupfer auf die Einstichstelle und bedeutete mir, fest daraufzudrücken. Nach ein paar Sekunden versorgte er die Stelle mit einem Pflaster und half mir, mich aufzusetzen.

»Können Sie mich mitnehmen, Frau Altenburg?«

Die Beamtin sah zu dem Notarzt. »Was meinen Sie?«

»Wenn sie mir verspricht, dass sie in den nächsten Tagen ein CT oder Kernspin machen lässt, ist nichts dagegen einzuwenden.«

»Versprochen«, sagte ich. »Und: danke!«

»Ist mein Job.« Er zwinkerte mir zu, zog sich die Einmalhandschuhe von den Händen und verstaute herumliegende Gegenstände. »Achten Sie unbedingt auf die Signale Ihres Körpers. Das, was Sie da gerade erlebt haben, war ja wohl nicht so ganz ohne. Im Zweifel gehen Sie lieber einmal mehr zum Arzt.«

Ich nickte ihm zu und ergriff die Hand, die Corinna Altenburg mir entgegenstreckte.

»Erinnern Sie sich noch, was Sie vor ein paar Tagen zu mir gesagt haben?«, fragte ich sie, als ich langsam neben ihr her zu ihrem Wagen lief. »Solche Taten kämen nicht aus dem Nichts. Sie hätten eine Vorgeschichte.«

»Über diese Vorgeschichte haben alle geschwiegen.«

»Haben Sie eigentlich im Zuge des Doppelmords auch Barbara Burkart befragt?«

»Das haben wir. Alles, was sie sagte, war völlig schlüssig.«

»Ist sie bei Ihnen auch als trauernde Witwe erschienen?«

»Ja. Und ich muss gestehen, dass ich nichts von der Maskerade bemerkt habe. Sie wirkte sehr überzeugend.« Sie hielt mir die Beifahrertür auf und wartete, bis ich saß. Dann schlug sie die Tür zu und kam um den Wagen herum.

»Wissen Sie, was ich immer noch nicht glauben kann?«, fragte ich sie, nachdem sie sich mit einem Seufzer in den Sitz hatte fallen lassen. »Wie kann man jemandem nur so blind vertrauen?«

»Ich glaube, darauf gibt es keine einfache Antwort. Zum einen lebt Doktor Eichberger sehr isoliert und zurückgezogen. Er hat diese Frau geliebt und verehrt. Und sie hat genau gewusst, wo sie ihn packen konnte. Mit ihrer Hinhaltetaktik hat sie außerdem seine Sehnsucht immer wieder neu geschürt. Außerdem wurde sie dadurch für ihn noch heiliger. Hinzu kamen – und das ist bei dem Ganzen sicher ein entscheidender Aspekt – die Schwierigkeiten mit seinem Sohn. All die Lügen. Und dann kommt in dieser Situation eine Frau daher, der die Moral auf die Stirn geschrieben steht. Eine Frau, die sich mit ihm gegen den Sohn verbündet, der nichts auf die Reihe bekommt. Eine Frau, die seine Sorgen versteht und ihn unterstützt. Die nächste Zeit wird sehr schlimm für ihn werden. Barbara Burkart hat ihn nach Strich und Faden belogen, sie trägt mit großer Wahrscheinlichkeit eine erhebliche Mitschuld am Tod seines Sohnes und wollte auch ihn umbringen lassen. Das reicht, um eine Welt zusammenbrechen zu lassen.«

Als sie mich in der hereinbrechenden Dunkelheit vor meinem Haus absetzte, schaltete sie für einen Moment den Motor aus und redete mir ins Gewissen. Ich dürfe nicht unterschätzen, was heute geschehen sei. Sollte ich auch nur die leisesten Anzeichen eines verspäteten Schocks bemerken, solle ich sofort zum Arzt gehen. Ansonsten würde sie sich freuen, wenn ich morgen ins K11 kommen könne, um meine Aussage zu machen.

28 Der Schock blieb zum Glück aus. Dafür kämpfte ich mit heftigen Kopfschmerzen und fühlte mich, als hätte ich zu tief ins Glas geschaut. In der Nacht jagte ein Albtraum den nächsten, bis ich den Versuch aufgab, noch einmal einzuschlafen. Ich brühte mir einen Pfefferminztee, setzte mich damit auf die Fensterbank im Schlafzimmer und sah hinunter auf die Straße, die um halb vier Uhr nachts menschenleer war. Das einzige Wesen weit und breit war eine getigerte Katze, die im Hauseingang gegenüber hockte und eine Plastiktüte beobachtete, die der Wind vor sich hertrieb.

Ich dachte an Robert Eichberger, der im Krankenhaus vielleicht auch wach lag und seine Welt in Trümmern sah. Er hatte dem falschen Menschen vertraut – mit entsetzlichen Folgen. Sein blindes Vertrauen hatte seinen Sohn das Leben gekostet. Er blieb allein zurück. Mit Geld, das ihm letztlich nichts bedeutete, das er für nachfolgende Generationen hatte erhalten wollen. Für Generationen, die es nie geben würde.

Bei Alex hatte er irgendwann gewusst, woran er war. Die Störung seines Sohnes hatte einen Namen gehabt. Barbara Burkart würde sich nicht auf eine Störung hinausreden können. Bei ihr war es bloße Habgier gewesen, die sie angetrieben hatte, und sie war bereit gewesen, Menschenleben dafür zu opfern.

Gegen fünf rief ich Henry an. Ich riss ihn aus dem Schlaf und entschuldigte mich wortreich. Ob etwas passiert sei, wollte er wissen, als er ganz allmählich zu sich kam. Ich erzählte ihm von meinem gestrigen Tag, dass Alex wegen eines Vermögens hatte sterben müssen und sein Vater und ich beinahe auch unser Leben gelassen hätten. Bei meinen Schilderungen kam unweigerlich der Arzt in ihm zum Vorschein. Er stellte mir unzählige Fragen und war erst dann zufrieden, als ich alle beantwortet hatte. Nachdem wir eine Stunde gesprochen hatten, unterbrach er unser Gespräch, um Brötchen zu holen und eine halbe Stunde später mit mir zu frühstücken.

Nach dem ersten Croissant fielen mir die Augen zu, und ich sank in einen Tiefschlaf, aus dem ich erst zwei Stunden später in Henrys Armen erwachte.

Mit einem Augenzwinkern meinte er, irgendwann müssten wir wirklich mal die Frage klären, warum ich mich nicht in ihn verlieben würde. Bei Licht besehen spräche nämlich nicht sehr viel gegen ihn. Er hätte sich auch schon so seine Gedanken gemacht und sei zu dem Schluss gekommen, dass ich womöglich die Phase des Verliebtseins übersprungen hätte. Ob ich in einer freien Minute mal über diese Möglichkeit nachdenken könne? »Und dann?«, fragte ich ihn. »Was, wenn es so wäre?« Ob er dann Hand in Hand mit mir in den Sonnenuntergang gehen wolle? Hand in Hand würde ihm reichen – egal wohin. Ich versprach ihm, darüber nachzudenken. In einer freien Minute.

Nach einem mehrstündigen Abstecher ins Büro, wo ich Niki und Zeno auf den neusten Stand brachte, radelte ich in die Hansastraße. Als ich Corinna Altenburg an ihrem Schreibtisch gegenübersaß und sie mir einen Tee eingegossen hatte, musterte sie mich eingehend. Ich würde noch ziemlich mitgenommen aussehen, meinte sie schließlich. Ob sie mir eine Befragung guten Gewissens zutrauen könne? Zwei Wochen zuvor, als Alex gerade erst ermordet worden war, sei es mir deutlich schlechter gegangen, und da hätte ich ihre Fragen auch überstanden, erwiderte ich trocken und begrüßte Leo Parsinger, der gerade den Raum betrat. Er blieb vor mir stehen und wirkte ungewohnt freundlich, als er mir versicherte, wie froh er sei, dass Robert Eichberger und mir nichts Schlimmeres widerfahren sei.

Nachdem er sich hinter seinem Schreibtisch niedergelassen hatte, wo er eine Akte zur Hand nahm, forderte seine Kollegin mich auf, ihr die gestrigen Ereignisse bis ins kleinste Detail zu schildern. Bevor ich begann, schaltete sie ein Aufnahmegerät ein. Eine Dreiviertelstunde und etliche klärende Fragen später stoppte sie es und verriet mir im Gegenzug, was seit dem gestrigen Nachmittag geschehen war.

Jürgen Kunze hatte man freigelassen und gegen Barbara Burkart und Dirk Odoy offiziell Haftbefehle erlassen. Beide befanden sich inzwischen in Untersuchungshaft.

Barbara Burkart habe in ihrer ersten Vernehmung versucht, den Kopf aus der Schlinge zu ziehen, und Dirk Odoy stark belastet. Nach dem Tod ihres Mannes sei sie nicht klar im Kopf gewesen. Geldsorgen und schlimme Existenzängste hätten sie geplagt. Kurz darauf habe Robert Eichberger ihr sein Geld aufgedrängt, um es vor seinem Sohn in Sicherheit zu bringen. Dadurch habe sich plötzlich ein Fluchtweg aus ihrer Misere aufgetan.

Dirk Odoy, den sie zufällig auf einer Veranstaltung kennengelernt und in den sie sich in ihrer desolaten emotionalen Verfassung verliebt habe, hätte ihr ausgemalt, wie gewinnbringend es sein könne, Robert Eichbergers Geld für Spekulationen zu nutzen und es jeweils zeitnah wieder zurückzuzahlen. Das Ganze sei völlig ungefährlich. Robert würde nichts davon bemerken, da er von dem Konto nie Geld abhebe. Sein Vater habe dieses Geld an der Steuerbehörde vorbei nach Österreich geschafft. Die Kontoauszüge würden zur Sicherheit nicht nach Deutschland geschickt. Er hätte also nur etwas bemerken können, wenn er sich vor Ort kundig gemacht hätte. Aus Dirks Mund habe alles so einfach geklungen. Verluste habe er nicht eingeplant. Die Realität habe dann allerdings anders ausgesehen, und der Betrag auf dem Konto sei mit den Jahren kontinuierlich geschrumpft.

»Die beiden haben à la carte davon gelebt«, brachte Corinna Altenburg es trocken auf den Punkt.

Ein paar Monate zuvor hätten Robert Eichberger und sein Sohn sich nach Jahren des Stillschweigens wieder angenähert, und vor ein paar Wochen habe Robert Adrian die finanzielle Regelung bezüglich seines Erbes erklärt – was seinen Sohn wütend gemacht habe. Als er und Barbara Burkart sich zufällig bei seinem Vater begegnet seien, habe er keinen Hehl daraus gemacht und sei sie ziemlich angegangen. Barbara Burkart habe ihn noch vor Ort beruhigen können und ihm versichert, das Geld gehe ihm nicht verloren, das habe sie seinem Vater hoch und heilig versprochen.

Doch dann hätte ihr ein dummer Zufall beinahe ein Bein gestellt. Sie sei in München in ein Taxi gestiegen, das ausgerechnet von Adrian gelenkt worden sei. Er habe sie sofort erkannt und begriffen, was es mit dem Unterschied in ihrem äußeren Erscheinungsbild auf sich hatte. Sie habe die Gedanken hinter seiner Stirn ganz deutlich lesen können. Ein paarmal habe sie versucht, sich mit ihm zu verabreden, aber er habe sich ziemlich bitten lassen. Schließlich sei es zu einem Treffen gekommen, in dessen Verlauf Adrian sie mit dem Ergebnis seiner Recherchen unter Druck gesetzt und sie zu erpressen versucht habe. Er kenne jetzt ihre Lebensumstände und wisse von ihrem Verhältnis mit ihrem »Chauffeur«. Aber sie habe ihn nur ausgelacht und gesagt, er solle ruhig mit dieser Geschichte zu seinem Vater gehen. Dann würde er schon sehen, wie viel einem Pseudologen geglaubt würde.

»Angeblich hat er behauptet, eindeutige Fotos von beiden gemacht zu haben«, sagte Corinna Altenburg. »Allerdings haben wir weder auf seiner Kamera noch auf dem Laptop oder Handy solche Fotos gefunden. Ich vermute, er hat einfach nur geblufft.«

»Hat sie eine Ahnung, warum Alex mich bei seinem Vater eingeschleust hat?«

»Sie vermutet, es war, um so viel wie möglich über diese Vermögensregelung und das Verhältnis der beiden herauszufinden.«

»Wusste sie, dass ich nicht Elisa Tenzer heiße?«

»Das hat sie erst nach den Morden herausgefunden.«

»Und in welcher Weise belastet sie jetzt Dirk Odoy?«

»Sie habe ihm von dem Gespräch mit Robert Eichbergers Sohn erzählt. Was er daraus gemacht habe, wisse sie jedoch nicht. Sie habe nicht einmal gewusst, dass er die Doppelmorde begangen habe. Er habe lediglich zu ihr gesagt, sie solle sich nicht sorgen, er würde sich um alles kümmern.« Corinna Altenburg hielt inne und sah aus dem Fenster in den strahlend blauen Novemberhimmel.

»Das heißt, sie versucht weiterhin, sich herauszureden«, brachte ich es auf den Punkt. »Da sie durch die Vollmacht legalen Zugang zu dem Konto hatte«, überlegte ich laut, »hat sie sich womöglich nichts weiter als Unterschlagung zuschulden kommen lassen, und sollte ein Richter versuchen, die Scharade gegenüber Robert Eichberger stärker zu bewerten, als es ihr lieb sein dürfte, wird sie behaupten, sie habe ihm als gute, verständnisvolle und zugewandte Freundin lediglich die Wunschwelt von ewiger Treue, nach der er sich so sehnte, erschaffen. Aber das sei wohl eher etwas Moralisches.«

»So ähnlich hat sie es tatsächlich ausgedrückt«, meinte Corinna Altenburg mit zusammengezogenen Brauen. »Robert Eichberger habe sich stets seine heile Welt bewahren wollen und dabei jede Menge blinder Flecken kultiviert. Das sei jedoch nicht ihr anzulasten.«

»Mag sein, dass er blinde Flecken hat. Damit ist er nicht allein. Die hat jeder von uns. Aber sie hat seine skrupellos ausgenutzt.« Ich holte tief Luft. »Was ist eigentlich mit Dirk Odoy? Wie stellt er das Ganze dar?«

Bei dieser Frage kam Leben in Corinna Altenburg. Die Vernehmung mit ihm schien sie weit mehr zufriedengestellt zu haben. »Er belastet Barbara Burkart schwer und schwört Stein und Bein, dass der Plan von ihr stammt.«

»Hat er die Morde gestanden?«

»Ja, das hat er. Ebenso den Mordversuch an Robert Eichberger. Zunächst hat er alles abgestritten, dann hat er sich jedoch so sehr in Widersprüche verstrickt, dass er nach und nach gestanden hat.«

»Er hat keinen Anwalt hinzugezogen?«, fragte ich überrascht.

Sie verneinte. »Er hat sich überschätzt und geglaubt, er hätte das alles im Griff.«

»Und wenn er später widerruft?«

»Lassen Sie uns einen Schritt nach dem anderen tun, Frau Rosin. Jetzt hat er erst einmal gestanden.« Sie stand auf, trat ans Fenster, sah ein paar Sekunden lang hinaus und drehte sich schließlich zu mir um. »Da ist noch etwas.«

Ich wusste, was jetzt kam. »Rike Jordan?«

Sie nickte.

»Der Fuchsmann hat uns beide verwechselt.«

»Sie hatten von Anfang an recht«, gestand sie. »Dirk Odoy hat nichts davon mitbekommen, dass kurz vor ihm Rike Jordan bei Ihrem Freund geklingelt hat. Er hat nur Sie und ihn in der Wohnung vermutet. Der Plan sei gewesen, Sie beide zu töten und es wie eine Drogengeschichte aussehen zu lassen. Der Einbruch in Ihre Wohnung sollte den Fokus auf Sie legen und von Alex Wagatha ablenken. Später dann habe Robert Eichberger sterben sollen. Sie hätten vorgehabt, es wie einen Unfall aussehen zu lassen. Gramgebeugter alter Mann, nicht mehr ganz Herr seiner Sinne, stürzt in einem unachtsamen Moment die Treppe hinunter und verletzt sich tödlich.«

»Was hat er sich gedacht, als er feststellen musste, dass ich noch lebe, nachdem er glauben musste, mich umgebracht zu haben?«

»Er hat angenommen, Sie hätten Ihre Sachen dort liegen lassen. Aus welchem Grund auch immer. Wir hatten ja nichts über eine Tatzeugin verlautbaren lassen.«

Eine Weile verfielen wir beide in Schweigen und hingen unseren Gedanken nach. Dann räusperte sie sich und straffte die Schultern.

»Ich muss zugeben, ich habe einen Fehler gemacht, indem ich mich zu schnell auf Jürgen Kunze eingeschossen habe. Sein Geständnis schien tatsächlich nur noch eine Frage der Zeit zu sein. Darin habe ich mich genauso getäuscht wie in Ihrer Wahrnehmung. Das tut mir sehr leid, Frau Rosin.«

»Im entscheidenden Moment waren Sie da. Das werde ich Ihnen nie vergessen!«

Wir standen beide fast gleichzeitig auf, und sie begleitete mich hinunter. Auf dem Weg versuchte ich das, was geschehen war, in Worte zu fassen. »Letztlich hat es zwei tragische Verstrickungen gegeben«, sagte ich, »und die eine hat die andere erst möglich gemacht. Hätten sich Vater und Sohn nicht entzweit, hätte Barbara Burkart keine Chance mit der Vermögensregelung gehabt, und hätten Vater und Sohn sich nicht wieder angenähert, wären die Morde nicht geschehen.« Die Schuld trug jedoch nicht das Schicksal, das all das herbeigeführt hatte, sondern allein Barbara Burkart und Dirk Odoy, denen Geld so viel mehr wert gewesen war als Menschenleben.

Meine Haustür war gerade erst hinter mir ins Schloss gefallen, als mein Onkel anrief und mich für morgen Nachmittag zu sich einlud. Marielu würde gerade einen köstlichen Apfelkuchen backen, es dufte schon ganz wunderbar. Ich sagte zu und beschloss gleichzeitig, ihm nur wohldosiert von meinen gestrigen Erlebnissen zu erzählen. Selbst in kleinen Dosen würden sie ihn zutiefst schrecken.

Wir hatten unser Telefonat gerade erst beendet, und ich holte die Post aus dem Briefkasten, als Henry sich meldete. Da auf mich, was Selbstfürsorge anginge, nicht hundertprozentig Verlass sei, habe er mir bei einem befreundeten Radiologen für Montag einen Kernspintermin ausgemacht. Das sei nicht nötig, meinem Kopf gehe es schon sehr viel besser, flunkerte ich, nur um mir anhören zu müssen, das würden Leute mit einem Blutgerinnsel im Gehirn auch denken. Ob er mir etwa Angst machen wolle? »Ja«, antwortete er. Und sollte ich den Termin verpassen, würde ich ihn kennenlernen.

Während ich mit einem Lächeln die Treppe hinaufstieg, warf ich einen schnellen Blick auf die Post in meiner Hand. Sie bestand aus Rechnungen, Werbung und einem braunen Umschlag ohne Absender. Oben in meiner Wohnung öffnete ich ihn und zog einen kleinen Stapel Fotos daraus hervor. Sie zeigten Alex mit zwei Frauen. Ich war mir sofort sicher, dass Karen Döring mir diese Fotos geschickt hatte. Vermutlich hatte sie mir zum Schluss noch einen Tritt versetzen wollen, nicht ahnend, wie sehr diese Fotos mir helfen würden.

Die eine der beiden Frauen – sie hatte weißblonde Haare – war nur von hinten zu sehen. Das Foto war entstanden, als von der Straße aus in ein Restaurant hinein fotografiert wurde – vermutlich in die *Schwarzreiter Tagesbar*. Die Frau saß mit dem Rücken zum Fotografen und hatte ihre Hand auf die von Alex gelegt. Ich hatte Barbara Burkart noch nicht ohne Perücke gesehen, aber es konnte sich nur um sie handeln.

Die übrigen Fotos zeigten eine Frau in meinem Alter, die ich schon einmal gesehen hatte. Mit einem Kinderwagen vor dem Haus, in dem Alex gewohnt hatte, kurz nach den Morden. Sie hatte mich gefragt, um wen es sich bei den Opfern handelte, da sie jemanden aus dem Haus kenne. Ich hatte sie irrtümlicherweise für eine Reporterin gehalten und kurz abgefertigt. Die Situationen, in denen die beiden fotografiert worden waren, ließen keinen Zweifel daran, dass sie sehr vertraut miteinander waren. Auf den meisten Bildern lachten sie. Soweit ich es erkennen konnte, war zumindest eines der Fotos auf einem Kinderspielplatz entstanden.

Beim Anblick von Alex' lachendem Gesicht schossen mir Tränen in die Augen. All die Tage hatte ich mich schützen können, indem ich mir kein einziges der Fotos angesehen hatte, die ich selbst von ihm aufgenommen hatte. So unvermittelt und unvorbereitet mit ihnen konfrontiert zu werden, raubte mir für einen Moment den Atem. Ich schob sie zurück in den Umschlag, tigerte eine Weile weinend durch die Wohnung und zog ganz unten aus meiner Tasche die kleine eingewickelte Glückskatze hervor, die er mir zum Geburtstag hatte schenken wollen. Ich stellte sie neben die Spieluhr meiner Schwester auf meinen Nachttisch und betrachtete sie.

Heute genau vor zwei Wochen war Alex umgebracht worden. In diesen zwei Wochen hatte ich ihn verloren und in Bruchstücken wiedergefunden. Meine Wut auf ihn war in den letzten Tagen verraucht und hatte einer tiefen Traurigkeit Platz gemacht. Corinna Altenburg hatte gesagt, Alex habe mit all seinen Lügen nach einem Heilmittel für seine eigenen Verletzungen gesucht und dadurch anderen sehr wehgetan. Eines Tages würde ich ihm gegenüber vielleicht einen milderen Standpunkt finden. Vielleicht sogar einen mitfühlenden. Um ihm verzeihen zu können. Inzwischen wusste ich, dass ich es konnte.

Am Samstagmorgen schlief ich lange aus, erwachte mit einem Brummschädel und brauchte Unmengen von schwarzem Tee, bis mein Kopf einigermaßen klar war. Dann zog ich mich warm an, stülpte mir eine Mütze über die Haare und radelte in Alex' Straße.

Dort fragte ich Passanten nach umliegenden Spielplätzen. Ich erfuhr von zweien und machte mich auf den Weg zum ersten. Drei Mütter befanden sich dort mit ihren Kleinkindern. Sie hatten Thermoskannen neben sich stehen und tranken aus dampfenden Bechern. Eine telefonierte, die beiden anderen waren in ein Gespräch vertieft, ohne dabei ihre Sprösslinge aus den Augen zu lassen. Ich zeigte das Foto, das Alex und die junge Frau zeigte, herum, hielt dabei jedoch Alex' Bildseite umgeknickt. Alle drei betrachteten das Foto interessiert, keine von ihnen erkannte jedoch die Frau.

Der zweite Spielplatz war stärker besucht. Zwei Frauen und zwei Männer spielten dort mit der doppelten Anzahl an Kindern. Sie waren so vertieft, dass sie mich erst gar nicht bemerkten. Ich tippte einer der beiden Frauen auf die Schulter und sprach sie an. Nachdem sie einen Blick auf das Foto geworfen hatte, lachte sie und meinte, ich hätte Glück. Sie deutete auf die Frau, die mit dem Rücken zu mir stand.

Obwohl sie ihre Mütze tief ins Gesicht gezogen hatte,

erkannte ich sie wieder. Ich fragte sie, ob sie sich an mich erinnere. Wir seien uns vor knapp zwei Wochen in der Gollierstraße begegnet. Kaum hatte ich die Straße genannt, schrak sie zusammen. Sie sah sich um, ob jemand der Umstehenden etwas von unserem Gespräch mitbekam. Dann deutete sie auf eine Bank, die ein paar Meter von uns entfernt unter einem Kastanienbaum stand. Sie setzte sich so, dass sie ihren kleinen Sohn im Auge behalten konnte.

»Sind Sie Biggi?«, fragte ich ohne Umschweife.

Sie sprang auf und wollte wortlos gehen, als ich sie zurückhielt.

»Von mir droht Ihnen keine Gefahr. Ich möchte nur mit Ihnen über Alex reden.«

»Er ist tot.«

»Er hat mir von Ihnen erzählt. Von der Beziehung, die Sie hatten.«

»Dann sind Sie Dana, nicht wahr?« Sie setzte ein Ja voraus. »Es muss schlimm für Sie gewesen sein.«

Blitzschnell zählte ich eins und eins zusammen. »Er hat Ihnen gesagt, dass er sich von mir trennen wollte?«

Sie nickte. »Und es tut mir sehr leid für Sie. Ich hoffe, Sie können ihm verzeihen. Alex war ein ganz besonderer Mensch. Aber wem sage ich das? Das wissen Sie selbst.«

»Hat er Ihnen auch verraten, warum er sich von mir trennen wollte?«

»Hat er Ihnen das etwa nicht gesagt?«

Ich schüttelte den Kopf. »Ich würde es aber gerne wissen.«

Sie schien sich zu fragen, was sie mir zumuten konnte, rang sich dann jedoch zu einer Antwort durch. »Es war wegen Ihrer Arbeit.«

»Wegen meiner Agentur?«

»Von einer Agentur hat er nichts gesagt, nur dass Sie Hackerin sind und dass er damit ein massives Problem hat.

Entschuldigen Sie, wenn ich das so unverblümt sage.« Sie musterte mich eingehend. »Ich hatte Sie mir ganz anders vorgestellt. Härter irgendwie, skrupelloser.«

Ich ersparte es mir, sie nach Alex' angeblichem Beruf zu fragen. Vielleicht wäre dabei herausgekommen, dass er verdeckter Ermittler war oder in der Raumfahrt arbeitete. Seine wahre Tätigkeit war ganz sicher auch bei ihr nicht zur Sprache gekommen.

»Ich habe lange nach Ihnen gesucht«, sagte ich stattdessen, »aber ich wusste nicht, wie ich Sie erreichen sollte.«

»Warum haben Sie mich gesucht?«

»Weil wir Alex eine Weile gleichzeitig begleitet haben und ich Ihnen ein Gesicht geben wollte. Warum hatte er eigentlich keine Telefonnummer von Ihnen in seinem Handy gespeichert?«

»Er hat Ihnen sicher erzählt, dass ich verheiratet bin. Ich wollte kein Risiko eingehen, entdeckt zu werden.« Sie blickte sich um. »Deshalb haben wir uns hier auf dem Spielplatz immer kleine Nachrichten hinterlassen.«

»Und haben es auch riskiert, sich ausgerechnet hier zu treffen.«

»Woher wissen Sie das?«

Ich zeigte ihr die Fotos.

»Haben Sie uns etwa beobachtet?«

»Nicht ich. Jemand, der mir eins auswischen wollte.«

Sie betrachtete die Fotos mit Tränen in den Augen. »Darf ich eines davon behalten?«

Ich reichte sie ihr. »Sie dürfen sie alle haben.«

Am Sonntagmorgen hatte Robert Eichberger sich mit mir an Alex' Grab verabredet. Um vorher ein wenig Zeit allein dort zu verbringen, fuhr ich früher hin. Ein paar Meter von dem mit Blumen bedeckten Grab ließ ich mich auf einer

Bank nieder. In dem Baum über mir sang eine Amsel, ansonsten war es ganz still. Leise summte ich den Song von Andreas Bourani. *Ein Hoch auf uns, auf dieses Leben … auf das, was vor uns liegt … auf den Moment, der bleibt.* Es lag zwar nichts mehr vor uns, aber dieser wundervolle Morgen, bevor der Fuchsmann geklingelt hatte, würde für immer in meinem Herzen sein.

Ich hörte ihn schon von Weitem und drehte mich zu ihm um. Robert Eichberger kam langsam auf mich zu. Er ging gebeugt und schien für jeden Schritt Kraft zu benötigen. Mit einem unterdrückten Stöhnen setzte er sich neben mich. Den Blick hielt er auf das Grab gerichtet, in dem neben seiner Frau nun auch noch sein Sohn ruhte. In den letzten beiden Tagen schien er noch einmal gealtert zu sein.

»Danke, dass Sie gekommen sind, Frau Rosin.«

Ich nahm seine kraftlose Hand und hielt sie in meiner.

»Wissen Sie, wie es sich anfühlt, von allen belogen worden zu sein? Von meinem Sohn, der schwer gestört war, und dann noch von meiner Vertrauten, die …« Seine Stimme versagte ihm ihren Dienst. Mit der freien Hand fuhr er sich über die feuchten Augen.

»Die leider zutiefst gierig, skrupellos und verdorben ist«, vollendete ich seinen Satz.

»Wieso nur habe ich nichts davon bemerkt?«

»Sie hat Sie sehr gekonnt eingewickelt. Sie hat Ihre Sehnsüchte ausgenutzt und Sie darüber manipuliert, sie kannte Ihre Verzweiflung über Ihren Sohn und hat sich auf Ihre Seite gestellt.« Ich drückte seine Hand. »Hinterher ist es immer einfach zu sagen, was man hätte anders machen können. Ihnen werden ganz bestimmt genügend Schlaumeier begegnen, die überzeugt sind, sie wären nicht in diese Falle getappt. Verschließen Sie Ihre Ohren dagegen.«

»Inzwischen hat die Presse von der ganzen Sache Wind bekommen.«

»Dann nehmen Sie Kasper und fahren eine Weile mit ihm in die Berge. Irgendwohin, wo Sie zur Ruhe kommen können.«

»Ich weiß, niemand hat ein Recht darauf, verschont zu bleiben, aber ich hätte es mir gewünscht. Ich weiß nicht, was das alles mit mir macht. Und das ängstigt mich zutiefst.«

»Es wird Sie verändern. Ich glaube, man kann so etwas nicht durchleben, ohne dass das geschieht. Aber Veränderungen an sich sind ja nichts Schlimmes.«

Zum ersten Mal sah er mich an. »Wie wird es Sie verändern?«

»Ich weiß es nicht.«

Sein Blick wanderte wieder zum Grab. »Ich habe viel falsch gemacht mit Adrian und vieles versäumt. Ich weiß, dass die Ursachen für diese Persönlichkeitsstörung in der Kindheit liegen. Nichts davon kann ich ungeschehen machen.« Er schluckte. »Sie waren verliebt in Adrian, nehme ich an. Als was für einen Menschen werden Sie ihn in Erinnerung behalten?«

»Als einen mit mehreren Seiten, so wie jeder von uns sie hat. Nur war bei ihm die eine stark ausgeprägt. Nachdem ich davon erfahren hatte, war ich einfach nur wütend und enttäuscht, aber ich will ihn nicht allein auf seine Lügen reduzieren. Das wäre nicht fair. Wir hatten viele glückliche Momente. Und ich bin froh, ihm begegnet zu sein.«

»Ich finde es immer wieder grausam, dass ein einziger Moment genügt, um alles so grundlegend zu verändern.«

Wir schwiegen, während ich weiter seine Hand hielt.

»Ich würde gerne glauben, dass es einen Himmel gibt, in dem Adrian seiner Mutter begegnet«, fuhr er so leise fort, dass ich es kaum hören konnte. Er holte tief Luft. »Und ich bin froh, dass Sie verschont wurden, Frau Rosin.«

Es fiel mir immer noch schwer, an Rike Jordan zu denken, die an meiner Stelle hatte sterben müssen. Hätte sie nicht bei Alex geklingelt, wäre ich jetzt tot. Ich konnte nicht ermessen, was diese Tatsache für ihre Angehörigen bedeutete. Ob sie überhaupt eine Rolle spielte. Aber jeder von uns würde irgendwann gedanklich die Hürde überwinden müssen, von der an das Unglück seinen Lauf genommen hatte. Niemand von uns konnte die Zeit zurückdrehen.

Als meine Familie gewaltsam umgekommen war, hatte ich für mich den Schluss daraus gezogen, dass ein Alibi vielleicht alles hätte zum Guten wenden können. Dieser Gedanke war wegweisend für mich gewesen. Was aber sollte ich aus der Ermordung von Alex und Rike Jordan schließen? Ihr Tod hätte sich nur verhindern lassen, wenn zwei Menschen weniger habgierig gewesen wären. Robert Eichbergers Gutgläubigkeit wollte ich in dieses Wenn nicht einschließen, denn das hätte ihm einen Teil der Schuld auferlegt – und er war nicht schuld an dem, was geschehen war. Er war ein Opfer wie alle anderen auch.

Als es Zeit war zu gehen, standen wir fast gleichzeitig auf. Während wir den Hauptweg Richtung Ausgang liefen, behielt er meine Hand in seiner.

Kristina Mahlos erster Fall

Hier reinlesen!

Sabine Kornbichler

Das Verstummen der Krähe

Kriminalroman

Piper Taschenbuch, 432 Seiten
€ 9,99 [D], € 10,30 [A]*
ISBN 978-3-492-30597-6

Kristina Mahlos Auftrag als Nachlassverwalterin hat es in sich. Eine Verstorbene vererbt ihr beträchtliches Vermögen ihren fünf besten Freunden, jedoch unter der Bedingung, dass es gelingt, den Mord aufzuklären, für den ihr Mann einst verurteilt worden war. Kris will den Fall ablehnen, doch dann entdeckt sie in der Wohnung der Toten einen Hinweis auf ihren eigenen Bruder Ben, der vor Jahren spurlos verschwand …

PIPER

Leseproben, E-Books und mehr unter **www.piper.de**

Jede Seite ein Verbrechen.